Berliner Geschichten

»Operativer Schwerpunkt Selbstverlag«

Eine Autoren-Anthologie:
wie sie entstand und
von der Stasi verhindert wurde

Herausgegeben von
Ulrich Plenzdorf
Klaus Schlesinger
Martin Stade

Suhrkamp

100121863 3

suhrkamp taschenbuch 2256
Erste Auflage 1995
© Suhrkamp Verlag Frankfurt am Main 1995
Quellenhinweise am Schluß des Bandes
Suhrkamp Taschenbuch Verlag
Alle Rechte vorbehalten, insbesondere das
des öffentlichen Vortrags, der Übertragung
durch Rundfunk und Fernsehen
sowie der Übersetzung, auch einzelner Teile.
Satz: Fotosatz Gutfreund, Darmstadt
Druck: Nomos Verlagsgesellschaft, Baden-Baden
Printed in Germany
Umschlag nach Entwürfen
von Willy Fleckhaus und Rolf Staudt

1 2 3 4 5 6 – 00 99 98 97 96 95

3518387561

suhrkamp taschenbuch 2256

Am 10. November 1975 verfaßte ein Mitarbeiter der Stasi ein mehrseitiges Papier, das sich zur »Information« an die höchsten Stellen der ehemaligen DDR richtete und diesen warnend zu berichten wußte: »... daß sich mehrere Schriftsteller zielgerichtet mit der Absicht zusammengefunden haben, eine Anthologie von Erzählungen unter dem Titel ›Berliner Geschichten‹ zusammenzustellen und sie einem Verlag in der DDR zur nichtkorrigierten Veröffentlichung anzubieten.«

Den »Fall«, als dessen Initiatoren die Schriftsteller Ulrich Plenzdorf, Klaus Schlesinger und Martin Stade ausgemacht wurden, galt es ab sofort »durch differenzierte Maßnahmen ... zu unterbinden«.

Zu jenem Zeitpunkt – im November 1975 – hatten die Herausgeber ihre Arbeit im wesentlichen abgeschlossen. Die Beiträge (u. a. von Günter de Bruyn, Elke Erb, Fritz Rudolf Fries, Stefan Heym, Helga Schubert, Joachim Walther) standen fest, die beteiligten Autoren lasen die Manuskripte, und nun wollte man bald darangehen, Verlagen in der DDR das druckfertige Manuskript anzubieten, um – so O-Ton Stasi – »Verlagslektoren ›als Zensor‹ auszuschalten«

Die erste Autoren-Anthologie auf sozialistischem Boden? Nein! Und also holte die Staatssicherheit mit dem »Operativen Schwerpunkt Selbstverlag« zum Gegenschlag aus – mit dem Ergebnis, daß diese historisch einmalige, so brisante wie literarisch bedeutsame Anthologie in Schubläden verschwand.

20 Jahre später erscheinen jetzt die *Berliner Geschichten* – bereichert um ein erklärendes Vorwort und *vor allem* um Dokumente der Staatssicherheit, die auf ihre Weise beleuchten, daß Literatur, ernst genommen, gefährlich zu werden vermag.

Inhalt

Die Affäre

Unerheblich, wer von uns dreien die Idee hatte. Ihrem Wesen nach hätte sie den Urheber ohnehin verleugnen sollen, und sie wurde in einer Zeit geboren, die für neue Denkansätze, andere Blicke auf die Gesellschaft zwischen Elbe und Oder, Ostsee und Erzgebirge offener schien als die zwischen dem Dezember 1965 und dem Frühjahr 1971, dieser letzten Periode der Ulbricht-Herrschaft. Wann hatten wir das erste Mal darüber gesprochen? Im Herbst 73, als wir zusammen in Wiepersdorf waren? Oder Silvester in Alt-Ruppin? Die ersten Einladungen verschickten wir jedenfalls Anfang vierundsiebzig...

Vierundsiebzig, dreiundsiebzig, zweiundsiebzig – das war eine Zeit, die das Land DDR, schien uns, grundlegend veränderte. Nach sechs bleiernen Jahren, die dem berüchtigten 11. Plenum im Dezember 1965 gefolgt waren, konnte man so etwas wie einen Aufbruch spüren. Die Signale hatte der 8. Parteitag gesetzt, der schroffe Wechsel von Ulbricht zu Honecker, die Welle der völkerrechtlichen Anerkennung, die neuen Botschaften und die Büros der Presse-Korrespondenten. In der Literatur trat eine neue Generation an die Öffentlichkeit und wurde begleitet von dem Satz, den der neue erste Mann im Staat gesprochen hatte: daß es in der Literatur keine Tabus geben dürfe, wenn die Autoren von sozialistischem Standpunkt ausgingen. Wir registrierten vor allem den ersten Satzteil, ohne mit dem zweiten Schwierigkeiten zu haben; uns hatte achtundsechzig geprägt, der antiautoritäre Aufstand der westeuropäischen Studenten ebenso wie der Versuch unseres südlichen Nachbarlandes, den Sozialismus zu demokratisieren. Auch wenn beide Bewegungen andere Wurzeln hatten, ihre Richtung wies dorthin, wo der Begriff Emanzipation seinen Ort hatte – kurz: wir wollten hinaus aus den Zwängen der Konventionen. Weg mit den überlieferten Normen der alten Generation, hieß es und: Zerbrecht die Verkrustungen, die über euer Leben gewachsen sind!

Wir erinnern uns, daß mancher in den späten Siebzigern in Diskussionen darauf bestand, er hätte sich zu dieser Zeit an keinem anderen Ort der Welt freier fühlen können als in der DDR – wenn man Freiheit nicht mit Freizügigkeit verwechsle und, natürlich, aus der Perspektive eines Schriftstellers gesehen, dessen größte Freiheit in der Freiheit gegenüber seinen Stoffen, seinen Figuren bestehe.

Den Begriff Opposition benutzten wir nicht, weil er uns zu eng schien, zu sehr auf den westlichen Parlamentarismus bezogen, dessen heimliche Verehrer wir auf keinen Fall sein wollten. Wir meldeten eine Forderung an die Macht an, wenn wir sagten, wir verstünden uns als gesellschaftskritische Schriftsteller, die mit ihrer Kritik in das System, in dem sie leben, integriert sein wollten, ja, die erwarteten, daß ihre Kritik selbst von den Kritisierten, wenn nicht sehnsüchtig, so doch um der Sache willen erwartet würde.

Die Realität schien uns vorerst recht zu geben. Die großen Kunstausstellungen wurden gesellschaftliche Ereignisse; die Artikel in der Presse bekamen, die Unvollkommenheit des Gegenwärtigen betonend, statt eines positiven ein negatives Schwänzchen; in Berlin z. B. trat Bettina Wegner mit der »Eintopp« genannten Veranstaltung jeden Monat einmal auf die Bühne des Hauses der jungen Talente in der Klosterstraße und stellte dem Auditorium im überfüllten Saal bekannte und unbekannte Liedermacher, Autoren, Schauspieler vor, und hinterher wurde in einer Offenheit diskutiert, die den anwesenden westlichen Presseleuten alle Vorstellungen über den Zwangsstaat DDR zertrümmern mußten.

In dieser Zeit, in diesem Klima ist die Idee geboren worden, Texte für eine Anthologie zu sammeln – Thema: Berlin, Hauptstadt der DDR; Zeit: vom Kriegsende bis zur Gegenwart. Sie sollte sich von anderen Anthologien dadurch unterscheiden, daß alle Teilnehmer von allen Beiträgen Kenntnis bekommen, darüber beraten und – nach Einigung – auch als kollektive Herausgeber gegenüber einem unserer Verlage auftreten sollten.

Wir machten eine Liste von Namen, die uns spontan einfielen, wollten neben den älteren, ausgewiesenen Autoren wie Stefan Heym und Christa Wolf auch jüngere, noch unbekannte hinzuziehen, entwarfen einen Einladungsbrief, wählten einen ausreichend fernen Termin und baten, auch andere Autoren vorzuschlagen.

Das Echo war, bis auf eine Ausnahme, positiv, ja wir lasen aus den Antworten eine verhaltene Begeisterung heraus. Unter dem Datum des 22. 2. 74 dankt Stefan Heym für den »kollektiven Brief«, will gerne dabei sein, den Plan, wo er kann, unterstützen und schlägt Stephan Hermlin vor. Zwei Tage später schreibt Fritz Rudolf Fries, daß ihm das Demokratische an dem Vorhaben gefällt; er will mitmachen und schlägt Uwe Grüning vor. Günter de Bruyn findet die Initiative sogar »rühmenswert«. Zwar hat er im Moment weder Text noch Idee, will sich aber beteiligen und schlägt Karl Mickel, Bernd Jentzsch, Günter Kunert, Irmtraud Morgner und Sarah Kirsch vor. Stephan Hermlin, den wir gleich angerufen hatten, hat zwar Zweifel, ob er seine spontan am Telefon gegebene Zusage einhalten kann, und möchte nicht, daß wir böse sind, wenn er nicht teilnimmt, hofft aber, daß unser Vorhaben gelingt. Christa Wolf schließlich gefällt das Verfahren, weil es »ziemlich demokratisch ist« und »mal eine Gruppe von Autoren zu einem gemeinsamen Subjekt gegenüber einem Verlag erhebt«. Sie schlägt Sarah Kirsch, Irmtraud Morgner, Helga Schubert und Günter Kunert vor. Nur Franz Fühmann, der als erster geantwortet hatte, lehnt unsere Einladung auf eine freundliche, aber bestimmte Weise aus zwei Gründen ab. Erstens habe er kein Verhältnis zu Berlin, zweitens glaube er, daß eine Koppelung von Literatur mit Abstimmungen, Beschlüssen, Diskussionen ein »Selbstmordmotiv« sei.

2

Die ersten Texte für unsere Anthologie trafen im Sommer 1974, die letzten im Frühjahr 1975 bei uns ein. Wir hatten an die 200 Seiten Manuskripte, darunter einige von jungen, unbekannten Autoren wie Hans Ulrich Klingler, Heide Härtl und Gert Neumann, der damals noch unter dem Familiennamen seiner Frau schrieb. Stade hatte die zufällige Bekannt-schaft eines früheren, jetzt Geschichten schreibenden Jagd-fliegers der NVA gemacht, dem unsere Idee gefiel und der einen kleinen Text beisteuerte; Plenzdorf hatte von dem jun-gen Autor Wolfgang Landgraf gehört, sprach oder schrieb ihm, aber dessen Beitrag traf, ebenso wie der von Erich Köhler, erst ein, als, im Mai 1975, die erste Fassung verviel-fältigt und an die bisher achtzehn Autoren verschickt worden war.

Die Sammlung war erfreulich unausgewogen; sie reichte von der Groteske bis zur Impression, von der klassischen Short-Story bis zum Sprachexperiment. Die Reaktionen der Beteiligten waren unterschiedlich wie ihre Texte. Während Gert Neumann uns mitteilte, »daß das Lesen der einzelnen Beiträge durch eine außerordentliche Spannung begleitet war, solch eine, die ein Leser von Gegenwartsliteratur erwar-tet«, meinte Stefan Heym, daß die Anthologie nicht nur bei den Behörden auf Widerstand stoßen, sondern auch keinen Verlag finden würde. Er verwies auf den Text von Plenzdorf meinte aber auch seinen, der nur eine Belastung für die an-deren Autoren darstelle, entschuldigte sich für die geplante Autoren-Zusammenkunft und schlug vor, die Auswahl re-präsentativer zu machen.

Am 10. September 1975 dann trafen sich die Beteiligten im Becher-Klub in Berlin. Von den achtzehn Eingeladenen waren nur zehn erschienen, und es lag eine Atmosphäre von Un-sicherheit über der kleinen Runde, eine Unsicherheit, die – von heute aus betrachtet – ebenso aus der mangelnden Erfah-rung mit »basisdemokratischen Strukturen« kam, wie sie Franz Fühmanns Befürchtungen bestätigte. Der »Rundbrief an alle Autoren der Anthologie ›Berliner Geschichten‹«, der vierzehn Tage nach der Sitzung verschickt wurde, illustriert es in seinen »Beschlüssen«: erstens sollte das Manuskript noch keinem Verlag angeboten werden, zweitens wurde die Diskussion um die einzelnen Beiträge aufgeschoben und drit-tens festgelegt, noch andere Autoren einzuladen. Es folgen 23 Namen und weitere Beschlüsse über Kostenaufteilung, Rotation der Koordinatoren, Presseerklärungen, Liefertermine u. ä., von denen die wichtigsten wegen des Fehlens fast der Hälfte unserer Mitstreiter im Konjunktiv gehalten werden mußten.

Doch wie kompliziert uns das Ergebnis des Treffens auch schien, damals hatten wir die feste Absicht, das Projekt, trotz möglicherweise hoffnungsloser organisatorischer Überforderung, zu einem guten Ende zu führen. Wir begannen die neuen Einladungen zu schreiben, formulierten die Erklärung für die »Mitteilungen des Schriftstellerverbandes«, schickten sie an alle Beteiligten und warteten auf Zustimmung oder Ablehnung, erhielten weitere Texte und Vorschläge, auch Absagen oder Distanzierungen; Kunerts »inneres Barometer« war nach seiner Teilnahme an dem Treffen »ziemlich tief gefallen«, er wollte nicht mehr mitmachen; Günter de Bruyn schienen nun manche Beiträge »nach erneuter Lektüre... schwächer als zuvor«, und Heym wollte wegen des unausgereiften Zustandes der Anthologie auf keinen Fall, daß unter der Presseerklärung sein Name stünde. Dennoch wuchs unser Manuskript innerhalb weniger Wochen auf dreihundertfünfzig Seiten, weitere Beiträge waren angekündigt, und während wir uns vornahmen, die nächste, zum 5. März 1976 geplante Zusammenkunft besser vorzubereiten, hatten Partei, Staatssicherheit und Schriftstellerverband bereits begonnen, das Ende unseres Projekts einzuläuten.

Im Herbst 1975 hatte sich das politische Klima entscheidend gewandelt. Überall stieß, wer mit neuen Aktivitäten an die Öffentlichkeit treten wollte, auf Schwierigkeiten. Lesungen wurden mit fadenscheinigen Begründungen abgesagt, Reisen in den Westen verzögert oder nicht genehmigt. Jener »Eintopp« beispielsweise litt zunehmend unter den Versuchen staatlicher Eingriffe, die zwar allesamt abgewehrt werden konnten, aber jeden Monat aufs neue Probleme schafften, die Autonomie der Veranstalter und aller Beteiligten zu wahren. Stefan Heym, dessen drei unter Ulbricht verbotene Bücher nach dem 8. Parteitag veröffentlicht worden waren, stieß mit neuen Erzählungen wieder auf Ablehnung.

Noch führten wir die Gegenbewegung auf die Trägheit der Apparate zurück, auf ihre mangelnde Fähigkeit, sich reformerischen Bestrebungen zu öffnen. Im Berliner Verband forderte Heym eine Art Verlag der Autoren als Mittel gegen die inkompetenten Eingriffe der Kulturbürokratie; Schlesinger redete an gleicher Stelle über die Schwierigkeiten, die Plenzdorf hatte, sei es bei Lesungen, Rezensionen oder Interviews. Hermann Kant sprang gleich auf, erbot sich, die Sache in die Hand zu nehmen, und forderte konkrete Beispiele, damit er tätig werden könne. Es wurden vier Fälle dokumentiert und ihm schriftlich übermittelt, lange gab es keine Antwort, und es brauchte einige Zeit, bis wir begriffen, daß dahinter eine Methode der Abwiegelung steckte.

Aus dem Haus des Zentralkomitees gab man uns hinter vorgehaltener Hand zu verstehen, Honecker habe Schwierigkeiten mit dem konservativen Teil des Politbüros, und die Genossen und Kollegen Schriftsteller und Künstler sollten die neugewonnenen Möglichkeiten durch ihre Aktivitäten nicht in Frage stellen. Wir überlegten einen Moment und antworteten, worin denn die neuen Möglichkeiten bestünden, wenn wir sie nicht in Anspruch nehmen dürften – und machten weiter.

3

Erinnern können wir uns an die ersten Anzeichen jener eigenartigen Kunde, die in der Sprache der Geheimdienste *Desinformation*, in der Sprache des Alltags *Gerücht* genannt wird.

Gerüchte aus allen Ecken, ganz plötzlich. Wir würden mit unserer Anthologie eine Plattform bilden wollen. Wir hätten vorgehabt, sie im Selbstverlag herauszugeben. Wir stünden schon mit dem westlichen Molden-Verlag in Verbindung, der das Buch mit fünfzigtausend Exemplaren auf den Markt werfen sollte. Es gäbe Streit unter uns. Viele Beteiligte hätten sich schon distanziert.

Wir dementierten, wo wir konnten, aber auf den Gesichtern der Kollegen, mit denen wir sprachen, blieb oft ein skeptischer Ausdruck zurück.

Mit dem 27. Januar 1976 ist der Brief datiert, in dem uns Landgraf mitteilt, daß er seine Geschichte zurückziehen wird.

Die Gründe, schreibt er, möchte er in dieser Form nicht darlegen, ist aber bereit, mit uns darüber zu reden. Und: »Sie können mir glauben, daß es mir leid tut, dieses so hoffnungsvoll begonnene Projekt so enden zu sehen.«

An ein Ende dachten wir da nicht. Zwar hörten wir, daß der Verband Autoren, die an der Anthologie beteiligt waren, zu beeinflussen suchte, hörten aber auch gleichzeitig, daß er damit nicht durchweg Erfolg hatte. In der Akte »Berliner Anthologie« des Schriftstellerverbandes finden sich Gesprächsvermerke mit jenem ehemaligen Flieger, mit Helga Schubert, Erich Köhler und Martin Stade, manche in einer kurzen und einer längeren Fassung, wobei die kürzere an das MfS gegangen sein dürfte.

In gleichem Zusammenhang ist ein Brief zu sehen, den Schlesinger Anfang Februar an den 1. Sekretär des Verbandes, Henniger, schrieb und der einen gewissen Sarkasmus nicht verbergen kann. Er setzte den Mann, der die obstruktive Arbeit des Verbandes leitete, von jenen Gerüchten in Kenntnis, die dieser teilweise selbst in Umlauf gebracht hatte, erklärte ihre Unrichtigkeit und forderte ihn auf, sie in unserem Namen zu dementieren.

Der Brief verlangte keine Antwort, und sie wäre auch nicht gegeben worden; Schriftliches, das wußten wir, gab die Partei- und Verbandsbürokratie nur selten aus den Händen. Aber sie reagierte. Sie reagierte spätestens, als wir eine »Darstellung« des Vorgangs schrieben und sie an alle wichtigen Institutionen und Personen schickten; an Anna Seghers, die damals noch Präsidentin des Verbandes war, ebenso wie an das Zentralkomitee der SED, Abteilung Kultur, an die Bezirksleitung der gleichen Partei und ans Ministerium für Kultur. Sie trug auf vier Schreibmaschinenseiten die kurze Geschichte unserer Anthologie zusammen, benannte die Vorwürfe, die gegen uns gesammelt worden waren, und versuchte, sie im einzelnen durch Argumente zu widerlegen. Das war leicht, glaubten wir, wenn es um so absurde Behauptungen ging wie jene, wir hätten die Anthologie im geheimen vorbereitet, wollten sie im »Selbstverlag« realisieren oder hätten sie schon einem Westverlag angeboten.

Schwieriger war es, den ideologischen Vorwürfen – wie dem der »Plattformbildung« oder des »Versuchs der Zerstörung staatlicher Verlagsstrukturen« – Paroli zu bieten. War dieser noch mit dem Verweis auf die »partiell ›produktionsgenossenschaftliche‹ Seite« des Projekts »als ein fortschrittliches, die Beziehungen zwischen einzeln produzierenden Schriftstellern förderndes Unternehmen« darzustellen, ließ sich jene der ›Plattformbildung‹ – »was immer man darunter« verstünde, schrieben wir höhnisch, denn wir wußten natürlich um die gefährliche Kraft dieses Begriffs aus dem stalinistischen Instrumentarium der Verleumdung – nur mit einem zornigen Dementi in den Bereich des Absurden verweisen. Und wir fügten einen mahnenden Hinweis auf die politischen Veränderungen der letzten zwei Jahre hinzu: Die Autoren seien sich des experimentellen Charakters der Anthologie bewußt, der ein den Künsten wohlgesinntes Klima erfordere. Dieses Klima hätten sie in der kulturpolitischen Linie seit dem 8. Parteitag gespürt, und sie glaubten, mit diesem Projekt seinen Intentionen gefolgt zu sein ... Die Autoren scheuten keinen Meinungsstreit, wußten aber, daß ihr Experiment nur in einer Atmosphäre gedeihen könne, die frei sei von Unterstellungen, Verleumdungen und Intrigen.

4

Es muß ein Freitag gewesen sein, an dem wir, Plenzdorf und Schlesinger – Stade, der damals in Rerik wohnte, war krank –, den karg möblierten Raum eines Neubaus in der Karl-Liebknecht-Straße betraten.

Fünf Funktionäre saßen uns gegenüber – nein, vier am Anfang: Görlich, Kerndl, Henniger und Küchler. Hermann Kant kam später, setzte sich auf einen Stuhl im Hintergrund und brach nur einmal sein Schweigen.

Bevor wir mit dem Gespräch begannen, wollten wir wissen, ob es um Klärung ginge oder um Verurteilung, worauf unsere Gegenüber versicherten, es ginge um Klärung. Der Bericht, den die »Inoffiziellen Mitarbeiter ›Martin‹ und ›Hermann‹« bei der Staatssicherheit ablieferten, sagt wenig über den tatsächlichen Verlauf des Gesprächs, viel über den Geist seiner Urheber. Stellenweise liest sich dieser Bericht wie die Niederschrift eines Verhörs, bei dem es den Vernehmern gelungen ist, die falschen Behauptungen der Täter durch Konfrontation mit den Beweisen zu widerlegen. Wir erinnern uns, daß wir die ganze Zeit über unsere Positionen verteidigten und wie deprimiert wir nach drei Stunden wieder auf die Straße traten. Auf keines unserer Argumente war eingegangen worden. Das Ergebnis mußte von vornherein festgestanden haben.

Nicht lange nach diesem Treffen bekamen wir von einem DDR-Verlag, mit dem wir uns – entgegen unseres geplanten Modus und auf das Verständnis unserer Kollegen hoffend – versuchshalber in Verbindung gesetzt hatten, die mündliche Nachricht, wenn überhaupt, könne unsere Anthologie nur veröffentlicht werden, wenn wir uns von einigen Texten trennten.

Irgendwann im Frühjahr 1976 brachen wir die Arbeit an der Anthologie ab und schickten die Texte an die Autoren zurück. Wer sehen wollte, wie ernst die kulturpolitischen Maximen des 8. Parteitages noch gemeint waren, konnte es jetzt sehen. Für uns wurde es ein Lehrstück über die doppelte Moral der Macht.

5

Die hier abgedruckten Texte entsprechen denen der ersten, im Frühjahr 1975 fertiggestellten Fassung unserer Anthologie. Geschichten, die danach an die Koordinatoren geschickt wurden, sind nicht mehr in unserem Besitz, ausgenommen die Erzählung Joachim Walthers. Uwe Kant, der seinen Text damals zurückzog, wollte ihn auch heute nicht zur Verfügung stellen.

Grundlage des dokumentarischen Teils sind die Akten des »Operativen Schwerpunktes ›Selbstverlag‹«, die das Ministerium für Staatssicherheit von 1975 bis 1976 führte. Aus den Akten des Schriftstellerverbandes haben wir jene Dokumente ausgewählt, die das Zusammenspiel zwischen Partei, Verband und Staatssicherheit offenlegen. Außerdem zitieren wir chronologisch einige unser Projekt betreffende IM-Berichte aus dem »Operativen Vorgang ›Schreiberling‹«, den das MfS über Bettina Wegner und Klaus Schlesinger angelegt hatte, und Berichte aus den Akten der Inoffiziellen Mitarbeiter »Hermann« und »Martin«.* Dieser war damals Vizepräsident, später Präsident des Schriftstellerverbandes; jener Vorsitzender der Berliner Sektion.

Wir sind uns bewußt, daß die Berichte der Inoffiziellen Mitarbeiter in den seltensten Fällen die »ganze Wahrheit« enthalten, so z. B. in den Berichten über Kunert und Schneider; oder auch über de Bruyn. Das mag zum einen daran liegen, daß die Informationen, bis sie zum Protokoll gerannen, mehrere Stationen durchliefen, zum anderen auch daran, daß die IM einem banalen Erfolgsdruck nachgaben und selbst die vorsichtigste Äußerung eines Gesprächspartners zu ihren Gunsten interpretierten. Ein besonders krasses Beispiel phantasievoller Berichterstattung bieten die Produkte des IM »Andre«, über dessen Identität wir lange rätselten, bis wir in ihm einen Lektor und gelegentlichen Autor von Romanen erkannten, der den ausbleibenden literarischen Erfolg offensichtlich durch fiktionale, spannungsheischende Kurzprosa kompensierte. Aber auch die Berichte der IM »Büchner«, einer Lektorin, die kurze Zeit mit einem unserer engen Freunde verheiratet war und dadurch Zugang zu unserem Kreis hatte, oder die des IM »Heinrich«, der erst später zum Autorenkreis der Anthologie stieß, sind mit Skepsis zu lesen. Zwischen einem Gespräch und dem Protokoll eines Gesprächs liegen Welten.

Wir hätten unsere Leser gerne aufgefordert, zwischen den Subjekten und den Objekten der geheimdienstlichen Überwachung scharf zu trennen – wenn es uns selbst gelungen wäre. Der IM »Heinrich« zum Beispiel, der den Auftrag erhielt, sich den Initiatoren der Anthologie zum Zweck der

* Übrigens: Die von den Regeln abweichende Schreibweise in den Dokumenten der Staatssicherheit haben wir nicht korrigiert; das gilt auch für die unterschiedliche Schreibung der Autorennamen.

Ausforschung zu nähern, gerät – als er von ihnen aufgefordert wird, einen Text zu liefern – immer stärker in den Sog einer Idee, die seinen Interessen als Autor entspricht. Er wehrt sich nicht nur gegen die Versuche des Schriftstellerverbandes, ihn zur Distanzierung zu bewegen, sondern verteidigt die Autoren der Anthologie gegen die Angriffe einer Verlagsmitarbeiterin, und er schickt den Initiatoren als Reaktion auf deren »Darstellung« sogar einen dreiseitigen, in den Stasi-Akten nicht vorhandenen Brief, den sie in der Auseinandersetzung um die Anthologie »bei Bedarf mit zur Argumentation verwenden« sollten und in dem es u. a. heißt: »Tatsächlich wurde auch ich aufgefordert, meinen Beitrag zurückzuziehen. Ich kann eine solche Handlung weder für mich noch bei anderen Autoren billigen, noch dazu in einer Angelegenheit, in der die Schriftsteller selbst das ethisch-ästhetische Niveau bestimmen wollen... Im Schriftstellerverband der DDR ist schon lange von einem notwendig neuen Selbstverständnis der sozialistischen Autorenpersönlichkeit die Rede. Dem kommt das beschriebene Vorhaben direkt entgegen. Mir gefällt daran ferner, daß die politisch-ideologische Verantwortung nicht an Dritte delegiert wird, und den Autoren nur eine Scheinverantwortung bleibt, die sie selbst zu Scheinfiguren macht, sondern daß die Autoren die Verantwortung ganz übernehmen... Ich bin gegen jede Form des ›im Keime Erstickens‹, noch ehe sichtbar wird, ob eine Sache progressiv oder reaktionär ist. Alles spricht aber dafür, daß dieses Gemeinschaftsvorhaben eine Bereicherung unseres Literaturlebens werden kann...«

Wir denken, es wäre zu einfach, sein Engagement lediglich als geschickte vertrauensbildende Tarnung zu sehen. Als Autor leidet er unter den kleinlichen Versuchen der Zensur, in die Texte einzugreifen, genauso wie jeder andere von uns, und er hat ein Interesse daran, die Rolle, die Souveränität der Schriftsteller gegenüber dem Staatsapparat zu stärken. Zum Hindernis wird ihm nur sein Auftrag. Er muß selbst hinter den einfachsten menschlichen Handlungen wie dem Hineinhelfen in die Jacke ein Kalkül entdecken, als wäre nicht er der Ausforscher, sondern der Ausgeforschte: »Überhaupt mußte ich bei meinem Besuch feststellen, daß Schl. sehr mißtrauisch ist. Als ich zum Bsp. meinen Tabak aus der Aktentasche holte, beugte er sich über den Tisch und sah in meine Tasche. Desgleichen passierte, als er mir in die Jacke half, vorher schüttelte er sie kräftig, wie um festzustellen, was sich in den Taschen befindet«, heißt es in einem frühen, hier nicht abgedruckten Bericht über einen Besuch bei Schlesinger.

So wird der IM »Heinrich« folgerichtig Opfer seines eigenen Kalküls und bilanziert laut Protokoll vom 23. Mai 1977 – lange nachdem wir unser Projekt aufgegeben hatten –, was zu beweisen war: ». . . daß es den Leuten um Sch. nicht um die Geschichten – um die Literatur ginge, sondern um die Art und Weise, sie zu veröffentlichen. Sie wollten nur Leute um sich sammeln und eine Plattform gegen unsere Verlagspolitik bilden.« Dies, hebt der Führungsoffizier hervor, sei »Einschätzung bzw. Erkenntnis des IM«.

Die Einordnung der handelnden Figuren in das Schema Subjekt oder Objekt der Macht ist so einfach nicht, wie sie auf den ersten Blick erscheint, und um die Struktur einer Machtmaschine zu erhellen, ist sie auch nicht erheblich. Ohnehin entsteht beim Lesen dieser Akten eine irreale, kolportagehafte Welt, in der wir, die Initiatoren, auf eine ähnlich stilisierte Weise erscheinen wie alle unsere Kollegen, ja wie selbst die Agenten der Staatssicherheit.

6

Uns hat die Unschärfe vieler Berichte ebenso überrascht wie die Tatsache, daß unsere nie geheimgehaltenen Aktivitäten von den Behörden länger als ein Jahr nicht zur Kenntnis genommen wurden. Obgleich der IM »Andre« seinem Führungsoffizier schon im März 1975 von der Anthologie erzählte, ist diese Information wegen der konspirativen Struktur des MfS, dessen Abteilungen gegeneinander abgeschottet waren, offenbar erst dann relevant geworden, als das Projekt Autorenanthologie zur Chefsache wurde. Die Gegenmaßnahmen der Staatssicherheit begannen im November 1975, kurz nach unserem ersten und einzigen Treffen, nun allerdings heftig und mit erheblicher intriganter Energie. In der Besprechung der MfS-Offiziere mit dem Leiter der für Kultur zuständigen Hauptabteilung XX, General Kienberg, fällt ein entscheidender Satz, der handschriftlich protokolliert ist und alle folgenden Maßnahmen legitimiert: »Partei hat beschlossen, Herausgabe der Anthologie zu verhindern. MfS hat Personen unter Kontrolle zu halten.« Jetzt jagt eine »Information« die andere; allerhöchste Stellen sind, laut Verteilerschlüssel, mit dem Vorgang befaßt; Minister Mielke berichtet seinem Generalsekretär sogar »persönlich« über den Stand der Ermittlungen – nebst mancher »Fehleinschätzung«. So wird von Anfang an vorausgesetzt, Stefan Heym stecke, zumindest als ideologischer Kopf, hinter der ganzen Sache.

Selbstverständlich ahnten wir, daß das Ministerium für Staatssicherheit unsere Schritte verfolgte. Heute, fast zwanzig Jahre später und nach Kenntnis der Dokumente, fragen wir uns, ob unser Plan auf dem Mißverständnis beruhte, das System, in dem wir lebten und arbeiteten, sei reformierbar. Wir blicken zurück und belächeln unsere Illusionen. Aber wir erinnern uns auch der zähen Kämpfe mit der Macht, die manchmal ein Kampf um einzelne Wörter waren, aber immer ein Kampf um den Platz im moralischen Zentrum der Gesellschaft.

Im September 1976 heißt es in einem Abschlußvermerk der Staatssicherheit: »Die Zielstellung der operativen Bearbeitung des operativen Materials ›Selbstverlag‹ ist erreicht.«

Zwei Monate später, am 16. November 1976, dem Tag der Ausbürgerung Biermanns, äußerte die Macht sich offener. Sie schlug sozusagen mit der Faust auf den Tisch. Das Echo sollte sie bis in die Tage begleiten, an dem sie ihr Ende fand.

Februar 1994   Die Herausgeber

Berliner Geschichten

Die Texte

Günter de Bruyn

Freiheitsberaubung

Tendenzielle Gründe sind ausschlaggebend dafür, daß von den hunderttausend und mehr Geschichten, die Tag für Tag in Berlin passieren, gerade diese erzählt wird. Ihre Hauptperson heißt Anita Paschke, ist 32 Jahre alt, blond, schlank, ledig und Mutter dreier Kinder. Als Nebenpersonen treten auf: Ströhler, ein Kellner, Schälicke, ein Volkspolizei-Unterleutnant, und Siegfried Böttger, Direktor des VEB soundso. Die Zeit: Eine Nacht des vergangenen Jahres.

Es beginnt mit der Nebenperson Ströhler. Der betritt kurz nach Mitternacht, von der Arbeit in der Bärenschenke kommend, müde natürlich und leicht alkoholisiert, das Haus Nummer 263 in der Linienstraße, in dem er, hinten, 4. Etage, Mitte, wohnt, und verläßt es fünf Minuten später wieder, um die Telefonzelle am Oranienburger Tor aufzusuchen, die aber defekt ist, worauf er eilig, in seinem leicht tänzelnden Gang, in die Bärenschenke zurückläuft, von dort aus das Polizeirevier anruft und den Wachhabenden bittet, sofort eine Funkstreife in die Linienstraße zu senden, wo im Hinterhaus, 4. Etage, links, ein Mensch, genauer: ein Mann, mit Fäusten gegen eine Tür trommelt, schreiend behauptet, seiner Freiheit beraubt worden zu sein, und dringend nach Staatsgewalt verlangt. Nein, betrunken sei niemand, er nicht, obwohl er getrunken habe, wie es sein Beruf, er sei Kellner, fast verlange, und auch der Beraubte nicht, der, wenn man vernünftig mit ihm rede, auch vernünftig antworte, auf sächsisch übrigens, falls dieser Hinweis erlaubt sei. Nein, die Haustür sei nicht verschlossen, und im übrigen würde er, Ströhler, sich sofort vom Telefon weg vor das Haus begeben und dort die Streife erwarten, um den Kollegen unnützes Suchen zu ersparen, da das, was er als Hinterhaus bezeichnet habe, eigentlich der rechte Seitenflügel sei, dessen Eingang leicht übersehen werde, da der Durchgang zum zweiten Hinterhof eher ins Auge falle, weil er größer sci als der richtige Aufgang, sehr groß, eine Durchfahrt eigentlich, die aber von Wagen nicht mehr benutzt werden dürfe, wie auch die erste Durchfahrt nicht, da unter beiden Höfen sumpfige Keller lauerten, die Neigung zum Einbrechen zeigten, weshalb schon zwei Generationen von Mietern den Kohlenträgern Zuschläge zu zahlen gehabt hätten, des langen Fußweges wegen. Ja, wem die Wohnung gehöre, wisse er wohl, denn es sei die ihm benachbarte, vierter Stock links, er wohne Mitte und kenne die Frau recht gut, so wie man eine Nachbarin eben kenne, ohne mit ihr befreundet zu sein; sie heiße Paschke und sei eigentlich ein Fräulein, aber eins mit drei Kindern, zwei, vier und sechs Jahre alt, für die sie nie gleichzeitig habe Kindergarten- und Krippenplätze bekommen können, weshalb sie jetzt nachts arbeite, als Portier in einem kleinen Hotel in der Friedrichstraße, von zehn Uhr abends bis sechs Uhr früh, die geplagte Person, anständig übrigens, wenn man die wechselnden Männer nicht rechne, von denen der Trommler wohl einer sei, wenn er, Ströhler, sich in der Stimme nicht täusche, die er in den letzten Monaten schon öfter gehört habe, von der Treppe aus, nicht durch die Wände, die seien dick und lauthemmend, das sei der einzige Vorteil des Hauses, aber wirklich der einzige. Nein, wie der Mann heiße, wisse er nicht.

Ohne sich damit aufzuhalten, trinkt Ströhler noch einen Schnaps und macht sich unter den aufmunternden Worten seiner Kollegen auf den Weg zum Haus Linienstraße 263, das, was er nicht weiß, vor genau 100 Jahren von dem Geld eines Mannes erbaut wurde, dessen Urenkel jetzt in Hamburg wohnen und ihren Besitz kommunal verwalten lassen. Ströhler weiß nur, daß das Haus 1930 zum letztenmal renoviert worden ist und die Verwaltung nicht beabsichtigt, diesen Vorgang zu wiederholen, da das Objekt, seit 1950 bereits, zum Abriß vorgesehen ist, dessen Termin immer feststand: 1960, 1963, 1968, 1972. Jetzt ist zum Jahr der Hoffnung 1980 ernannt, worauf nur neue Mieter mit wenig Erfahrung Illusionen gründen.

Als Ströhler den Tatort erreicht, ist die zweite Nebenperson schon dem Auto entstiegen: der schwergewichtige Unterleutnant, der sich nicht namentlich vorstellt, was Ströhler aber tut, worauf er noch einmal berichten muß, was der Leser schon weiß. Während sie den dunklen Hof überqueren und die Stiegen erklimmen, aufgeregt hüpfend der Kellner, ruhig, bedächtig der Polizist, sind noch Fragen zu beantworten, als erste die nach den Kindern, an die Ströhler noch nicht gedacht hat, zu denen ihm aber gleich etwas einfällt, eine Bemerkung ihrer Mutter nämlich: alles mögliche mögen sie von ihren Vätern geerbt haben, die Fähigkeit zu erstaunlichem Tiefschlaf aber hätten sie bestimmt von ihr. Bei der nächsten Frage bleibt Ströhler stehen, um der heftigen Verneinung gestisch Ausdruck geben zu können: Um Himmels willen, auf keinen Fall, keine Spur davon, mit den wechselnden Männern habe er das nicht gemeint, wenn er sich recht erinnere, sogar von einer anständigen Person gesprochen, auch von einer bedauernswerten, der die Männer immer abhanden kämen nach Monaten oder Jahren, vielleicht, wer kann es wissen, auch wegen der Wohnung, deren Übeln kaum einer für längere Zeit gewachsen sei.

Auf jeden Redeschwall des Kellners reagiert der Unterleutnant lediglich mit Grunzen, äußert keine Meinung, zeigt kein Gefühl, auch vor der Paschkeschen Wohnung nicht, hinter der Fäuste an eine Zimmertür trommeln und Hilferufe ertönen. Er wartet geduldig, bis der Trommler pausiert, bückt sich, öffnet den Briefschlitz und ruft in den dunklen Korridor, daß die Volkspolizei da sei und Aufklärung fordere.

Die Verständigung ist schlecht. Durch die zwei Türen ist nur zu verstehen, wer laut redet und langsam. Das aber bringt der Eingeschlossene nur nach mehrfacher Aufforderung fertig. Schließlich ergibt sich folgender Tatbestand: Der Mann wird von Frau Paschke in böswilliger Absicht gefangengehalten; er verlangt seine sofortige Befreiung, notfalls durch gewaltsames Öffnen der Wohnung.

Der Unterleutnant nimmt das schweigend zur Kenntnis, fragt Ströhler, der vor Aufregung nicht stillstehen kann, nach der Arbeitsstelle der Frau, befiehlt dem Gefangenen Ruhe und Geduld, wünscht Ströhler eine gute Nacht und verläßt das Haus.

Anita Paschke versieht währenddessen ordentlich ihren

Dienst, der bis zu vier Fünfteln aus jenem schon erwähnten Tiefschlaf besteht, aus dem sie bei Störungen nur eine äußerst laute Klingel zu reißen vermag, die der Besitzer der Pension, Herr Eisenpeter (der hier nicht auftritt, da er von 22.30 bis 5.30 Uhr Nachtruhe hält), für sie hat anbringen lassen müssen, damit nach Mitternacht eintreffende Gäste davor bewahrt werden, den Rest der Nacht, zwar nicht auf der Straße, aber doch im Treppenhaus verbringen zu müssen; denn Herrn Eisenpeters kleines Hotel mit dem großspurigen Namen »Stadt Frankfurt« nimmt nur die zweite Etage eines sonst als Wohnhaus dienenden Gebäudes ein.

Bis Mitternacht etwa hält Anita sich noch durch Fernsehfreuden und Strickarbeit munter, dann stellt sie, falls ein Gast vor ihrem Dienstschluß geweckt zu werden wünscht, den Wecker, legt die Zimmerschlüssel der Nachtschwärmer griffbereit, wickelt sich in eine Decke, rollt sich in einem der großen Clubsessel zusammen und schläft sofort ein – wenn sie nicht, wie in dieser Nacht, noch für fünf bis zehn Minuten wachgehalten wird von sorgenvollen Gedanken, die zwar nicht dem Eingeschlossenen gelten, aber doch von ihm ausgelöst sind. Sie denkt an Ratten, sanitäre Einrichtungen und Behörden.

Das geht in ihrem Kopf alles bunt durcheinander, aber am Schluß entsteht dann doch so etwas wie ein Plan für den nächsten Tag, an dem sie unter Betriebsamkeit ihre Verzweiflung zu begraben versuchen will. Sie wird mit den Kindern zusammen Bittgänge machen, Tränen vergießen, ihre Verzweiflung ausbrechen lassen, sie wird schimpfen, lästern, einige ihrer vielen Rattengeschichten erzählen, wird von Kälte, Hitze, Nässe, Schmutz und Gestank reden, Kinderkrankheiten aufzählen, Fachausdrücke von Bauingenieuren, Klempnern, Installateuren benutzen und so hoffentlich wieder einmal ein Bündel von amtlichen Papieren in die Hand bekommen, auf denen die Poliklinik, die Hygiene-Inspektion, das Sozialamt und die Jugendfürsorge ihr bescheinigen, daß ihre Wohnverhältnisse unzumutbar sind. Das Bündel wird sie, auch hier von ihren drei lärmfreudigen Kindern begleitet, zum Wohnungsamt tragen, wo man es verdrießlich zu ihrem schon stattlichen Aktenstoß heften wird. Falls sie an die Dicke gerät, wird die sie mit der Bemerkung, sie könne nur Wohnungen vergeben, die sie habe, kurz abfertigen, falls aber die Alte da ist, wird die besser wehklagen, als sie, Anita, das jemals lernt, über die vielen, vielen Familien, denen es viel, viel schlechter geht als ihr, die mit sechs Personen in einem, nicht wie sie mit vier in zwei Zimmern hausen müssen, deren Klosett nicht wie bei ihr auf der Treppe, sondern im Hof ist, deren Wasserleitung nicht wie in Linienstraße 263 bei jedem Minusgrad einfriert, da sie niemals funktioniert und nie mehr zu reparieren ist. Die Alte wird das so gut machen, daß Anita ihrer Selbstsucht wegen (hat sie doch sogar das Fehlen eines Bades beklagt!) ein schlechtes Gewissen haben und Mitleid empfinden wird: mit den Armen, denen es soviel schlechter geht als ihr, und auch mit der Alten, die unter dem Elend leidet, das sie nicht lindern kann. Reumütig wird sie sich zurückziehen, und erst auf der Straße werden ihr wieder die vielen, vielen Familien einfallen, denen es viel, viel besser geht als ihr, und treffende Worte wird sie wieder, verspätet, in Bereitschaft haben zur Anklage der Ungerechtigkeit, die darin besteht, daß einer, der seit jeher in einem solchen Dreckloch wohnt, nicht mehr herauskommt, es sei denn, das Haus wird abgerissen oder der Hausbewohner hat Beziehungen zu einer der Stellen, die Neubauwohnungen an Leute vergeben, denen der Besuch des Wohnungsamtes nicht zuzumuten ist.

Aber mit dem Wort Beziehungen ist Frau Paschke wieder zu ihrem Ausgangspunkt zurückgekehrt, zum Trommler, dem sie, zur eignen Schonung, weitere Gedanken nicht gönnen will. Also flüchtet sie in den Schlaf, der aber nur kurzfristig Schutz gewährt, weil Klingellärm ihn zerstört.

Was Unterleutnant Schälicke bei Ströhler nicht tat, tut er hier: er stellt sich vor, nennt Rang und Namen und deutet an, was ihn in die »Stadt Frankfurt« führt. Schreckensreaktionen bei der Frau hat er nicht unbedingt erwartet, aber daß sie sich amüsiert zeigt, überrascht ihn doch. Seine Genossen warten unten im Wagen, er hat es eilig, möchte die Kleinigkeit gleich an der Tür erledigen, folgt aber der Frau, gegen seinen Willen, in den Empfangsraum, der eigentlich nur ein langgestreckter

Korridor ist, belastet, nach freundlicher Aufforderung, einen Sessel mit seinem nicht geringen Gewicht, raucht, nimmt sogar die Mütze ab und hört zu eigner Verwunderung nicht Vorwürfe und Anweisungen aus seinem Munde kommen, sondern verständnisvolle Fragen, nachdem er allerdings drei erst selbst hat beantworten müssen: Schlafen die Kinder? Tobt er noch sehr? Wie spät ist es?

Natürlich ist sein Staunen über sich selbst, so groß es auch ist, doch kleiner als das über die Frau, die nicht nur Zierlich-Ansehnliches aus der Decke wickelt und sich, redend, vor seinen Augen ihr Langhaar kämmt, sondern die vor allem ihn gar nicht wie einen Staatsdiener behandelt, ihn durch Nichtbeachtung seiner Autorität entwaffnet, ihn ins Vertrauen zieht, zum Komplizen macht.

Der da in ihrem Wohn- und Schlafzimmer vergeblich nach Freiheit schreit und mit seinen weißen Pranken, denen man das große Tier schon ansieht, auf Holz trommelt, erfährt er jetzt, ist ein gewisser Siegfried Böttger, von Freunden und Frauen Sigi genannt, Direktor des VEB Soundso, den sie vor vier Monaten kennen und schätzen gelernt hat, hier in diesem Hotel, in das er durch einen Zufall verschlagen worden war, als er seine Leipziger Wohnung samt Frau und zwei Kindern hat verlassen müssen (des Direktorpostens wegen) und die komfortable Neubauwohnung in der Berliner Leipziger Straße noch nicht fertig war. Fertig aber war er, mit den Nerven nämlich, denn die Trennung und die neue Arbeit nahmen ihn sehr mit, er brauchte Trost, und wenn einer den braucht, ist sie nicht zu bremsen, auch von schlechten Erfahrungen nicht, die sie wahrlich genug hat. Gut war er zu ihr und zu den Kindern und sie in ihn verliebt; das war sie immer, wenn sie mit einem etwas hatte, leider viel zu oft. Mit ihm aber ging ihr das nicht gleich so, weil er nämlich das beschissene Haus, in dem sie wohnt, nicht beschissen, sondern köstlich fand, tatsächlich, wenn auch kaum zu glauben. So, genau so war's bei uns daheim! hat er auf sächsisch gejubelt, was sie kaum hat verkraften können, trotz aller Sympathie. Fast hätte sie ihn ins Hotel zurückgeschickt. Drei Wochen brauchte er, um zu begreifen, wie sehr ihr seine Schwärmerei für verrostete Ausgüsse, platzenden Putz, Wasserflecke und verstopfte Leitungsrohre auf die Nerven ging. Gewandelt aber hat nicht sie ihn, sondern die Ratte, die am Sonntagmorgen im Klobecken saß und ihm den Frühstücksappetit verdarb.

Das erzählt Anita so ausführlich, wie es dem Leser gar nicht zugemutet werden kann. Es genügt die Andeutung: Er öffnet, noch im Schlafanzug, den Deckel, will sich setzen, da starrt das kotverschmierte, nasse Vieh ihn an, springt in die Jauche zurück, paddelt, die Schnauze über Wasser, er spült, es ist verschwunden, taucht wieder auf, erklimmt die Plattform wieder, die nächste Spülung wird erst in drei bis vier Minuten möglich, weil der Behälter sich erst wieder mit Wasser füllen muß. Wer kann schon mit dem Feuerhaken einschlagen auf das Tier? Auch ist das Becken ja aus Porzellan.

Anita hat noch viele Rattengeschichten parat. Meist hält sie sie mühsam zurück, doch manchmal muß sie sie erzählen, um nicht daran zugrunde zu gehen, an ihrem Ekel, ihrer Angst. Als Kind ist sie von einer gebissen worden, auf dem Hof abends ist sie auf eine getreten. Mal lag eine tote morgens in ihrem Schuh, bei Winterbeginn fand sie im Ofen ein Nest. Sie ist gewohnt, daß alles schreit: Hör auf! wenn sie mit ihren Geschichten anfängt. So einen wie den Unterleutnant hat sie noch nie erlebt. Seine Haltung ist erstaunlich. Er schlägt als Instrument für die Toilettenratte die Kohlenzange vor: fest zupacken, dann ersäufen. Er kennt das, denn er wohnt ähnlich, allerdings nicht mehr lange.

»Neubau?« fragt Frau Paschke interessiert. Bei der Polizei müßte man eben sein oder in einem Betrieb, in dem genossenschaftlich gebaut wird. Aber wie soll sie das machen mit den Kindern? Und wo die Tausender hernehmen? Sie hat 32 Jahre ihres Lebens in der Linienstraße verbracht, das ganze also, immer unter der Wohnung gelitten und an Lebenszielen nur eins gekannt: sie zu verlassen. Eigentlich war alles, was sie im Leben getan, gedacht und sogar gefühlt hat, darauf nur gerichtet, die Liebe sogar, das soll verachten, wer kann.

Sicher liebt das Löwenweibchen am Löwen am meisten die Kraft, ihr und den Jungen Fraß zu beschaffen; die an Geistigem Interessierte wird den häßlichsten Kopf nehmen, wenn nur viel drin ist, und eine, die glänzen will, wird sich in männliche Schönheit und Eleganz verlieben; sie aber verfällt dem ganz, der, wie ihr Genosse Direktor am Rattenmorgen, ihr zuruft: Du mußt hier raus! und die Macht dazu hat. Denn er hat Beziehungen, und die sind bekanntlich im Sozialismus wichtiger als Geld, wenn es um so große Dinge geht wie Wohnung oder Auto, bei deren Verteilung es streng regelrecht zugeht bis auf die Ausnahmen, die die Regel bestätigen müssen, und zu den Ausnahmen muß man eben auf irgendeine Weise gehören, will man aus dem unverschuldeten Elend heraus.

Obwohl der Unterleutnant, besonders im Dienst, solche Äußerungen eigentlich nicht verantworten kann, grunzt er zustimmend, denn schließlich gehört er selbst zu den in die Slums Hineingeborenen, die sich angesichts der die Neubauten bevölkernden Zugereisten vorkommen wie die auf den Kietz verbannten Ureinwohner eines eroberten Landes. Wer sich verdient macht um die Macht, die die Komfortwohnungen baut, pflegt er sonst immer zu sagen, bekommt früher oder später auch eine. Aber das scheint ihm hier unpassend, und er kommt ausweichend, ohne allzu dienstlich zu werden, auf den Anlaß seiner Bekanntschaft mit Frau Paschke zurück, indem er, wie immer mit Worten sparend, nach dem Grund ihrer Tat fragt, die leicht zu einer Straftat werden könnte.

Die Amüsiertheit, die Anita wieder zeigt, ist eine von der Sorte, die leicht in tränenfeuchte Verzweiflung umschlagen kann. Das Wort Straftat, sagt sie, bringe sie auf die Idee, wirklich eine zu begehen, um dann dem Richter ihre Sache vortragen zu können. Vielleicht käme sie dann nicht ins Gefängnis, sondern in eine helle Wohnung mit winterfesten Abflüssen (um vom Bad nicht zu reden), wie jene Frau aus der Kleinen Auguststraße, die mit selbstgemaltem Transparent am Alex gegen das Wohnungsamt demonstriert habe, allein, nicht lange freilich, weil die Polizei sich gleich ihrer Sache angenommen habe, zu letztlich gutem Ende. Aber diese Idee sei, wie gesagt, neu, eben geboren, vorher sei eigentlich an Gedanken gar nichts dagewesen. Es war die reine Tat. Sie brauche so was, wenn sie ganz am Ende sei. Aufgezwungene Rollen weigere sie sich zu spielen. Sie sei der Verlierer gewesen, folglich habe sie sich nicht wie ein solcher benehmen dürfen.

Vielleicht hat sie, als sie die Zimmertür abschloß, die Sache so ernst noch gar nicht gemeint. Aber dann hat er, an der Klinke rüttelnd, gesagt: Laß doch die dummen Späße, Anita! worauf sie den Schlüssel abgezogen hat und gegangen ist, des Tons wegen, der sie schon vier Stunden lang in Rage gebracht hatte, dieser Erzieherton, in dem, ganz gleich, was gesagt wird, immer mitschwingt: Ich weiß alles besser!, dieser Herrscherton, aus dem immer zu hören ist: Ich habe immer recht!, dieser Direktorton, in dem das schlichte: Tschüß, ich habe dich satt! klingt wie: Ich hatte wirklich eine Engelsgeduld mit Ihnen, mein Kind, aber da Sie sich trotz, wie ich annehmen möchte, guter Vorsätze doch nicht ändern können, müssen sich unsere Wege leider trennen, wobei ich hoffen will, daß Sie mir keine Schwierigkeiten machen werden.

Welche ernsthaften Schwierigkeiten kann sie ihm schon machen?

Der Unterleutnant, der des wartenden Streifenwagens wegen nun doch langsam unruhig wird, drängt durch Fragen auf Abkürzung der Geschichte: Das Einsperren sei also als Strafe für Untreue gedacht? Aber Anita besteht darauf, daß im Moment der Tat an gar nichts gedacht gewesen sei, erst danach. Und was bedeutet schon Untreue? Um Nichteinhaltung eines Versprechens ginge es. Von Heirat sei nie die Rede gewesen, selbst im Bett nicht, wo er am ehesten davon gesprochen hätte, weil sie (Erfahrungen hatte sie genug, aber die allein seien es nicht) sehr schnell herausgefunden habe, was ihm am liebsten war.

Erfahrungen allein seien es nicht, wiederholt sie und sieht den Unterleutnant nachdenklich an, es sei mehr Begabung, die man nur haben, nicht lernen könne. Aber illusionslos zu sein, das lerne sie nie. Nicht etwa, daß sie doch auf Heirat gehofft habe, nein, an die Wohnung, die er ihr habe besorgen wollen, habe sie geglaubt, ein Vierteljahr lang. Abend für Abend habe er davon geredet, das habe bei ihr gewirkt wie Alkohol. So fest vertraut habe sie ihm, daß manchmal schon Abschiedssentimentalität über sie gekommen sei. Schon habe sie eine Vorstellung davon gehabt, wie schön es sein müsse, sich Gefühle der Rührung leisten zu können, wenn man nach zehn Jahren sauberen und sonnigen Wohnens diese Dreck-löcher wiedersehe.

Und dann kam dieser plötzliche Schluß. Vier Stunden hat er ihr erklärt, daß sie ihn nicht auf die richtige Art liebe. Von ihrer Wohnung war nicht mehr die Rede, nur, ganz nebenbei, von seiner, der neuen, fünf Zimmer im Hochhaus. Sie ist be-zugsfertig. Der eben beginnende Tag ist der des Umzugs. Um fünf Uhr morgens muß er in Leipzig sein, um der Frau zu helfen. Für 23 Uhr war sein Wagen bestellt. »Wie spät ist es jetzt, Herr Schälicke?«

»Ein Uhr durch.«

»Das reicht. Hier sind die Schlüssel zur Wohnung, hier der fürs Zimmer. Aber es eilt nicht. Einen Wohnungsschlüssel habe ich übrigens noch. Vielleicht bringen Sie mir die anderen mal vorbei. Sagen wir, morgen abend? So gegen sieben oder acht? Und treten Sie, wenn Sie durch die erste Durchfahrt gehen, laut auf, um die Ratten zu warnen. Die sitzen um diese Zeit in den Mülltonnen. Es gibt ein scheußliches Geräusch, wenn sie über die Blechdeckel rutschen. Solange ich denken kann, werden sie alle halbe Jahre vergiftet, aber weniger wer-den es nie. Verstehen Sie das?«

Der Unterleutnant geht. Nichts als Rache des kleinen Man-nes, sagt er im Wagen und versucht, seiner Stimme einen Ton von Abfälligkeit zu geben, was schlecht gelingt. Erst nachdem sie randalierende Betrunkene in der Brunnenstraße beruhigt und eine Schwangere in die Klinik gefahren haben, finden Sie Zeit, den Herrn Direktor zu befreien, der ihnen mit Be-schwerde droht. Von einer Klage gegen Frau Paschke, die der Unterleutnant ihm vorschlägt, will er nichts wissen.

Schälicke sieht noch nach den schlafenden Kindern. Als er die Wohnungstür abschließt, taucht Ströhler, im Pyjama, wieder auf und bietet sich als Schlüsselbewahrer an. Aber der Unterleutnant verweist auf seine Vorschriften und steckt die Schlüssel in die Tasche.

Elke Erb

Ein Siedlungshaus
in Berlin-Hohenschönhausen

Das Haus hat im Erdgeschoß ein Wohnzimmer, ein Bad, eine Küche, ein Schlafzimmer, eine Kammer neben dem Wohnzimmer, auf dem Dachboden noch eine Kammer und eine winzige Küche. Es steht, zu Füßen Garten und Hof, in einer Siedlung am Rand der Stadt. Man fährt aus Berlin-Mitte mit der Straßenbahn bis an das Dorf Hohenschönhausen, dann geht man die Dorfstraße hinunter. Das Haus ist schlicht und sparsam gebaut, grau, klein. Die Wohnzimmerfenster blicken in den Garten, die Schlafzimmerfenster auf den Hof, die Fenster darüber, es sind die der kleinen Küche, in die baumlose, flache Landschaft.

Der erste jüdische Gast war ein Säugling, alt ein halbes Jahr. Die Frau war oft in die Stadt gefahren, um bei Verwandten eines jüdischen Genossen Lebensmittel für ihn abzugeben. Die Lebensmittel konnten nicht mehr bei ihr abgeholt werden, weil sie angezeigt worden war. Sie bemerkte bei den Leuten unter dem Eßtisch einen Kinderwagen. Das Kind hat doch kaum Luft kriegen können da! Die Leute sagten, die Eltern hätten die Kleine aussetzen wollen, und zwar an der katholischen Kirche. Sie hätten sich darüber mit dem Pfarrer besprochen, der hätte aber abgeraten, denn man würde die Kleine doch als jüdisches Kind erkennen und behandeln.

Die Frau bestimmte zunächst von den Lebensmitteln, die sie mitgebracht hatte, die Milch für das Kind. Und sie sagte den Leuten, wenn die Schwierigkeiten für sie zu groß würden, sei sie bereit, das Kind mal für einige Zeit bei sich aufzunehmen. Aber sie und ihr Mann waren in die Siedlung gezogen, nachdem die SA sie in ihrer früheren Wohnung überfallen hatte. Sie waren im Viertel als Kommunisten bekannt gewesen. Und hier, am neuen Wohnort, hatten sie ihren Sohn nicht in die Hitlerjugend eintreten lassen, so daß ihnen eigentlich

Vorsicht geboten war. Man brachte ihnen das Kind im Sommer 1943. Das Kind konnte nun Ziegenmilch bekommen. Es hatte von den offenen Fenstern frische Luft. Abends trug die Frau es auch im Hof umher, hinter dem Hause.

Laß doch die Eltern auch kommen, sagte der Mann. Dann hast du nicht soviel Arbeit mit dem Kind. Die Eltern hatten eine Zeitlang irgendwo eine verfallene Laube gemietet, in welcher sie notdürftig hausten. Sie bezahlten dafür zweihundertvierzig Reichsmark im Monat. Wenn Leute ins Unglück kommen, schlagen andere Kapital daraus, sagt die Frau. – Die Eltern kamen am Ende der warmen Jahreszeit. Sie wohnten in der Kammer neben dem Wohnzimmer. Das Zimmer war mit Möbeln heimatloser Juden vollgestellt. Sie schliefen in einem schmalen Eisenbett, welches heute auf dem Boden steht.

So war dieses Haus jetzt Herberge für drei jüdische Gäste. Ende November oder Anfang Dezember klingelt es, und es ist nicht das Klingelzeichen von Freunden. Am Zaun draußen wartet eine ältere Frau. Man sieht ihr an, daß sie Jüdin ist. Die Frau läßt sie herein. Die Jüdin bittet um Asyl für sich, für ihren Mann und für ihre Mutter. Sie bittet fast kniefällig nur um ein Plätzchen unter dem Dach. Die Frau erträgts nicht. »Wenn Menschen so himmelhoch bitten, dann können Sie doch nicht ›nein‹ sagen, wo sie gejagt sind um ihr Leben und haben nichts verbrochen.«

Die Frau hat ihrem Mann nichts gesagt, so wurde er am Abend von drei weiteren jüdischen Gästen überrascht, und er konnte sie auch nicht wegschicken. An diesem Abend, als die Alten kamen, gab's grüne Bohnen mit Hammelfleisch. Wie haben die sich gefreut, einmal wieder etwas Richtiges zu essen. Danach wurden die Möbel umgeräumt. Die Alten zogen unter das Dach und hatten dort Küche und Kammer. Die alte Dame schlief auf dem Sofa im Wohnzimmer.

Wenn ein Fremder klingelte, verschwanden die Juden über die Kellertreppe in den Schuppen. In den Zaun hinter dem Haus wurde ein Tor eingehängt. Ganz früh am Morgen oder spät abends öffneten es heimliche Besucher, oft Juden, die zum Essen kamen. Der Tisch im Wohnzimmer wurde dann ausgezogen, trotzdem fanden der Mann und die Frau öfter keinen Platz mehr für sich selbst an ihm.

Die Juden hatten zwar noch Geld, aber Lebensmittel gab es nur auf Karten. Ein Verwandter von ihnen war Aufkäufer für einen Metzger. Der hat ihnen für teures Geld Fleisch besorgt. Eine Wahrsagerin kam immer, die kaufte ihnen Lebensmittelkarten, eine kluge, geschickte Frau, mit vielen Leuten bekannt. Durch die Pforte hinterm Haus ist die Frau auch einmal selbst gegangen, als sie mit dem jungen Ehepaar dessen in der Laube zurückgebliebene Sachen holte und Kleidungsstücke der Mutter. Sie zog alles übereinander an und sah ganz unglaublich unförmig aus, als sie zurückkam.

Die Juden haben in dem Haus nicht gehungert und nicht gefroren. Der eine sah sogar aus, als ob er aus der Sommerfrische käm, er hatte sich auf der Kellertreppe in die Sonne gesetzt, man hatte eine Decke über die Leine gehängt, so konnte er nicht gesehen werden. In der kleinen Küche oben nisteten am Dachbalken Schwalben, mehrere in einer Reihe, ein ständiges Hin und Her. Auch war von dort oben sehr schön der Sonnenaufgang anzusehn.

Auf dem Gelände aber wurden Flakgeschütze aufgestellt, in die Häuser des Stadtrands Soldaten einquartiert. Die erste Einquartierung kam zu ihnen, als sie die Alten noch nicht im Haus hatten. Der Soldat schlief auf dem Dachboden, die Jungen und das Kind hielten sich versteckt. Das Kind hatte schon als Säugling nie geschrien, man weiß nicht ob aus Eigenart oder Instinkt nicht; das Buchenwaldkind und andere, von denen man hört, sollen sich ja auch still verhalten haben. Es war aber ein kluges Kind, das recht schnell sprechen lernte. Der Kinderwagen wurde zu klein, und so schlief es öfter bei Mann und Frau auf der »Besuchsritze«.

Dann besetzten Flaksoldaten und der Volkssturm die Stellungen, und der Soldat wurde ausquartiert. Als die Alten schon eine Zeit bei ihnen waren, klingeln Offiziere, die wollen das Haus sehen. Die Frau hält sie auf, die Juden verbergen sich im Schuppen, die Offiziere wollen die Unterbringungsmöglichkeiten prüfen. Auf dem Boden liegt noch das Bettzeug der Alten; die Frau sagt: »Sie müssen schon entschuldigen, meine Schwester hat hier übernachtet. Sie ist in die Stadt gefahren.« Sie bekommen wieder Einquartierung. Der Soldat schläft oben, die Gartenpforte und die Haustür müssen offenbleiben, damit er jederzeit erreicht werden kann. Immer also können Fremde, Militärs, ins Haus. Die Frau gibt die alte Dame und das Kind vor dem Soldaten für Verwandte aus. Die beiden Ehepaare aber müssen sich vor ihm versteckt halten. Sie leben in der Kammer neben dem Wohnzimmer. Sie haben das Eisenbett quergestellt und mit einem Brett verbreitert. Sie schlafen zu viert auf dem Bett, die Füße auf das Brett gestreckt. Der Soldat bleibt drei Wochen.

Mehrere Male ist die Frau zur Gestapo vorgeladen worden. Sie war manchmal etwas zu offen gewesen bei den Sammlungen, welche immer kamen, oder im Bunker oder wenn sie von Nazis anagitiert wurde. Es gab ja genügend, die sich angepaßt hatten. Einmal war eine Nachbarin von Gestapobeamten gefragt worden, ob sie hier Juden gesehen habe. Die Nachbarin verneinte, und die Gestapo ließ es gut sein. Sie fuhr tatsächlich wieder ab; acht Menschen behielten ihr Leben. Es mußte aber jemand denunziert haben. Die Frau bekam eines Tages eine Postkarte, auf der stand: »Reinigen Sie Ihre Augen vom Fremdkörper, Sie laufen Gefahr zu erblinden, aber sofort!« Auf ihrer Akte bei der Gestapo hat sie den Vermerk »Festnehmen« lesen können. Daneben ein Frauenname, ein Lager. Sie vermutet, daß ein gewisser Beamter sie dort beschützt hat. Sie hätte ihm ein Huhn gebracht, hätte sie gewußt, wo er wohnt.

Im April 1944 geschah etwas Schreckliches. Die alte Dame bekam einen leichten Schlaganfall. In der Erwartung, daß sie tot sein wird, wenn er zurückkommt, ging der Mann am Morgen zur Arbeit. Sie war sehr elend, sie hätte katheterisiert werden müssen. In ihrer Angst bedenkenlos, rannte die Frau zur Gemeindeschwester, aber die hatte die Geräte nicht. Sie rannte zu einem Arzt, der war ein Nazi. Er wies sie ab, wurde brutal, sie aber bat so dringend, daß er zu kommen versprach. Als sie zurückkam, war die alte Dame tot. Sie rannte wieder zu dem Arzt und bestellte ihn ab: die Angehörigen hätten die Kranke inzwischen mit der Taxe geholt, sagte sie. Sie war kaum wieder zu Hause, als die Krankenschwester draußen am Zaun erschien. Die Frau wickelte schnell ein paar Eier ein, die gab sie ihr, daß sie ging.

Als der Mann am Abend kam, hoben sie am Zaun eine Grube aus. Sie wurden von niemandem gesehen; denn die Menschen hatten mit sich selbst zu tun. Wenn die Leute von der Arbeit kamen, jagten sie nach Hause, um noch etwas zu essen vor dem nächsten Fliegeralarm. Sie legten die Tote auf das Bügelbrett und ließen sie an Stricken hinab. Sie hatten sie mit einem Kinderplumeau bedeckt, daß sie die Erde nicht ins Gesicht traf. Später, im Schlafzimmer, wurden die Frau und ihr Mann vom Weinen geschüttelt.

Während die alte Dame im Sterben lag, hatten die anderen Juden mit ihr gesprochen. Sie sollte doch dafür danken, daß sie einen natürlichen, menschlichen Tod sterben durfte und nicht den grausamen im Vernichtungslager. Einen Sarg aber hatte man ihr nicht geben können, es wäre zu unvorsichtig gewesen, ihn zu besorgen. – Eines Tages sieht die Frau vom Küchenfenster aus, wie ein Trupp von Soldaten und von Arbeitern, die aus den Betrieben dazu beordert worden waren, nach der Skizze eines Offiziers Schützenlöcher für den Endkampf gräbt. Sie kommen dabei immer näher heran, bis an den Zaun, bis nahe an die Stelle, die ein Grab ist. Sie sieht ihnen zu, vor Angst mehr tot als lebendig.

Am Abend schaufelt ihr Mann das Erdloch einfach wieder zu, und im Durcheinander der letzten Kämpfe ist das auch tatsächlich nicht bemerkt worden. Immer häufiger müssen sie in die Luftschutzbunker, sie verteilen sich auf drei, um nicht aufzufallen. Dann ist der Krieg aus, auf dem Flakgelände liegen die toten Jungs, grauenvoll, daran zu denken, wie sie da umherlagen. – Die Juden bleiben noch bei ihnen bis Oktober. Die Tote bekam von der neuen jüdischen Gemeinde eine Trauerfeier. »Sie singen so wunderbar«, sagt die Frau.

1967, aufgeschrieben nach der Erzählung der Frau

Fritz Rudolf Fries

Ich wollte eine Stadt erobern

Ich wollte eine Stadt erobern, nun streicht ein Palmenblatt über mich hin. Arlecq wollte nichts erobern, als er Ende der fünfziger Jahre in diese Stadt kam. Im Gegenteil. Er hatte Angst, da er sich an einem trüben Morgen auf einem weiten Platz sah, dessen Namen er nicht wußte. Angst vor der Stadt, als werde er sich hier zu einer Entscheidung gedrängt sehen, die unsichtbar auf ihn wartete. In der Provinz hatte er ein Mädchen kennengelernt; das lebte am Rande dieser Stadt. So schien es zunächst zwei Ziele für ihn zu geben. Eines war die Stadt, ein anderes das Mädchen. Die Züge fuhren Tag und Nacht zu ihr hin. Dennoch meldete er sich erst am dritten Tag bei ihr an, das heißt, er bestellte sie in ein Café in der Französischen Straße. Einmal war er nur ein Student gewesen, mit historischen Dingen und Menschen beschäftigt, in der Provinz, im Haus seiner Mutter. Die Provinz existierte hier nicht. Es war, als überziehe die Stadt das ganze verfügbare Land in allen Richtungen des Horizonts. Hier würde er vorzeigen müssen, was er konnte, wollte er ein Leben haben, das sich leicht anbot mit Verdienen und Ausgeben. So stieg er lustlos durch ein paar Buchhäuser, sagte, was er machen wollte, verwobene Lebensläufe, von fremder Sprache unsichtbar verdeckt, ins Deutsche übertragen, als sei somit schon alles getan, wenn man fremdes Leben in ein anderes Kommunikationsnetz herüberzog. Die gelernten Sprachen wollte er an Gesellschaften verkaufen, die ausländische Gäste durch das Land schickten, von dieser Stadt aus, in die Provinz, an die er zurückdachte, als wäre da etwas zu betrauern. Der andere Schmerz war das Mädchen am Rande der Stadt, als wäre da ein Wasser dazwischen. Aber noch ehe er sich mit dem Mädchen beschäftigen konnte, entdeckte er, daß die Stadt wie ein Tisch war. Darübergelegt das Tischtuch, in Felder geteilt von den Faltstellen, kaum sichtbare Grenzen, die das Verlangen leicht überwand. Die Gäste am Tisch rückten mit ihren Stühlen immerzu ans Tischende, wo die Speisen sich häuften, Weintrauben im Winter, Hummern und Austern, Artischocken und Berge von Schokolade, Silberteller, darauf gehäuft die exotischen Tabake, Zigarettenmarken, die den Aufwand von Kinoplakaten trieben. Davon angelockt, war Arlecq erstaunt, aus der sinnlichen Kruste der Stadt die totgeglaubten literarischen Gestalten hervorbrechen zu sehen, die er besser kannte als die Speisekarte von Hilton und Kempinski. Niemand in der Provinz, die er mit dem Frühzug verlassen hatte, würde ihm glauben wollen, daß er im Pressecafé in der Friedrichstraße mit einem ausgemergelten Mann ins Gespräch kam, der in der Morgue der Stadt arbeitete und von den Toten wie von seinesgleichen zu berichten wußte. Darüber hatte man gelesen und im Seminar diskutiert. Auch die Malerei der Moderne bewegte sich in Zwischenwelten. Nun wurde ihm von den Toten aus nächster Nähe berichtet, und der Mann aus der Morgue hatte beim Bier die Beredsamkeit eines Stadtführers. Manche waren auch nur unversehens in die Kanäle und Flüsse der Stadt gefallen und hatten so die Grenze vom Leben zum Tod passiert. Alle anderen Grenzen waren durchlässig in diesem Jahr. Die winzigen Verletzungen, die man sich beim Überqueren zuziehen konnte, kündigten kaum spätere Infektionen an. Der Mann aus der Morgue in dem Café, in dem Nutten verkehrten oder als Kellnerinnen arbeiteten, Voyeurs einen tagelangen Platz am Fenster beanspruchten, alternde Schauspielerinnen von Reinhardt und Kortner erzählten, Pressemenschen die offiziellen Bulletins über den Zustand der Stadt abschrieben –, der Mann aus der Morgue kümmerte sich nicht um die Grenzen der Stadt. Den Fahrplan der Untergrundbahn malte er Arlecq auf den Bierdeckel. So war Arlecq an diesem Tag nicht überrascht, im gleichen Café die Bekanntschaft Gottfried Benns zu machen in Gestalt eines Aushilfskellners, die eine Brille trug und einen von diesen hartweißen Kragen, die die Pickel am Hals aufscheuern. Er zog ein Bändchen Gedichte aus der Tasche, *Aprèslude*, das er Arlecq offen auf den Tisch neben die Kaffeetasse legte. Im Vorbeigehen erkundigte er sich nach der Wirkung der Gedichte. Arlecq war nicht sicher, ob der Kellner einen Vorwand suchte, die Bekanntschaft einer gleichgesinnten Seele zu machen, oder ob hier ein Erkennungsritual erprobt wurde, das etwas anderes meinte. Auch er hatte, als er das Mädchen kennenlernte, Gedichte bei sich gehabt und ihm gezeigt. Beim Bezahlen der Rechnung lud der Kellner ihn ein, am Wochenende in sein Bootshaus in Grünau zu kommen. Man würde zu zweit über Benn sprechen, über Kafka und Proust. Arlecq wollte in dieser Stadt auf Proust verzichten. Eine beliebige Seite würde ihn zu sehr an Tage in den Gärten der Provinzstadt erinnern. Er war gekommen, *ein anderes* zu suchen. Die Einladung des Kellners schlug er aus.

Arlecq wohnte in der obersten Etage des Hotels Adlon. Zu Hause glaubten sie, er sei verrückt geworden, ins teuerste Hotel zu ziehen. Aber zu Hause kannten sie das Adlon aus einer Zeit der Generaldirektoren und Generalvertreter. Inzwischen war Krieg gewesen, und die neue Zeit, die immer nach einem Krieg einzieht wie die kühlere Luft nach einem Gewitter, hatte das Adlon halbiert wie die Stadt selbst. Die neuen Gäste kamen durch den alten Lieferanteneingang, und Arlecq wohnte im letzten Stock des ehemaligen Seitenflügels. Eine Kulisse, die nach hinten, ins Unsichtbare, sich auswölbt und ein paar Schlafgäste aufnimmt wie in Vogelnester. In den Zimmern war viel vom alten Prunk gerettet. Teppiche aus weinrotem Plüsch, weinroter Samt an den Fenstern (mancher noch mit Brandlöchern). Das Bettgestell hatte viel Gold, und die Decken waren verziert mit Amouretten und Rosen. Schöner als alles waren die Griffe an der Badewanne, als hätte der Installateur aus der Kaiserzeit von Agadir oder Haidarabad geträumt, wohin der Krieg ihn auf immer vielleicht verschlagen hatte. Sein Freund Joe S., in Lichtenberg zur Untermiete wohnend, schüttete jedesmal sein Gelächter über ihn, wenn Arlecq vom Adlon erzählte.

Einmal tauschte er Geld in die andere Währung und kaufte ein Buch bei Marga Schoeller. Später schrieb er darüber aus dem Adlon nach Hause oder notierte in sein Heft (der Unterschied ist heute belanglos):

»...Henry Millers Devil in Paradise und eine blaugraue, an eine Packung englischer Virginiazigaretten erinnernde Faberausgabe der Gedichte von T. S. Eliot gekauft. Es ist immer ein gutes Gefühl, mit einem Buch über den Kurfürstendamm zu laufen, als trüge man ein Erkennungszeichen oder auch nur eine Sicherheitsplakette, nicht im Strudel der Geldleute (sic) unterzugehen... Man ruht auf diesen Büchern wie auf Inseln, jedes Blatt eine im Blau ziehende weiße Wolke... Curzio Malaparte hat gesagt, die Haut ist unser Vaterland; das ist vorbei, ich sage, das Buch ist unser wahres Vaterland. Lang lebe der kulturelle Ausverkauf, so hatte ich der Verkäuferin zugerufen, die mir die Bücher einpackte und die mich ansah, wie man einen kommunistischen oder katholischen Agitator ansehen würde, wenn man in keiner der beiden Parteien ist, zu Hause aber ein Autogramm von Jean Marais und Horst Buchholz hat. Ich klemmte meine Bücher unter den Arm und lief in Richtung Gedächtniskirche. Man bewegte sich, die Hand auf den Büchern, als hätte man die Hand am Steuer eines Kharman-Ghia, oder wenn es ein besonders gutes Buch ist, aus der Klasse Kafka bis Musil, wie mit einem Mercedes 300 SL. Im Gehen versuchte ich die Mädchen auf der Straße mit den Augen derer zu betrachten, die in den Straßencafés saßen und ihre Strohhalme in hohe Gläser tauchten. Man sah den Mädchen an, welche Anstrengung das perfekte Schönsein macht, welcher Selbstdisziplin sie sich unterwarfen, um den internationalen Modellen zu gleichen. Nur die Augen verrieten die Zugehörigkeit zu dieser Stadt. Es war eine Traurigkeit in den Blicken, die kein Make-up aufhellen konnte. Tristesse beau visage...«

Wenn er Zeilen wie diese schrieb, konnte er auf die Lektüre von Proust auch deshalb verzichten, weil er sich in einen der Snobs und Dandys aus den Tagen der Freude verwandelt glaubte. Swann oder Marcel, die nicht anders konnten, als aus dem Geist dieser Stadt zu leben. War es das, was ihn erwartet hatte? Die moderne Weltstadt, wie hatte man sie aus der Provinz verklärt gesehen, als eine Überstadt, verkehrstechnisch wie psychologisch, Amerika, das nach wenigen Reisestunden beginnen würde. Chicago und New York, Unterwelt und Kunst. Doch schon der Blick in ein Schaufenster verriet die Mühen der Restauration. Amerika, aber aus zweiter Hand. Eine Schöne, die sich nach den alten Bildern in der Galerie des 20. Jahrhunderts schminkt. Die Stadt wollte ihr verlorenes Gesicht wiederhaben, das geschminkte aus den zwanziger Jahren, das verbissene, in das die dreißiger Jahre gespuckt hatten, die vierziger hatten es zerrissen, daß sie nur noch ihr Profil herzeigen wollte, ewige Prägemünze, mit der die Zukunft eintauschbar war. Arlecq fand, was er kannte, aber das Bekannte war lebendig, lief herum, erschreckte, es ließ sich nicht zurücktun ins Regal, in die Hefte der Vorlesungen verschließen. Die Provinz dagegen schien maßvoll, krank, aber mit Medikamenten versehen; hier war alles Katarakt, Rausch und Explosion. Wer sich die Ohren zuhielt, war nicht vorhanden. Der Rest war Atmosphäre, Wind, der nach See schmeckte, Dunst aus Kellerlokalen am frühen Morgen, Nachhall von Bluesgesängen, riesige Neger, die in blauen Uniformen gegen den Aussatz der Mauern lehnen und Coca Cola trinken.

Joe S. in Lichtenberg nahm sich von der Stadt, was er brauchte. Die Leinenhosen vom Gesundbrunnen, die Kunst, den schmerzlichen Aufriß der Gefühle (wie Arlecq das noch nannte), im Theater an der Reinhardtstraße, im Flutlicht der Deutschlandhalle, des Sportpalasts, römische Arenen voll von kühlen Staubfontänen, abgestandenem Glück, das man mitnehmen konnte zum üppigen Programmheft und das unerwartet am nächsten Tag ausbrach, Empfindung wurde, gegen die man sich nicht wehren konnte, wenn man gefangen saß in den Hochzügen und zwischen Brandmauern des letzten Krieges dahinjagte, eigentlich ziellos. Wenn ihnen Joe S. sein Zimmer überließ, war es voll von dem, was sie mitgebracht hatten, und Anne überwand ihre siebzehn Jahre mit den Rhythmen, die irgendwann am Tag als Melodien zu kreisen begonnen hatten, mit der Erinnerung an Himmelfetzen über dem Gleisdreieck, Regen im Park am Brandenburger Tor. Die Angst, unterwegs von Polizeikontrollen aufgehalten zu werden, ausgefragt zu werden, wandelte sich in sanfte Nachgiebigkeit, in willkommenen Schmerz. Am Ende blieb die Müdigkeit. Vier Stunden am Tag fuhr Anne mit den Zügen der Hochbahn, aus dem Rande der Stadt in den

Morgen und zurück in die Nacht. Arlecq glaubte notieren zu müssen:

»...Jeder lebt und bewegt sich gleichsam in seiner äußersten Existenzform, die ihm keinen Schritt vor oder zurück erlaubt. Der Rhythmus des Verkehrsnetzes scheint nur der ins Überdimensionale vergrößerte Reflex des individuellen Lebensrhythmus zu sein...«

Wieder würde Joe S. sein Gelächter über diese Beobachtung kippen. Früh mixte er in seinem Zimmer das Pfeifen der S-Bahnzüge, die wie Geschosse in den Lichtenberger Bahnhof einschlugen mit dem Rasseln seines Weckers, dem frühen heiseren Gebell des Sprechers von AFN Berlin, der die Stimme Frank Sinatras ankündigte, und Sinatra hob alles auf und verwies in eine, wenn auch vage Ferne. Ungerührt verrichtete Joe S. sein Frühgebet vor Klees Invention mit dem Taubenschlag, den Kopf auf dem Perserersatz, die Füße stießen ins goldgerahmte Gemälde seiner Wirtsleute, aus der Nähe eine Toteninsel wie von Böcklin, ein Druck aus dem verbrannten Warenhaus Wertheim. Die Kunst seiner Yogaübung bestand darin, abwechselnd das eine und das andere Bild durch einen Positionswechsel des Körpers von oben nach unten und von unten nach oben zu sehen, als würden die Bilder blitzschnell ausgetauscht und verkehrt herum aufgehangen. Bei einem Erfolg der Übung hatte Joe S. das sichere Gefühl, mit den Füßen über die Zimmerdecke zu laufen. Dann rollte er seine Luftmatratze zusammen und wickelte sich sein Frühstück aus der gestrigen Abendzeitung.

In manchen Monaten fiel ein tagelanger Regen, der in Höhe der Dächer etwa zu beginnen schien, und man lief wie durch feines Netzwerk. Grau die Fahrstraßen, die Stufen zur U-Bahn, das Kanariengelb der dumpf anrollenden Wagen schmerzte in den Augen; Grau aus jeder Höhe, Westkreuz und Ostkreuz, schwarze Treppengeländer, Schächte Ruinenfassaden. Wenn das Wetter aufhellte, versanken die Ruinen wie nach Plan, fielen lautlos in sich, Staubfontänen stießen hoch, blindes Feuerwerk spritzte auf, Wolken von Staub wanderten langsam wie in Zeitlupe. In den Wolken hantierten die Arbeiter. Arlecq hätte es nicht überrascht, das fertige neue

Haus aufragen zu sehen, sobald die Wolken sich verzogen hatten. Aber kaum jemand war stehengeblieben, und das wunderbare Kunststück hätte so die Mühe nicht gelohnt.

Mißverständnisse durch Worte: notierte Arlecq. Ein Gespräch mit Anne endet wie auf lauter Glasscherben. Gespräche in den Stadtbahnen sind meist Urteile über andere, Arbeitskollegen, Verwandte. Jemand erkundigt sich nach einer Fahrverbindung, und sogleich solidarisieren sich die Gespräche. Ein allgemeines Selbstverständnis der Stadt und ihrer Bewohner erwacht. Kinder und Hunde führen wortlos zu stiller teilnehmender Betrachtung. Anne in der Stadtbahn entzieht sich wie aus spröder Scham der Berührung. Seine Liebe zu Anne:

»Anfangs hatte ich mich lange nicht zurechtgefunden und über unsere Liebe zu ihr gesprochen, als analysiere ich mit Joe S. ein Solo von Monk oder Parker. Aber das geschah in einer Zeit, da ihre Zuneigung bei mir mehr Neugierde als Gegenliebe geweckt hatte. I got a Girl, crazy for me. Jetzt ist es anders. Ich beneide die Pärchen in der Bahn um ihr sachliches Einverständnis...«

Arlecqs historisierende Perioden maßen Empfindungen aus Tagen, kaum Wochen. So entstand ein weiter Hintergrund, ein Raum von großer Dimension, darin er sich ungebunden aufhalten konnte. Er vergaß, daß er in manchen Wochen vom Geld lebte, das seine Mutter aus der Provinz schickte. Einmal würde sich alles ändern, die Zukunft würde eintreten, unvermeidlich, auch wenn sie in dieser Stadt nicht über die Altersgrenze hinauszugehen schien, die Anne oder er selbst deutlich machten wie eine ewige Gegenwart. Die anderen, die älter waren, trugen nichts als Vergangenheit mit sich herum.

Anne ging durch ihre Tage wie durch Schulaufgaben. Alles wollte gelöst sein, aber schnell, ohne Aufschub. Ihre Büroarbeit, als Lehrling, dazu die Stunden in der Berufsschule hatten etwas von einer Pflicht, auf die man nicht genau hinsieht. Die späten Nachmittage, die Abende beanspruchten ihre Aufmerksamkeit. Da war sie im Ballettsaal der Jungen Tänzer, der Roten Tänzer von Jean Weidt. Ihr Ballettmeister vermischte Naturalismus mit Agitation, Tänze der gereckten Faust, die etwas Hilfloses hatten, wenn der Gegner ausblieb. Anne nahm den Gestus an, die historische Lektion wurde Formsache, sie übte mit Fleiß und gab alles, was sie hatte an Freude und Schmerz, für die Einfälle der Choreographie, die eine faustdicke Geschichte erzählte zu Klassenkämpfen, an denen sie nicht und ihre Eltern nur als Opfer beteiligt gewesen waren. Vielleicht würde am Ende, gehalten von eiserner Disziplin, der befreite Mensch über die Bühne schreiten, von Anne verkörpert; denn sie befreite sich von den Zwängen, die sie hatte und über die sie nicht sprechen konnte, wie Arlecq. Aus der Ferne des Parketts verlor Arlecq ihr Gesicht, Maske nur noch, Umriß einer Zeichnung, daran Arme und Beine, kantig bewegt, an Wände aus Luft stoßend. Nach der Vorstellung, im Café, verströmte die letzte Energie, ihr Gesicht wurde klein, ein müdes Oval.

Die Stadt war gebaut aus vielen übereinandermontierten, gegeneinander rotierenden Karussellringen, die Musik unterschiedlich schnell bewegte. Arlecq fuhr tagelang mit allen Zügen der Stadt, um eine Entdeckung zu machen. Auch Joe S. fuhr in diesen Tagen durch die Stadt, vom Ostkreuz zum Westkreuz und zurück, und maß an den Fundamenten der Hochbahn, am stilisierten Eisengerüst, an herkuleischen Torbögen, und trug den Erschütterungskoeffizienten in Tabellen ein. Arlecq schwankte, wen er zum Gegenstand seiner Entdeckung machen sollte, Anne oder Joe S. oder einen Unbekannten. Der Zufall schickte ihm Ole Vilumsen in den Weg, den er aus der Provinz kannte. Vilumsen war Regierungsgast geworden; er lud ihn ein, in die Provinz mit ihm zu fahren. Arlecq willigte ein. Die Gespräche mit Vilumsen, nach dem dritten, vierten Glas, uferten aus, Vilumsens Deutsch wurde weich und fließend wie Seetang. Die Kellner im Newa-Hotel beugten sich zu ihm herunter und flüsterten ihm Witze mit politischer Färbung zu. Ole Vilumsen war Mitglied der KP Dänemarks, trug sein Mitgliedsbuch wie eine Pistole in der linken inneren Jackentasche, wie Arlecq vermutete. Er studierte den andern wie eine Erwerbung, neidete ihm die Kombinationsfähigkeit, die in der Provinz Feindschaft, Lehrerhaß, Ausschluß aus dem Seminar bedeutet hätte, in früheren Jahren. Leninismus und Dali, Gorki und Existentialismus, Breton und die Menschwerdung des Affen, Scarlatti und Jazz. Vilumsen legte das auf den Tisch, wie selbstverständlich, verteilte es, wie die Stadt ihre Güter verteilte, nehmt es euch, bückt euch, tragt es, seid auf der Höhe der Zeit. Da Arlecq Joe S. von dieser Entdeckung berichtete, auf der Höhe der Zeit zu sein, kippte dieser ein drittes Mal sein Gelächter über ihn aus. Arlecq dachte an andere westliche Intellektuelle, an Arni Finnbjörnson, an Carmen Cereceda. Er schwieg auf Joes Gelächter. Der zitierte Ost-West-Gegensatz schien ihm erstens ein Verkehrsproblem zu sein (Joe S. zum Beispiel war verantwortlich für die eine ungeteilte Hochbahn); zweitens eine Währungsfrage; drittens keine der Gesinnung. Mit einer Gesinnung war man bis an den Ruin und die Ruinen von 45 gekommen; eine Zahl, die etwas von absoluter Erfahrung hatte, wie eine Altersgrenze.

Anne weigerte sich, Ole Vilumsen kennenzulernen. Sie hatte wenige Freunde. Joe S. in Lichtenberg gefiel ihr. Lieber war sie mit Arlecq allein. Einmal im Park, nach einem Gewitter, erschreckte sie ein Mann im Gebüsch, der lange dort gestanden hatte, regungslos wie eine Statue. Er schien darauf gewartet zu haben, daß sie einander ihre Liebe zeigten, als wären sie allein in der Stadt. Später war Anne verschlossen, schweigsam. Arlecq glaubte, sie strafe ihn für den Mann im Gebüsch. Die Flugzeuge am Himmel lenkten sie eine Weile ab. Abends gingen sie ins Kino und sahen einen Film, der hieß Hiroshima mon amour. Es beruhigte Anne nicht, daß Vergangenes gezeigt wurde, ein anderer Krieg. Der Tag war zugleich ihr Abschied. Dann fuhr er mit Ole Vilumsen in die Provinz. Einmal auf diesen Reisen kam er auch in seine Stadt. Hier war alles kleiner geworden, aber zugleich schön und unbestimmt geblieben wie die Farbe auf alten Bildern.

Da er zurückkam und Anne wiederfand, sagte sie ihm, was sie brieflich verschwiegen hatte. Sie war schwanger von ihm. Sie sagte ihren Satz und wartete, als müsse er sich nachträglich dazu entschließen, zu diesem Geschehnis. Da werde alles anders, sagte er und wunderte sich, daß die Stadt ihm diesmal so schnell zeigte, was sie für ihn hatte. Vorerst geschah eine merkwürdige Vertauschung und Verdopplung der Räume. War er bisher vorbeigefahren an langen Häuserreihen der Vororte, abwechselnd Kellergeschoß und Beletage, Gleisdreieck, Bülowstraße, Dimitroffstraße; die Stadt aus der Höhe des Friedrichshains im Winter; die Kellerschächte der Untergrundbahn, Marmor und dann eingerissene Plakate und Ladenstraßen und Polizei in grünen und blauen Uniformen, Hunde an der Leine: so kamen ihm nun die Innenräume der Bahnen vor wie von ihm gemietete Zimmer. Die Tapete dunkel und verwischt, die Sitze abgesessen von fernen Generationen, verschollen, verjagt, verbrannt; die Stimmen aus den Nebenzimmern, ein vegetatives Geflecht, das stetig wucherte, keine Musik dämmte es sein. Gegen vier Uhr morgens war es still, dann kam der Lastwagen mit den Milchkannen, die aufs Pflaster dröhnten wie Glocken. In manchen Nächten weinte Anne, unhörbar. Er tröstete sie nicht. Auch sie hatte eine Provinz verlassen am Rande der Stadt. Früh, wenn sie zur Arbeit mußte, zwang er sie in sein Bett, hielt sie zurück. Sie sollte bleiben, nicht kommunizieren an diesem Ritual, das früh die Stadtbewohner vereinte in Zügen und Straßen, in einer für ihn unerklärlichen heiteren Stimmung vereinte, als sei nicht schon ausgemachte Sache, wie der Tag verlaufen und enden würde. Die Stadt von *innen*, sagte sich Arlecq und betrachtete die Zimmerwände. Er vermißte alles, was er brauchte, diese Wände zu öffnen, Breschen in sie zu schlagen mit Bildern. Bücher gegen den Strom der Zeit. Anne rechnete seinen und ihren Verdienst aus und addierte das Kindergeld dazu. Oft saß er abends im Kino, allein. Ging dann zu Joe S. in Lichtenberg. Arlecq verglich ihre Zimmer, Joe S. lachte versöhnend. Das Zimmer, das Arlecq in der Bötzowstraße gemietet hatte, gehörte zur Wohnung einer Frau Yeh, die so hieß, weil sie einen chinesischen Kaufmann geheiratet hatte. Der saß in Taiwan oder San Francisco, schickte Karten zum Neujahr an seine Tochter. Wie immer fand Arlecq diesen Zufall wie nur für ihn inszeniert, der aus einer Frau Matzke eine Frau Yeh machte und ihn zum Untermieter im ehemaligen Schlafzimmer.

Das Leben in der Provinz schien ihm nur noch ein Traum gewesen zu sein, der sich an einer falschen Stelle in einem Riß aufgetan hatte, ein Lichtstrahl, der ihn zu früh geweckt und ihm die Stadt gezeigt hatte. Oder war er noch immer im Traum? Annes Zustände sprachen dagegen. Mit dem Kind zugleich wuchs auch sie und war wie jede Frau Ziel und Ende von etwas; für Arlecq der Sinn der Stadt, den er nun gefunden zu haben glaubte. Er war trotzdem einverstanden, aufs Land vor die Stadt zu ziehn, und entschuldigte es (bei Joe S.) mit der von Grenzen eingeschnürten Stadt, mit Kontemplation, die seine Art tätig zu sein war. Nun schien es ihm so, als hätte er alles gewollt, die Stadt von ihren Rändern gesehen, schien sein Entwurf gewesen zu sein, aufgebaut, um von ihm in Ruhe betrachtet zu werden. Dann saß er unter Bäumen, das Geräusch der Stadtzüge teilte sich je nach den Windverhältnissen mit, er beobachtete das Kind und widmete sich dem Wechsel der Jahreszeiten.

1959/1974

Uwe Grüning

Novemberschelf

– Wo sind Sie jetzt?
– Ich rufe von dorther an, wo ein Berliner selten und ein Nichtberliner desto häufiger hingelangt.

»Am Alexanderplatz murksen und murksen sie weiter.« Döblin. Wer kennte das nicht? Aber sie murksen nun nicht mehr, und die astronomische Uhr beispielsweise ist ein Ort, wo man sich treffen kann. Das sei Aschinger gewesen, wo Franz Bieberkopf oft gesessen und getrunken habe, sagt er. Das alte und das neue Berlin, wie sie ineinander übergehen! Ein Auswärtiger begreift nicht so leicht, daß Tradition und Gegenwart gleichermaßen etwas bedeuten. Man ist nicht gewohnt, wenn man in kleineren Städten lebt, daß die Stadt selbst eine Welt ist; man hat noch die Nachbarstadt und die Umgebung oder irgend etwas, was keiner von ihnen gehört.

Märkisches Museum. Ich werde wehmütig, wenn ich die Zille-Bilder betrachte. Karlshorst – ländlich-sittig. Der Weg nach Biesdorf, als gebe es dort weit und breit nichts als Kiefern und Heide. Weg von Friedrichsfelde nach Karlshorst. Weg nach Köpenick. All das ist voll Landschaft, voll verspielten Blühens und ohne die Enge des Asphalts und der großen Fassaden.

Die Stadt wuchs, wuchs sprunghaft. Auch das habe ich im Museum gelesen. Und es gibt keinen Grund, warum sie nicht wachsen sollte.

Gelbe Postkästen seien selten geworden, sagen, die hier wohnen. Graue gebe es, rostfarben zerblätternde, schmutzfarbene.

In der Nähe des Spittelmarkts muß ich daran denken. Das Gelb des Briefkastens ähnelt jedem anderen Postgelb von Ilmenau bis Stralsund; ähnelt dem Gelb der U-Bahnen nicht und nicht dem der Kacheln in den Bahnhofsschächten.

Eine junge Frau steigt am Senefelder Platz aus, ihren rotkapuzigen Jungen bei der Hand nehmend. Ich bin traurig, ihre blaugetönten Lidschatten aus den Augen zu verlieren. Ich bin traurig, daß die U-Bahn aus der Erde emportaucht und ihre Lichter im novembrigen Nachmittag armütig werden.

Der Oktoberregen dehnt sein Reich aus weit hinauf in den November. Auf- und niederzufahren in einer Samstagnachmittagsbahn. Dieser wohltuende Dämmer der Gedanken und des Berlins, das sich noch nicht für den Sonntag und nicht für den Winter gerüstet hat und von dem ich nichts weiß.

Keine Geständnisse. Das lose Auf und Ab des Lichts und der Blätter. Die vor den Ampeln gierig wartenden Taxis und Lastwagen und Trabants und das verlorne Warten der Fußgänger und Hunde. Bewegung und Halt fast ohne Übergänge; fast wünschte man sich eine der so gefährlichen Übertretungen, quietschende Bremsen und das erschreckte Zurückweichen der Menschen.

Ob es wohl anginge, in der Vinetastraße sitzenzubleiben, ob daran einer der Schaffner Anstoß nehme?

Vineta: was für ein Name! Zeit, mit dem kleinen Niels Holgerson durch die Straßen zu gehn und in seinen Taschen nach kleinen Kupfermünzen zu suchen; und traurig zu sein, daß wir sie wieder verloren haben, und zu begreifen, daß jede Erlösung von Übel ist, weil sie die Märchen erblinden läßt.

Und statt in Vineta stehen wir auf der Schönhauser Allee im nieselnden Nebel und schauen auf drei Postkästen und auf die Leere, die hinter ihnen beginnt.

Briefe gelangen langsamer aus Berlin heraus, als sie hineingelangen. Hält man, was einmal sein Besitz ist, gewaltsam zurück, bis es sich ebenso gewaltsam losreißt? Und zieht, wie Sindbads Magnetberg oder wie ein Schwarzes Loch, die Stadt, alles, was sich ihr nähert, mit magischer Macht an?

Die Stadt wird weiter wachsen. Nicht um mich. Ich habe mich entzogen. Ich habe es vorgezogen, immer zu bedauern, nicht hier und ohne Bedauern über dies Bedauern zu sein. Ich bin mißtrauisch.

Ich bin durstig. Ich suche ein Lokal. »Rennsteig« heißt eines. Und davor steht ein milicuträchtiges Holzhäuschen. Dorthinein werde ich nicht gehn.

Dienstag erst bin ich der trieselnden Kälte des geografisch rechten Rennsteigs entronnen, der Neuhausener Kahlheit, überdeckt von Schiefern und rauchenden Essen.

Dienstag erst habe ich im Panorama gesessen, in der Kaminstube, in ihrer schäbigen Eleganz, vor deren großen Fenstern es abendrötete und -dämmerte und der Nebel im Gefolge heftiger Schneewolken über die weißköpfigen Fichten trieb.

Erich Weinert, lese ich auf einem Straßenschild, Schriftsteller und Antifaschist. Warum nicht Kommunist und Schriftsteller oder ähnliches? Wie die Straßenschilder doch alle zu Unbekannten machen, die Berühmten und die Ungerühmten.
Was wünschte ich, daß auf dem nächsten zu lesen stände?

Hufschmied und Dichter vielleicht.

Ich denke an den brennenden Horngeruch der Dorfschmiede, die es, als ich klein war, noch gab.

Schmiede sterben aus, Hufschmiede schon gar. Also Gesenkschmied und Dichter. Doch welcher Berliner könnte das sein in dieser Stadt der Großkulturellen und jener, die schreiben und töpfern, ohne es selbst recht gewahr zu werden.

Frauen, aus deren Gesichtern der Geruch von Abenteuer noch nicht gewichen ist, eilen vorüber. Welkende Regenschirme. Vereinzelte Kinderwagen und Straßenbahnwagen und U-Bahnwagen und Ampeln und Zebrastreifen und Stahlgerüste und Betonpfeiler und Telefonzellen, einladend und vorwiegend verstört. Und die Insistenz auf 20-Pfennig-Münzen, die es doch weit weniger häufig gibt als die Zehner und auf denen die Post wohl besteht, weil sie möchte, daß nicht so viel telefoniert werde, vorwiegend von den Nichtberlinern, die fern der gelobten Eigenschaft sind, die gelben Münzen zu horten.

Jedesmal erstaunt mich zu sehen, wie die U-Bahn zur Hochbahn wird und die S-Bahn unter die Brücken geht. Aber die Berliner finden es ganz in der Ordnung; und sie wissen es besser, wie sie alles besser wissen.

Ich bin unschlüssig, ob ich einen der Träume erzählen soll, unsicher in dieser Stadt, die aus vielen Städten gebaut ist, unsicher, ob ich mich in dieser Stadt der vielen Freunde unsicher oder vertraut fühlen soll.

Wir gehen ein Stück durch den November, lassen die Dimitroffstraße hinter uns. Die Bäume, die beidseitig des breiten Fußweges stehn, tragen noch Laub.

Es sind seltsame Alleen, vielleicht weil wir uns selbst seltsam sind an diesem Samstagnachmittag. Inmitten des dämmrigen Lichts reden wir davon, wie man einen Film machen könnte, vielleicht einen, der einen Augenblick bei dem Bild ausruht, wie wir zwei durch die Novemberallee gehn. Und es ist in ihr eine uns willkommene Fremdheit. Und zugleich Menschlichkeit und Vertrautheit. Da könnte ein alter Mann stehn und winken, niemandem zuwinken oder nur, kleiner werdend, sich selbst. Oder es könnte die Grenze aufgehoben werden, die Jugend und Ältersein trennt.

Er sei aus einem Neubauviertel in die Gegend der Dunckerstraße gezogen, berichtet ein Bekannter. Nun lebe er in einer anderen Welt, in der der kleinen Läden und der Handwerker, die zuvor sagen: Kostet aber fünfzig Mark. So etwas sage dort, wo er herkomme, keiner. Geld zu haben, sei so selbstverständlich dort, wie Schuhe zu tragen. Und wer keine trage, bleibe zu Hause.

Ich denke über das Aussterben der Altbauviertel nach — noch ist es nicht zu befürchten — und an ihre nicht aufzuhaltende Sanierung. Jeder Fortschritt bedeutet ja zugleich, daß etwas abstirbt oder nur noch in Museen und bei seltsamen Festen fortlebt.

Zunächst das Aussterben der offenen Feuerstellen und dann das Aussterben der Öfen.

Und wer von den Neubaukindern hat je ein Feuer gesehn,

es sei das einer vereinzelten Kerze oder des Streichholzes oder des Feuerzeuges, mit dem die Eltern ihre Zigaretten anzünden.

Und das Feuer, eine meiner liebsten Metaphern, gehört schon nicht mehr ganz unserer Zeit an, nicht mehr dem Alltag aller; und bald wird es nur noch den großen Schmelztiegeln gehören und auch dort unsichtbar sein wie in den Fahrzeugmotoren und den Verbrennungskammern der Diesellokomotiven und Tanker.

Und man hat Sehnsucht nach den Fackeln, die, wenn man bei Nacht zurückfährt, noch immer über Leuna und Bitterfeld stehn.

Es wird viel geträumt in Berlin. Ich habe die Träumer gebeten, mir, da mir so wenig einfällt, ihre Träume zu schenken. Ich wollte daraus Erzählungen machen. Aber vielleicht sind sie zu schade, um nur Erzählungen zu werden.

Wir hatten übers Wochenende Besuch, erzählt eine Bekannte, aus Westberlin. Der zehnjährige Junge hatte seinen Gruselkoffer mitgebracht. Alles, was es an scheußlichen Plasttieren gibt, war darin zu finden. Und wenn ich mich hinsetzte, setzte ich mich auf eine Schlange und sprang erschreckt auf, sobald sie sich um meine Hand ringelte. Ging ich zu Bett, lag unter dem Kopfkissen eine häßliche Kröte und am Fußende eine züngelnde Viper; und alle waren von so natürlicher, glitschiger Nachgiebigkeit, daß man leicht das Gruseln dabei lernen konnte.

Je stärker ich mich erschrecken ließ, desto mehr Tiere fand ich. Ich verbiß mir zuletzt das Erschrecken. Doch die beiden Tage reichten nicht aus, es dem Jungen langweilig werden zu lassen, mein Bett mit seinen Tieren zu bevölkern. Vielleicht hat er ein paar in unserer Wohnung vergessen; kein Wunder, wenn es unsereinen dann träumt. Und es hat mir geträumt, weißt du.

Ich war in unserem großen Wohnzimmer allein. Ich weiß nicht mehr, ob ich ein Buch las oder ob der Fernseher lief oder ob ich ein wenig eingenickt war.

Aber plötzlich sah ich vor mir eine große, ekelhaft viperde Schlange. Ich weiß natürlich, daß Schlangen keine lebenden Jungen zur Welt bringen, aber dieses mustergültige Exemplar konnte es. Und als ich sie mit einem Besenstiel erschlagen hatte, krochen aus ihrem geblähten, aufgedunsenen Körper die Jungen. Sie wuchsen mit erbärmlicher Schnelligkeit, und ich hatte plötzlich ein Beil in der Hand, obwohl wir doch seit Jahren keins mehr besitzen, und schlug auf sie ein, spaltete ihre Köpfe und das Dielenholz und zuweilen auch die Lehnen der Stühle. Es war mir ganz gleichgültig. Und die Brut züngelte, und ich konnte nicht mehr sagen, ob ich sie durchs Zimmer trieb oder ob sie mich trieben.

Doch ich bin ihrer Herr geworden. Zuletzt lagen die Schlangen wie geköpfte Räucheraale rings in der Stube. Mich ekelte. Ich schippte sie zusammen, trug sie zum Mülleimer und klappte mit dem Fuß den Deckel auf. Aber das schien mir zu unsicher.

Ich war mir auf einmal nicht im klaren, ob Schlangen wie Katzen sieben Leben besitzen.

Da schüttete ich sie alle ins Klo und drückte auf die Spülung und ließ sie laufen und sah, wie einer der Schlangenschwänze nach dem andern verschwand.

Dabei wurde ich das dumme Gefühl nicht los, ich könnte eine Schlange übersehen haben. Doch sosehr ich auch suchte, ich konnte keine mehr finden.

Ein wenig beruhigt, machte ich die Tür zum Schlafzimmer auf, und, aufgerichtet wie eine Kobra, züngelte mir eine Schlange entgegen. In meinem Schreck dachte ich nicht daran, daß man sich nicht bewegen darf, wenn man vor Giftottern steht, und flüchtete durchs Zimmer. Zu meinem Glück war sie nicht schneller als ich und zu meinem Unglück nicht langsamer. Auch das Beil hatte ich nicht mehr bei der Hand, und so jagten wir durchs Zimmer, bis ich den Besenstiel wiederfand. Und einmal schlug ich nach ihr und das anderemal fauchte sie mir entgegen, so daß ich wieder schreckhaft und blind zuschlug, bis ich sie zuletzt, ich weiß nicht wie, doch erledigt und, obwohl sie so groß und dick war, ins Klosett hinabgespült hatte.

Ich hatte mich aber an allen noch heilen und an allen zersplitterten Möbeln so gestoßen, daß ich nicht mehr wußte, ob sie mich gebissen hatte – fast schien es mir, als könnte sie mich während unserer wilden, immer im Kreise führenden Jagd unmöglich verfehlt haben – oder ob mir all meine Glieder von Holz- und Eisenstäben schmerzten. Da stand ich, ganz verzweifelt, und versuchte mich zu erinnern, was für Gegengifte es gegen Schlangen gebe. Es fiel mir aber keins ein. Deshalb ging ich zum Arzneischrank und begann von jeder Medizin zu nehmen. Irgendeine, dachte ich mir, wird schon ein Gegengift enthalten.

Von all den Pillen und Tropfen wurde mir so schlecht, so übel im Magen, daß ich erwachte und mich über dem Becken übergeben mußte. Hineinzuschauen wagte ich nicht, vielleicht hätte da noch eine Schlange gelegen, und ich hätte mich dann gar nicht mehr ins Bett getraut und wäre auf die Prenzlauer Allee gelaufen, im Nachthemd, so wie ich war. Alles, aber keine Schlangen!

Nein, sag nichts gegen den Prenzlauer Berg! Das ist das echte Berlin. Und ich bin froh, daß ich hier wohne. Man muß sich eingewöhnen, aber dann wird man rasch heimisch.

Ja, meine Träume, deswegen hat mich schon mancher ausgelacht. Gestern nacht zum Beispiel, wo ich doch wußte, daß wir heut ins Kino gehen würden, hab ich geträumt, wir hätten vor der Kamera gestanden. Und meine Freundin hatte mir sechs Kaffeekannen mitgebracht. Ich weiß beim besten Willen nicht, wozu. Und wir wollten doch gar nicht in die Kamera, sondern ins Kosmos.

Es hat sowieso keinen Zweck mehr, der Film hat schon um halb sechs begonnen, und jetzt ist es drei Viertel sieben, sagte ich. Aber Gert wollte, daß wir noch führen. Und meine Freundin sagte, ohne uns kann der Film gar nicht beginnen, wir haben ja die Kaffeekannen.

Aber solange wir auch warteten, kein Taxi hielt auf unser Winken, alle waren sie mit schwarzgekleideten, zylindertragenden Frauen besetzt und mit Kindern, die hämisch hinter uns herlachten. Endlich kamen zwei Ponys vorbei und hielten, als wir winkten. Meine Freundin setzte sich auf eins. Ich versuchte hinter ihr aufzusteigen, immer mit großem Schwung wie beim Bockspringen in der Turnstunde; aber das Pony warf mich immer wieder ab, nicht aus Bösartigkeit, sondern weil ich es mit meinen kalten Händen, die ich so unvermittelt auf seinen Rücken setzte, kitzelte. Doch meine Freundin warf es seltsamerweise nicht ab. Sie sagte dann: Du, zwei auf einem Pferd, das geht nicht. Ja ich weiß nicht, hatte ich dabei die Kaffeekannen noch in der Hand, oder hast du sie inzwischen gehalten? Wahrscheinlich hast du sie getragen, denn sonst hätte ich doch nicht auf das Pferd springen können. Doch, das geht, sagte ich zu meiner Freundin. Ich habe einmal einen Film gesehen: Zwei auf einem Pferd.

Schließlich gelang es auch, und wir ritten los. Als wir am Kosmos ankamen, warst du und auch Gert schon da wie beim Hasen und Igel. Und ihr konntet euch gar nicht erinnern, bei der Kamera gewesen zu sein, worüber ich ganz wütend wurde, denn ich war ja so deutlich im Recht, weil wir doch die sechs Kaffeekannen hatten. Der Hauptfilm beginnt jetzt, sagte die Platzanweiserin. Nur mußte ich erst einen Korn trinken vor Schreck oder was weiß ich. Bis der Filmvorführer kam und mir die Kaffeekannen aus der Hand riß: Sehen Sie denn nicht, daß darauf der Film ist, schrie er, und in der Tat sah ich, daß darauf winzige Bilder gepinselt waren und wie ein Film abliefen, wenn er sie rasch drehte.

Und später saßen wir alle in diesem Film, wo aus der grünen Hügligkeit einer russischen Landschaft grundlos eine gemeißelte Kirche mit ihren Zwiebeltürmen aufstieg, geradeso wie heute, wie im Film, den wir heute gesehen haben.

Ja, das ist Berlin. Wie oft werden wir hier zu dieser Binsenweisheit verleitet. Doch es ist ein Novemberberlin, ein Schelfmeer, hinter dem die Tiefe beginnt. Diese aus lauter Städten gemachte Stadt, deren jede ein andres Gesicht hat:

Köpenick, nahe der Schloßinsel an einem Dezembertag voll gleißender Sonne. Pankow um Kirche und Rathaus und der Schloßpark, dessen Grün voll Frühling und Helle ist.

Und der Weiße See mit seiner kultivierten Trauer und

Milde, auf deren tragenden Wassern sich lustige Gondeln und die im Herbst ersterbenden Fontänen tummelten.

Und all die Flecken, die ich nicht kenne und die ich mir aufspare. Für welches Wochenende? Für welche augenwiderspiegelnde Freude, zu der mich Sputniks tragen werden oder S-Bahnen oder die gelben, langatmigen Wegweiser: Berlin – Hauptstadt der DDR. Als ob es dieses Epithetons bedürfte. Als ob es sich nicht selbst in der Provinz, nicht selbst bei den freiwillig Ausgeschlossenen herumgesprochen hätte, daß Berlin eine Hauptstadt ist.

Gert Härtl

Vom Bowling

Saquerieur sagte:

Irgendwo *beginnt* das Interesse. Ich wünsche mir jetzt zum Beispiel drei Wörter; drei Wörter, die einer bewegten Hand gleichkommen wenn die geprüften Gesten nicht mehr erreichen, daß die beteiligten Gegenstände und Gesichter ihren neuen – den, vielleicht zu Unrecht oder gar nicht geforderten – Aspekt erhalten, denn hier beginnt das Interesse: entgegen anderen Nachrichten, weil die Existenz eines neuen Aspektes müde verrichtete Handlungen lähmt, sowie die raschen mutigen gründlich entkräftet durch seinen Hinweis auf eine *erklärte* Welt, was, nun schon erstaunlich fern, natürlich nie seine Absicht war. Aber es geschieht ja, wie wir wissen, nichts. Deshalb kenne ich keinen anderen, sagte Saquerieur,

Grund zu sprechen als das *Finden* von Wörtern und Sätzen. Meine Rede ist an niemanden gerichtet; es ist mir nicht möglich zu glauben jemand spräche zu mir und verfolgte eine bestimmte Absicht, wie: er versuchte mich in einer ihm angenehmen Weise zu erzeugen, wie es ja möglich ist und unendliche Male, freilich unentdeckt, geschah. Meine Rede ist nach innen gerichtet, eigentlich ist es nicht nötig das auszusprechen, und es geschieht ja nur aus Neugier (vielleicht, daß hier der Gedanke einen Weg fände?); meine Rede ist auf die Sätze gerichtet, auf das Rückgrat der Sätze, wo ich sinnend mit dem Finger entlangstreiche als hätte ich wahrhaftig eine Wahl, wie wir sie wohl vorgeben wenn die Rede auf das Benutzen von Wörtern und Sätzen kommt. Meine Rede ist auf etwas Unbemerktes an ihnen gerichtet... und wessen wohl nicht. Ausgesprochen wird alles schnell zum Betrug. Allerdings zweifele ich *jetzt*, denn, sagte Saquerieur,

wird der Betrug nicht nur in meinem Blick wahrgenommen? Und es ist deshalb vielleicht gar keiner: weil in mir ja nur die Furcht vor einer zu verlassenden Liebe ist? Einer Liebe, die verlassen werden *muß* um der Sätze willen! Und es sind natürlich keine Sätze und es ist natürlich keine zu verlassende Liebe ... Letzteres ist ja nur die Furcht vor einer solchen Deutung meiner Bemühungen; eine Deutung, die ein ewiges Mittel ist, das Denken aufzuhalten. Das Denken wird gehindert, die ihm gemäße Ebene zu besteigen, und dort handelt es sich ja dann schon nicht mehr um ein Denken! Dieses Wort ist eines der verlassenen Ebene, ein Kompromiß, um den Aufenthalt anzugeben in verständlicher Weise für die Freunde und unentdeckbar für die Hinderer mit Liebe. Nicht, daß diese ihre Liebe nun verweigern würden, sie haben sie empfangen, aber sie haben ihre Währung erkannt um mit ihr zu handeln, was hier bedeutet anzudrohen: keine Liebe mehr zu empfangen zukünftlich, also die, ohnehin schon vorhandene Leere, zu verewigen. Denn selbst, gäbe es Klarheit, welch eine geringe Hoffnung gibt es, das Ziel einer solchen Drohung auszusprechen! Hier wäre in der Tat ein Lächeln die angemessene Antwort; aber das ist keine Antwort, es würde den Aufbruch ebenso verhindern. Niemals darf man die Schärfe solcher kleinen Handlungen unterschätzen! Sie richten sich besonders stark in das Innere eines Handelnden! Und wie solche Tatsachen bekannt sind, wie das alles gewußt wird! Mit genauem Interesse, dessen Thema freilich, befragt, in undurchsichtigem Dunkel liegt, werden solche Handlungen registriert. Provoziert, wird ihr Eintreffen sorgfältig beobachtet und durch verbreitete Stille und Leere wird in dem Handelnden das Gefühl des Handelns erzeugt. So, mit großer Sicherheit eingetroffen, wirkt diese Handlung, die in einfacher Wahrheit allerdings nur eine Reaktion ist, in das Innen des, selbstverständlich, vermeintlich Handelnden. Denn wen anderen kann, in diesen Zusammenhängen sein Lächeln treffen? Es ist für seine Beobachter ausschließlich das Zeichen für die, sagte Saquerieur,

Ankunft auf der von ihnen, auch wegen der Existenz solcher Aufbrüche, bis zur sichtbar gemachten Selbstauflösung (als unwiderlegbares Argument) gepflegten Ebene. Alle anderen Sorgen sind nach dem Eintreffen des Lächelns gering für sie, denn aus Erfahrungen wissen sie, daß ein neuer Aufbruch lange nicht zu befürchten ist, weil jeder Aufbrechende eine

Erinnerung oder eine Nachricht vom Ort seines Aufbruchzieles braucht: um ein Aufbrechender werden zu können, und weil selbst diese ehemalige Beschreibung »nur fort von hier« niemanden hatte, trotz einer anfänglich erstaunlichen Blendung, wahrhaftig gefährden können. Kann allerdings irgend jemand eine solche Nachricht besitzen? Denn in, sagte Saquerieur,

diesen Zusammenhängen ist niemand ein Gefangener, hier ist das Gefangenhalten gänzlich unentdeckt; hier geschehen Katastrophen und Terror und es ist ausschließlich und ausweglos lächerlich darüber zu sprechen. Jener Gegenstand ist unendlich flüchtig. In diesen Zusammenhängen sind alle Fragen, den Gegenstand betreffend, reaktionär. Sie ermöglichen nur, und dazu sind sie gefragt, die Bestätigung der Gegenstandslosigkeit. Geantwortet, auf die Frage nach dem Vorhandensein von Terror kann, selbst von dem Anschuldiger, nur werden: der behauptete Terror ist nicht gegenständlich. Freilich gibt es einige Märtyrer, deren Bemühungen (selbstverständlich sind es die gleichen seit einigen Hunderten Jahren), darin besteht, den Terror gegenständlich zu machen; jedoch für solche Bemühungen gibt es keine Aussicht. Sie sind lächerlich geworden. Alle neuen, aus der Gegenwart stammenden Versuche werden, selbst von denen die sich zu anderen Zeiten ohne zu zögern zum Märtyrertum entschlossen hätten, als vollkommen ungeeignet bezeichnet. Die Begründung für diese Entscheidung ist die jahrhundertlang, oder einfach, nicht gegenständlich werdende Antwort auf die Frage nach dem Ort des Terrors. Jene glauben heute, es sei möglich, die Notwendigkeit einer Vergegenständlichung umgehen zu können. Und besonders auch deshalb, weil die Methode der Märtyrer, eine Abwesenheit sichtbar zu machen, von ihren Feinden (die sich zum ersten längst nicht mehr ihre Feinde nennen müssen) erkannt ist und mit Intelligenz beantwortet wird, weshalb mögliche Märtyrer zum Ort der Intelligenz wandern, weil sie, innerhalb alter Beschreibungen ganz gefangen, annehmen müssen, dieser Ort der Intelligenz sei ihrem Ziel am nächsten. Dies ist meine Beweisführung dafür, daß, sagte Saquerieur,

Fragen nach jenem Gegenstand reaktionär sind, daß ihr Inhalt vollkommen darauf gerichtet ist, jede Erinnerung nach jenem Gegenstand zu vernichten. Geantwortet kann nämlich nur auf die Frage werden, und es kostet unaufbringbare Kräfte, außer der sich klar einstellenden Beantwortung einer Frage, in der Antwort gleichzeitig das Wesen einer Frage zu verändern. Selbstverständlich bedeuten die Fragen der Kinder, sagte Saquerieur,

etwas anderes, wobei jedoch diese pauschale Entschuldigung nur ein Hinweis bedeutet auf die besondere Problematik und die besondere Tragik in der Welt der Kinder, was ich jedoch schon in meinem Beispiel: die Verantwortung der Kinder, sichtbar zu machen versuchte. Es ist ein Wunder, daß, bei der Flüchtigkeit jener Thematik, sagte Saquerieur,

irgendwann dennoch gesprochen werden kann. Im Grunde genommen ist ja alles gegenteilig geeignet und eine allgemeine Verstummung wäre durchaus das Normale, was, zweifellos, beim Betrachten des Gesagten in den häufigsten Fällen tatsächlich zutrifft, denn alles Gesagte sind Reproduktionen. Niemals erlebte ich, selbst keine geringfügige, eine, sagte Saquerieur,

Freiheit des Gedankens oder des Worts, sondern das genaue Gegenteil. Alles Gesagte sind Reproduktionen alter Beschreibungen, das, mit Genuß fraglos über den Wert von Traditionen sinnend, jede Bedingung dieser Beschreibungen erfüllt und nicht nur Erinnerungen an alte Beschreibungen weckt; sondern in jeder bekannten Hinsicht alte Beschreibungen reproduziert: sei es jene alte Überzeugung durch jedes Wort wahrhaftig etwas sagen zu können und gesagt zu haben, also die unmittelbare Nähe zu den Gedanken über die den Worten beigegebene Gefühlshöhe zu erreichen, was, wie wir wissen, auf geraden Wegen zu Katastrophen führte und besonders bei Zuhörern die *etwas* von der gesamten Thematik wissen und glauben Klarheit zu bekommen, wenn sie sich allein an die den Worten anhängende Gefühlshöhe halten. Oder sei es auch die Distanz zu offensichtlich gescheiterten Sätzen, die, wie mit Auswuchs befallen, betrachtet werden, als sei der Auswuchs das Wesen der gescheiterten Sätze und die Sätze seien für ihn verantwortlich… also in allen denkbaren Bedingungen die Erfüllung liefern und auf diese Weise, durch die nicht mehr endend können könnende Folge von Reproduktionen, sogenannte Tatsachen produzieren, die allein durch ihr Erscheinen in einer Gegenwart in den Rang von Beschreibungen gelangen und so zur Vorlage für spätere Reproduktionen werden. Menschen, die unter dieser Beschäftigung leben, ohne freilich in die Lage kommen zu können, ihren vielleicht, sagte Saquerieur,

vorhandenen Verdacht auszusprechen, was sie ja von der Tätigkeit des Reproduzierens befreien könnte, erkennt man an dem eigenartigen Klirren ihrer Worte. Es scheint, daß sich im Raum wo sich die Wörter bilden eine zweite Substanz befindet, die, zwar im Gegensatz zu den sich ständig bildenden Wörtern stumm bleibt, aber immer, durch ihre Existenz einen Schatten auf die austretenden Wörter wirft, daß diese, ohne eigene Absicht und vielleicht wirklich nur in den Ohren desjenigen, der an dem Klirren der Worte das Vorhandensein jener Thematik erkennt, eine, von ihrer ursprünglichen Bedeutung abgleitende erhält, so daß schließlich (unter normalen Umständen bei den gleichen Worten vollkommen ausgeschlossen) jener Sprechende in die ihn lähmende Nähe eines wirklichen Verdachtes gelangt. Hier allerdings beginnt ein Mechanismus, dessen Inbewegungsetzen keinem wirklichen Menschen zugeordnet werden kann, sondern dessen Bewegung mechanisch einsetzt. (Freilich ist seine Installation durch seine spätere Benutzung bewiesen und sein mechanisches Ingangsetzen bedeutet nicht eine Notwendigkeit im Rang einer Wahrheit, was natürlich allgemein ausnahmslos behauptet wird.) Seine Funktion ist diese, daß dicht vor einem tatsächlichen, sagte Saquerieur,

Verdacht, der eine Verstummung des Sprechenden fordern würde, die Ursache des Klirrens in ihrer Beobachtung vermutet wird und an der Stelle einer Vereinigung mit dem Beobachter (auf einem freilich wortfreien Gebiet): Die Entfernung des Beobachters betrieben wird, wodurch wahrhaftig die gesamte Thematik sofort verschwindet und damit jede Hoffnung auf eine Zukunft, deren Gegenwart sich außerhalb der benutzten Wörter und ihren Bedeutungen befindet, sondern in einer, über die gegenwärtige Stummheit, lächelnden Vereinigung, die allerdings vorerst für, die, durch die alten Beschreibungen gefangenen, Augen unsichtbar bliebe. Dies wäre die sichtbar gemachte Gegenwart jener Zukunft, sagte Saquerieur,

fände eine solche Vereinigung wahrhaftig statt. Alle anderen Versuche jene Zukunft gegenwärtig zu machen sind dem Scheitern verfallen und selbst das Addieren der Scheiterungen vollbringt kein Ergebnis, weil die Summe aller Scheiterungen vor eine Moral gestellt würden, die nicht gegenwärtig ist weil niemals die ersten positiven Sätze innerhalb jener Thematik gesprochen wurden, die, würden sie gesprochen, die Geburt einer neuen Sprache, selbstverständlich, bedeuten würden, die aber, einmal zu Wörtern und Sätzen gekommen, keine neue Sprache in diesem ersten Sinne ist, sondern die vollendete Gegenwart jener, nun in unvorstellbaren Vergangenheiten liegenden, Zukunft. Ich will keinen meiner Zuhörer damit, sagte Saquerieur,

erschrecken, wenn ich die Nähe zu jener Thematik mit dem Wort Poesie bezeichne, sondern dies ist der eine Pol der Benennung, während der andere mit großer Sicherheit das Wort Anarchie ist. Nicht zwischen beiden Wörtern liegt allerdings jene Thematik, sondern in der Tatsache einer einsetzenden Enttäuschung bei dem Auftauchen dieser Wörter in den mühsam aufgebauten Zusammenhängen. Hier erkenne *ich* das Vorhandensein jener Thematik an dem Erlöschen eines Interesses; und ich will meiner einsetzenden Verantwortung nachkommen, indem ich von jenen Gerüchten spreche, die es plötzlich, angesichts der letzten Geschehnisse aus der Welt der als Anarchismus bezeichneten Handlungen und Gedankengänge, gibt. Sie, jene, Handlungen sind offensichtlich in die Nähe wirklicher Handlungen gelangt, weil sie sich den geläufigen und bekannten, sagte Saquerieur,

Deutungen entziehen. Der Deutungsapparat besitzt keine Möglichkeit in Gruppen vollbrachten Hungerstreik lächerlich zu machen oder in die Sprache seiner Deutungen auf andere Art zu integrieren, sondern er muß dem offensichtlich ihn meinenden Terror standhalten, welcher jedoch kein üblicher Terror ist, sondern lediglich ein Vorschlag sich außerhalb jener herrschenden Deutungsebenen zu begeben: denn dort beginnt jene Thematik und zwar in der Sprache der Handlungen, deren Gesetze freilich gänzlich unentdeckt sind, allerdings heftig wirken. Jene Handelnden benutzen diese Gesetze um das (in diesen Zusammenhängen mit der Unterlassung von Kreuzigungen) brachliegende Gespräch der Menschen fortsetzen zu können. Jene Kreuzigung wird erzwungen, um die Gedanken fortsetzen zu können, was, bei unterlassenen Kreuzigungen, nicht mehr möglich war, weil jede unterlassene Kreuzigung, als eine solche gehandelt, unentdeckbar auf die Handlungsebene *nach* der stattgefundenen Kreuzigung gelangt ohne dem Wesen einer wahrhaftig unterlassenen Kreuzigung zu entsprechen, weshalb (endlich) jene stattgefundene Kreuzigung eines Tages zu einer *notwendig* stattgefundenen Handlung in der Geschichte der Gedanken wird und die an das Kreuz Schlagenden und der Gekreuzigte gemeinsam zu einer lächelnden Vereinigung in einer auch dort schon anscheinend ewig dauernden Verstummung werden müssen, sagte Saquerieur,

lange gab es den Anschein, im praktischen Sozialismus gäbe es eine Möglichkeit wahrhaftigen Handelns. Das Stattfinden einer Wirklichkeit wurde angenommen durch die Beseitigung aller Determination, deren Kern die Veränderung ökonomischer Verhältnisse bedeutete, bis es sich, durch die sich plötzlich, wider allen Erwartens, einstellende Handlungsmüdigkeit, zeigte, daß jene Deutung von der Welt wahrscheinlich eine Methode war um, unter den herrschenden Umständen, auf die ersten positiven Sätze innerhalb jener Thematik treffen zu können. Alle stattfindenden Handlungen waren aber entfernt von Kunst, sie hätten jedoch unbedingt Kunst, sein müssen um zur wahrhaftigen Handlung aufsteigen zu können; solange sich Handlungen in der Grammatik endlich realisierter, sagte Saquerieur,

Sehnsüchte bewegen, sind sie unrein und entsprechen lediglich dem herrschenden Selbstverständnis akademischer Kunst, wonach Kunst das Gefühl zu erhalten hat: die Menschen hätten noch andere Möglichkeiten als die im Kunstwerk beschriebenen. Aber die Menschen haben außer der im Kunstwerk beschriebenen und erfahrenen Möglichkeit keine andere. Nicht eine Ahnung ist noch in den Menschen vorhanden, so abhängig hat ihn die Kunst von sich gemacht. Die Welt ist von den Künsten, sagte Saquerieur,

verraten und entmündigt; außer den Worten der Künste finden keine anderen Worte statt. Die Handlungen der Menschen sind Reproduktionen der Künste, wobei sich die Künste, bei einem Vorwurf, auf die stattfindenden Handlungen berufen; die Worte der Handlungen sind in jeder Beziehung nachgesprochene Worte, selbst ohne Bedeutung in einer allgemeinen Sprache der sie eigentlich zugehören, die sich aber immer aufs neue selber produziert in unendliche Müdigkeiten hinein und die lediglich für die Benutzer den Wert von Kennmarken besitzt, die man sich gegenseitig vorzeigt um nicht ausgeschlossen zu werden von der (freilich nur in Gerüchten vorhandenen) Möglichkeit des Handelns, welche so deutlich ausgesprochen, das gesamte Interesse des Menschen hat. Denn hier *beginnt* das Interesse. Dies zeigen auch die auftretenden trivialen Reproduktionen, die, eigentlich entgegen herrschendem Geschmack und, sagte Saquerieur,

besserem Wissen, für vorübergehende Zeiten als Handlungen gelten. Sie entwickeln innerhalb den Gesetzen einer Reproduktion eigene Gesetze, die besonders von der Reproduktionsvollkommenheit handeln und, wenn sie perfekt eingehalten sind, wahrhaftig, über eine ästhetische Erfahrung, in die Nähe wirklicher Handlungen gelangen, zumindest können sie so einer akademischen Deutung entkommen, weil eine akademische Bildung triviale Bildung ausschließt. Allerdings sind die trivialen Reproduktionen auch eindeutige Beweise jener Bemühungen, die zum Inhalt haben, sagte Saquerieur,

dem Reproduzieren überhaupt zu entkommen. Es muß jedem Beobachter offensichtlich werden, daß jene Beschäftigungen nicht das *Reproduzieren* zum Inhalt haben, sondern die Bewegung vorhandener Grenzen durch vollkommene Beherrschung zum Beispiel, wobei die rasche Ermüdung oder

Erschöpfung nach dem Erreichen einer solchen Grenze nicht als Zeichen oder Nachricht genommen werden darf: jene Beschäftigung wäre letztlich doch das Ziel einer Bemühung gewesen; weil ein Läufer nach seinem Sieg alle eben noch vorhandene Anstrengung fallen läßt, ist der Schluß unzulässig, er identifiziere sich also doch mit der Thematik seines Laufes, die in einem Sieg sichtbar wird. Das Thema seines Laufes ist immer ein anderes, besonders versucht er der allgemeinen Deutung seines Laufs zu entkommen, die, vor dem Start vielleicht für ihn unbekannt, mit dem Start unweigerlich beginnt. Oder die Beschäftigungen, sagte Saquerieur,

Gesten und ganze Bewegungsabläufe nach Vorlagen zu reproduzieren, zum Beispiel das Einsteigen in ein Auto. Solche Beschäftigungen entfernen sich doch zu offensichtlich von der Vorgabe zu handeln, als daß man sie noch als solche Versuche bewerten könnte. Diese, in der allgemeinen Sprache als Beschäftigungen bezeichneten Tätigkeiten sind natürlich in Wahrheit ANALYSEN und finden ja nicht zufällig in Lebensbereichen statt, für die die allgemeine Sprache das Wort *modern* verwendet. Hier ist offensichtlich der Schluß vorhanden, daß die Grammatik jener Beschäftigungen (da sie doch weitgehend ohne Bewertung ist) zuläßt: in der Analyse zu neuen Schlüssen zu finden. Jene Tätigkeit wird wie in der wissenschaftlichen Praxis mit einer hohen Wiederholungsquote versehen, so daß die zu erwartende Aussage weit unter die bekannten und stattfindenden Zweifel reicht, wie beim Bowling zum Beispiel. Dort ist es möglich im ganzen Ensemble von Bewegung, Geste, Rede, Mimik etwas über die Möglichkeiten, die außerhalb der allgemeinen Sprache vorhanden sind, zu erfahren, zumal diese Sportart ein Import ist aus der (wie es heißt) alten Welt, weshalb eine gründliche Analyse ohne Scheu stattfinden kann, ohne daß eine gegenwärtige Liebe zu verlassen ist. Besonders interessant ist der Rhythmus des Bowling, der durch die Aufstellungsmaschinen der Kegel erreicht wird und dessen Charakter durchaus dem Verständnis modernen Lebens entspricht, also eine nicht abreißende Kette akustischer Bewegung, die, in kurzen Intervallen, viele Geräusche nebeneinander ist und in ihrer auffallenden Vollkommenheit ihre Absicht (das außerhalb der Bahn stattfindende Leben zu beschreiben) enthüllt. Hier, sagte Saquerieur, spreche ich von der Bowlingbahn Berlin, am Alexanderplatz. Sicherlich trifft das Gesagte für eine Bowlingbahn in der (wie es heißt) alten Welt nicht zu, dort ist das Bowlingspielen wahrscheinlich eine naivere Beschäftigung. Für die Bowlingbahn Berlin Alexanderplatz aber gibt es die Erklärung: sie ist ein Ort der Analyse. Dort finden Gesten und Bewegungen statt und stehen deutlich im Gespräch miteinander; die aus den drei, sie haltenden, Fingern geschleuderte Kugel wird von der über dem Kopf verharrenden linken Hand begleitet und jede individuelle Deutung dieses Themas wird von den Anwesenden beobachtet und bedeutet im weitesten Sinn, natürlich, ein Wort, wobei der offensichtliche Inhalt des Spiels, das Umwerfen der Kegel unbedingt zweitrangig beobachtet wird. Allerdings wäre es falsch zu behaupten, dafür gäbe es gar kein Interesse: die umzuwerfenden Kegel sind die Verbindung zur allgemeinen Sprache, womit der Ort der Beschäftigung in allen nötigen Fällen anzugeben ist. Und der nötigen Fälle gibt es selbstverständlich viele, denn beim Bowlingspielen findet letztlich das allgemeine Leben statt, das ständig Schamgefühle produziert; besonders wenn nach dem Wurf und der Beobachtung seines Ergebnisses das Alibi für diesen individuellen Auftritt verlassen werden muß. Auch beim Bowling gibt es nicht genügend Grund eine Liebe zu gründen; um im vollen Einverständnis mit seinen Beobachtern sich wenden zu können bedarf es der allgemeinen Gewißheit, daß die Absichten des Werfenden lauter sind und die der Beobachter ebenso. Wie aber soll es denn eine solche Gewißheit geben? Allerdings ist beim Bowling die Beobachtung der Scham nicht der Gegenstand des Interesses, wie alle sofort einsetzenden Beschwichtigungen beweisen, wo nämlich sofort ein neuer Spieler auf die Bahn tritt und alle Aufmerksamkeit, die brach umherirrt, sich auf ihn lenkt. Er vollführt seinen Wurf im genauen Gespräch mit dem vorangegangenen *anders* und jene unerwartete Wendung des Geschehens, das sich eben noch in eine um vieles tiefer liegende Thematik zu verwandeln drohte, ist überraschend der Gegenstand des Interesses. Jene wirklich eintreffende Wendung, die freilich auch beim Bowling selten vollbracht wird, ist die Gegenwart jener Thematik, die hiermit gepflegt wird, was, wie ich am Verlauf meiner eigenen Sätze bemerke, sagte Saquerieur,

wahrscheinlich eine elementare Absicht ist. Vielleicht deshalb, weil die Kräfte nicht viel weiter reichen, auch mich hat der Versuch von jener Thematik zu sprechen gründlich erschöpft. Allerdings beginnt bei jeder neuen Berührung des Themas unvermindert das Interesse, wie auch die Bemühungen beim Bowling beweisen; und die Pflege jener Thematik bedeutet, was mir eben noch als eine Maniküre erschien, vielleicht schon die Fortsetzung der Thematik, so daß sie in einer Zukunft als ein von unseren natürlichen Sinnen wahrnehmbarer Körper erscheint. Ich hoffe allen, sagte Saquerieur,

Ernstes sehr auf die trivialen Reproduktionen, da sie am ehesten der Gefahr, ihren naiven Ergebnissen, hier wäre es das Zählen der umgeworfenen Kegel, Bedeutung beimessen zu müssen, entgehen können um einer sich wahrscheinlich mit diesen Tätigkeiten erst einstellenden Absicht willen, die weit über den naiven Inhalt des Spiels hinausgeht. Alle anderen Versuche wahrhaftigen Handelns, auch jene, die aus einem Engagement heraus stattfinden müssen, und natürlich besonders diese, unterliegen dem Sog wirkliche Handlungen bedeuten zu wollen und zu bedeuten und hiermit die gültige Erklärung der Welt zu liefern. Dies ist eine Verlockung, die sogar das Ziel der trivialen Reproduktionen sehr gefährden kann, denn es ist natürlich eine Verlockung wahrhaftig trivial zu sein und somit eine erklärte Welt anzunehmen, für die letztlich aber niemand die Verantwortung trägt. Dieser Vorgang ist deutlich zu beobachten, sagte Saquerieur,

in der allgemeinen Kunst, den Kunstwerken, die ausschließlich jene Thematik zum Anlaß hatten, aber in dem Versuch sie sichtbar zu machen, ausnahmslos scheiterten, weil sie, zu verschiedenen Zeitpunkten freilich, der herrschenden Logik unterlagen. Dies ist der einzige Maßstab in der Bewertung von Kunstwerken, der auch ausnahmslos verwendet wird: der Zeitpunkt der Scheiterung. Hierauf liegt ohne Zweifel das Interesse des Betrachters und er begrüßt natürlich besonders jene Kunstwerke, die vor dem Zeitpunkt der Scheiterung als Fragmente enden. Diese Aufrichtigkeit der Künstler ist freilich schon lange eine angenehme Vergangenheit; heute finden realistische Versuche statt, wo die Reproduktionen alter Beschreibungen beschrieben werden. Also bedeutet die Pflege jener Thematik die Erschaffung und sofortige Förderung der betrachtenden Kunst. Ihre Ergebnisse sind der genaue Ort jener Thematik und es gibt keinen Unterschied: ob die Betrachtungen triviale Gegenstände haben oder Kunst. Hier ist die reine Solidarität für jene Thematik, sagte Saquerieur.

1975

Heide Härtl

Besuch

Jetzt war Christian Gerber in Berlin. Als nächstes mußte er mit seiner Tante telefonieren. In ihren Briefen hatte sie niemals erwähnt, daß sie nun schon sehr lange auf seinen Besuch wartete, nachdem er sogar sehr entfernte Verwandte besucht hatte, ganz zu schweigen von den langen Besuchen bei seiner Mutter, ihrer Schwester. Auch sie, die Tante, hatte ein Recht auf seinen Besuch. Sie selbst hatte keine Kinder und ihm als dem ältesten aber auch hilfsbedürftigsten ihrer Neffen und Nichten, hatte sie sich immer besonders zugewendet. Wie oft hatte er als Kind mit ihr verreisen dürfen, wie aufmerksam hatte sie ihn beschenkt, im Gegensatz zu seinen Eltern, die nur von praktischen Gesichtspunkten ausgegangen waren, auch das Spielzeug mußte einem bestimmten pädagogischen Zweck dienen. Er hatte sich auf diese Reise vorbereitet, fast seitdem es klar war, daß er nicht mehr arbeiten würde (ausgeschlossen war es ja nicht, daß es eines Tages Heilung für ihn geben könne). Immer wieder hatte er gehört: auch wenn man nicht gesund ist, gibt es viele schöne Dinge auf der Erde zu tun und er hatte auch keine Furcht gehabt vor dem Alleinsein, irgend etwas werde ich schon tun, werde ich schon finden für mich, hatte er sich gesagt. Aber: Angesichts der Unmasse von vorhandenen Gestaltungen, von Formen und Farben, Materialien und Zusammenstellungen, sein Blick ruhte ständig darauf und registrierte pausenlos, konnte er sich dann keiner Volkskunst zuwenden, keinem Handwerk, keiner Lieblingsbeschäftigung. Sogar die Auswahl der Gegenstände, die er für sein Leben brauchte, vom Waschbeutel bis zur Flurlampe, war nun schon schwierig für ihn. Er machte sich lange Gedanken; seine Überlegungen endeten immer bei der Alternative: Zweckmäßigkeit oder Schmuck, aber entscheiden konnte er sich nicht; Geschenktes, Abgelegtes, Gefundenes, war ihm das Liebste, und wenn das nicht möglich war, nahm er das Erstbeste, auch damit entledigte er sich der Verantwortung für den Gegenstand, sein größter Traum war, in eine vollständig eingerichtete Wohnung zu ziehen: jemand anderes hatte sich entschieden. Vielleicht hatte er auch einfach kein Talent, er besaß keine Lust zu malen, zu schnitzen, zu töpfern oder zu schmieden, auch auf der Gitarre brachte er nichts zustande. Wozu er wirklich Lust gehabt hätte, wäre, zu singen, er hatte lange darüber nachgedacht, er wußte jetzt, was das wichtigste beim Singen wäre, nämlich, daß man seine eigene Stimme vergessen muß, und bei einem Praktikum in einer Fabrik, hatte er seine Stimme trainiert, befähigt, das auszudrücken, was er wollte, er hatte versucht, die Maschine, an der er saß, zu übertönen, und er hatte viel gelernt dabei. Aber er war zu schamhaft, kaum, daß er es wagte, auf einer leeren Straße zu singen, höchstens im Wald oder auf einem Feld, aber niemals vor Menschen. Wer in der glücklichen Lage ist, irgend etwas gern zu machen, dachte er, kann sich in mich nicht hineinversetzen, mir hilft nur, sagte er sich selbst, nachdem er lange mit wirklichen Depressionen gelebt hatte, das Erkennen meiner Lage und die bewußte Gestaltung meines Lebens. Ha, sagte er da, er gab sich Frage und Antwort schon lange selbst, Körperpflege, Seelenhygiene, Bildung. Er tat das alles, aber er brauchte sich nicht einmal selbst zu betrügen, er wußte daß, was er tat, bedeutungslos war. Und doch hoffte er auch, daß aus einer Ansammlung von Tätigkeiten etwas entstehen würde, das er sich selbst nicht vorstellen konnte, jetzt. Deshalb reiste er, fast seitdem er nicht mehr arbeitete, d. h., er also wirklich selbst bestimmen mußte, was er tagein tagaus tun sollte. Wie leicht wäre alles für ihn gewesen, wenn er ein Laster gehabt hätte. Aber er war ja schon froh, daß er wenigstens rauchte. Er hatte sich auch wieder angewöhnt, die Zähne zu putzen und jeden Morgen um 9.00 Uhr aufzustehen und zu frühstücken: das war ihm besonders sinnlos erschienen für lange Zeit; er hatte sich vor den Küchenschrank gestellt und eine dicke Scheibe Brot abgeschnitten und ein Ei getrunken und ein Stück Käse gegessen und einen Löffel Marmelade, hätte ihn jemand danach gefragt, er hätte sehr viel dazu sagen können, zum Beispiel über die Butter als Teil der Zivilisation, in der Zeit, in der er nicht gefrühstückt hatte, verbrauchte er kaum Butter, er trank Milch, saure Sahne, Quark aß er mit dem Löffel. Aber nun frühstückte er seit langem wieder mit Butter, gekochten Eiern und frischen Brötchen, die er jeden Morgen abholte. Damit war eine Stunde vergangen, zehn Stunden schlief er und die übrigen Ereignisse teilte er sich ein: einen Brief an seine Mutter, ein Treffen mit einem Bekannten, ein Besuch bei einer befreundeten Familie, die Gänge in die Bibliotheken und zu den Ärzten; o, er hatte viel zu tun, sagte er sich, letztendlich blieb für seine Reisen, die er doch eigentlich nur machte, um der Langeweile zu entgehen, kaum Zeit, und er mußte sie lange und genau vorbereiten; ohne daß er sich darüber klar war, hatte er sich auf diese Reise nach Berlin besonders vorbereitet. Krank fühlte er sich nicht wirklich, d. h., es war nicht so, daß er sich darüber Gedanken machte. Er war krank, er wußte es, und er war es immer gewesen, aber das einzige, was ihn daran störte, war, daß die anderen Leute glaubten, daß sie sich wohler fühlten als er, weil sie gesund waren. »Gesund« dachte er immer in Anführungsstrichen. Natürlich hatte er Anfälle und Krisen, in denen er sogar im Bett liegen mußte, aber dann gab es wieder Zeiten, in denen er glaubte, die anderen tuscheln zu hören, daß sie sich eine solche Krankheit auch wünschten, die ihnen das und das (irgendein Vergnügen, zum Beispiel das Bergfest seiner Schwester) erlaube. Natürlich konnten sie sich kein wirkliches Bild machen, aber das konnte ja niemand, auch er selbst nicht, wie in vielen anderen Fällen fehlte die Vergleichsmöglichkeit, und hauptsächlich er empfand die Ungerechtigkeit sehr deutlich, die ihn von den anderen trennte aufgrund eines Systems, das eben einteilte in Beschädigte, Schwangere, Diabetiker usw. usw. Natürlich war es nicht möglich für ihn, seine Krankheit zu ignorieren, er hatte das Urteil der Gesellschaft angenommen, und er befaßte sich deshalb auch nicht mehr mit den anderen, den angeblich Gesunden, die vielleicht mehr litten als er, aber er befaßte sich auch nicht mehr mit seiner eigenen Krankheit. Die Bahnfahrt war ohne Zwischenfälle verlaufen, es war ein gewöhnlicher Vormittag mit Sonne, er hatte sich auf die Schattenseite gesetzt, der Zug war sehr leer. In den letzten Wochen hatte er nur vor dem Fernsehapparat gesessen; vorher hatte er ein Buch von Flaubert gelesen; er hatte darauf gewartet, daß seine Tante aus dem Urlaub zurückkäme, und dann wartete er noch einige Zeit, sie sollte sich erst wieder eingelebt haben, bevor er sie besuchte. Nun, nachdem die schreckliche Zeit ohne Entschlüsse schon lange vorbei war, konnte er das Reisen als das bezeichnen, was er am liebsten tat, so sehr er auch eine eigene Meinung zum Reisen überhaupt und zu seinen Reisen hatte, blieb es doch dabei, daß man von ihm sagen konnte, er reiste viel und auch wohl gern. Er hatte sich eine Route ausgedacht, die ihn vom Vogtland bis an die Ostsee im Zickzack von Bekannten zu Verwandten über Dresden, Halle, Quedlinburg, Cottbus und viele andere Städte und Dörfer über ein Vierteljahr beschäftigt hätte, wenn er nur überall eine Woche geblieben wäre, aber bei seiner Mutter blieb er ja drei Wochen, und bei seinem Freund 14 Tage und bei seiner Schwester auch, und dann kamen noch viele unvorhergesehene Dinge dazwischen, ein Tag in Altenburg im Lindenaumuseum, die Silhouette eines Industriegiganten, die ihn anlockte, so war er die geplante Route noch niemals voll ausgefahren, sondern z. B. von Magdeburg weiter nach Greifswald, obwohl er noch nach Potsdam, Neustrelitz und Cosa wollte, oder er war, nachdem er fast drei Monate unterwegs gewesen war, einfach von Forst wieder nach Hause gefahren und hatte den Rest der Reise gestrichen, weil er zu Hause einige Dinge erledigen mußte. Inzwischen wußte er auch, daß es nicht wirklich etwas zu sehen gab an den anderen Orten für ihn, auf Türme stieg er sowieso nicht gern, das Schauen von der Plattform ekelte ihn geradezu an, so passiv und langweilig fühlte er sich dabei, und auch die Städte ähnelten sich ja alle irgendwie sehr. Man reist ja eigentlich nur von Namen zu Namen, dachte er, und wo sich die meisten Namen anhäufen, ist das beliebteste Reiseziel, diese Namen kommen aus der Geologie, der Flora und von den Bauwerken und allem, was damit zusammenhängt. Natürlich gab es auch einige Dinge, die ihn wirklich beeindruckten, meist Kirchen, der Naumburger Dom, das Bod Doberaner Münster, oder Wälder im Harz oder Buchenwälder. Aber er verlangte nicht mehr nach dem, was er einmal als »der totale Eindruck« bezeichnet hatte, zu seinen Reisen gehörte jetzt vielmehr, daß er Menschen besuchte, ihre Gewohnheiten beobachtete, ihre Arbeit, wie sie sprechen und gehen, die Verkehrsmittel benutzen, auch ihre Art mit den Bauwerken zu leben. Damit hatte er nun soviel zu tun, daß er niemals zu einem formulierbaren Ergebnis, einem Schluß, kam, und er sagte sich, daß ja ein Schluß auch unmöglich sei. Anfangs konnte er sich damit nicht abfinden und er war krank abgereist aus vielen Orten, die Aussicht, sich niemals eine Meinung bilden zu können, erschreckte ihn, bis er versuchte, sich keine Meinung bilden zu wollen und keinen Schluß zuzulassen. Daß er sich Berlin aufgehoben hatte, hatte nur den einen Grund, daß er auch in die Art seines Reisens eine Form bringen wollte und seiner Meinung nach war es besser, diese Meinung hatte er schon einige Zeit, nicht die eingewickelten Pralinen zuerst zu essen, wenn sie auch die gleiche Füllung enthielten wie die anderen. Auch in der Reihenfolge der Handlungen könnte man eine Ästhetik sehen, wenn man wollte, sagte er sich. Er hatte nicht die Hoffnung etwas Besonderes in Berlin zu sehen, natürlich häuften sich gerade in Berlin sehr viele Namen, aber es waren eben fast alles bekannte, irgendwie auch in anderen Städten der DDR vorhandene, sogar Grenzstädte gab es noch andere; nur die Tatsache, daß eine Stadt in zwei Teile geteilt war, hätte vielleicht etwas bedeuten können, aber er glaubte nicht, daß er das sinnlich erfahren würde, als ein Gast, der nur eine Woche bleiben würde. Seine Tante wußte, daß er kommen würde, aber nicht genau wann; er mußte sie also anrufen, um sie nicht völlig zu überraschen. Aber das mußte nicht sofort sein, er wußte, daß sie noch mindestens zwei Stunden in ihrem Büro war. In der Tür des S-Bahnhofes Alexanderplatz blieb er stehen, er schwankte, in welche Richtung er gehen sollte. Links sah er den großen Platz mit der von vielen Fotos bekannten Uhr und der Anblick, die wirklich leere Fläche oder irgend etwas anderes, das er nicht benennen konnte, wirkte so auf ihn, daß er sofort nach rechts schaute in Richtung Rathaus. Bilden die Gebäude diesen Platz oder umrahmen sie ihn, fragte er sich, oder ist es einfach eine freie Stelle, vielleicht ist das die Erde, dachte er. Keine Schlüsse, dachte er schnell und er lächelte über sich selbst, weil er seine Prinzipien vor sich hinmurmelte und er ging nach rechts in die Rathausstraße, langsam, wie ein Tourist, nur mit seiner Tasche, den Koffer ließ er sich immer schicken und er sagte sich, daß er zu einem Telefon wollte, und er hoffte auf die Wirkung der Schönheit in seiner Seele, denn daß das alles schön sei hier, daran glaubte er fest, so viele Menschen können sich nicht irren, dachte er, und auch daran, daß die Schönheit in jedem Menschen wirkte, irgend etwas hinterließ, hervorrief, glaubte er; das Wort Seele gebrauchte er nur im umgangssprachlichen Sinne, es hatte keine tiefere Bedeutung für ihn. Er ging weiter. »Und dann ist die ganze Stadt mit solchen Platten ausgelegt«, hatte die Nachbarin seiner Mutter erzählt, »was das kostet.« Aber es sieht fabelhaft aus, dachte Christian und es ist ja alles auch nötig, ein S-Bahnhof, ein Kaufhaus, ein Restaurant, jede Handlung mündet eben in ein Bauwerk. Der Fuß des Fernsehturms versetzte Christian wieder in Unruhe, er konnte sich nicht enthalten an Lessing zu denken: ein Kunstwerk muß genügend klein sein, um auf den Menschen ästhetisch wirken zu können, oder so ähnlich; aber bei einem Fernsehturmfuß war das wohl nicht möglich, schränkte Christian sofort ein. Angesichts der Wasserbecken wurde er wieder ruhig, schau einen leeren frischen Rasen an oder ein Wasser und du wirst erhoben, Natur ist, jedenfalls das, was Christian Gerber damit meinte, eben eine Frage des Geldes, wie oft muß ein Rasen geschnitten, gesprengt, werden, damit er das ist, was er sein soll. Er blieb bei den Wasserspielen stehen, weit genug von den Bänken entfernt, um von den Stimmen der Sitzenden nichts zu hören und er schaute lange auf das Wasser. Seine Tante arbeitete in einer der hier in der Nähe liegenden Institutionen in einer Funktion, unter der er sich nichts vorstellen konnte, er hatte zu allen seinen Verwandten, sogar zu seiner Mutter, ein distanziertes Verhältnis, er erfüllte alle Sohnespflichten, schrieb jede Woche eine Karte an sie, ab und zu einen Brief, berichtete von seinen Reisen, seinem Gesundheitszustand und den Untersuchungen, er besuchte sie ungefähr zweimal im Jahr, auch die anderen Verwandten bedachte er mit Ansichtskarten und besuchte sie auf der Durchreise. Aber es wollte einfach keine Wärme in der Beziehung zu ihnen aufkommen; er hatte sich schon oft gefragt, woran das liegen könne, war aber noch zu keinem Ergebnis gekommen. Vielleicht ist das normal, sagte er sich, vielleicht ist das nicht anders möglich, vielleicht ist das bei allen Menschen so. In der Post, die er leicht gefunden hatte, schlug er die Telefonnummer seiner Tante nach und er erreichte sie gleich beim zweiten Anruf, das erstaunte ihn. Die Telefonstimme seiner Tante kannte er nicht, er hatte selten mit ihr telefoniert, er hätte sie kaum erkannt und doch schien sie ihm wenig verändert, noch etwas nervöser, und aufmerksam wie immer, schon als Kind kannte er das »Mm. Mm.« auf alle seine Sätze als Antwort. Jetzt hörte er in ihrer Stimme, daß sie nichts erwartete, von keinem Telefon der Welt und von keinem Besuch. Das ist vielleicht alt werden, dachte Christian, nicht die Anzahl der Falten und die Dichte des Haares. »An den Augen sieht man es«, wie Frau Dr. Schöne sagte. Ob man überhaupt die Lider hebt, wenn auch die Hoffnung winzig klein ist, dachte Christian, und: Immer noch jeden anschauen, jedem zuhören, vielleicht ist es der Richtige. Mit »richtig« meinte er irgend jemanden, der das Unvorstellbare, das Erhoffte, in sein Leben bringen würde. Die Tante sagte, daß sie in anderthalb Stunden zu Hause sein würde, sie freue sich, er wisse ja, wo sie wohne, gegenüber der Kirche der Eingang mit den blauen Kacheln. Er wußte es, er hatte es von seiner Mutter erfahren. Für die verbleibende Zeit hatte er sich nichts weiter vorgenommen, als den Besuch der Hedwigskathedrale. Als er am Rathaus vorbeiging, war es so, daß er die Augen schließen mochte, um nichts zu sehen. Steine? Wasser? Glas? fragte er sich. Er sah das alles und er wollte es nicht wahrhaben, so hatte er sich die Veränderung der Erde nicht vorgestellt. Wo ist hier Platz für meine Hoffnung, fragte er sich. Keine Schlüsse, fiel ihm wieder ein, um Gottes willen, keine Schlüsse. In der Hedwigskathedrale blieb er solange es irgend möglich war, er schaute sich jeden einzelnen Gegenstand an und nannte ihn beim Namen, wenn er den Namen kannte, er setzte sich sogar; Frauen mittleren Alters mit dünnen Töchtern (genauso müssen Katholiken aussehen, dachte Christian, er selbst hatte nur ein vages Verhältnis zu Religion) waren da, ein junges Ehepaar kam im Sturmschritt, blieb etwa 10 Sekunden und ging wieder, das Kind hatte Mühe hinterherzurennen, niemals hatte Christian geglaubt, daß er dem wirklich begegnen würde: die barbarische Besichtigungstour, er nahm an, daß auch dieses junge Ehepaar, darum wußte, daß das, was es tat, schon karikiert wurde, und doch rasten sie ungeniert, Christian hätte gern gewußt, welche Beweggründe sie hatten; ein anderes Ehepaar mit einem etwa fünfjährigen Jungen blieb lange auf dem Gang stehen, die Mutter schaute in die gewaltige Kuppel und sagte zu ihrem Sohn: »Schau mal hoch!« Der Sohn legte seinen Kopf in den Nacken und fragte: »Was ist denn?« Er sah nur die Luft, von Kuppeln wußte er nichts, er nahm sie nicht einmal wahr. Die Mutter wandte sich vom Kind ab, ohne etwas zu sagen. Christian dachte an einen Satz seines großen Freundes: »Das ist die Naivität, mit der man Kunst machen kann.« Dieser Freund wohnte zwei S-Bahn-Stationen von hier entfernt; aber sie hatten sich lange nicht gesehen; und Christian traute sich selbst nicht mehr in der Beurteilung dieser Freundschaft, er selbst hatte sich außerdem sehr verändert, und das nahm er auch von diesem Freund an; er war inzwischen verheiratet und er hatte sich niemals bei Christian gemeldet, es bestand also keine Veranlassung für Christian, sich um ihn besondere Gedanken zu machen; doch war die Entscheidung für Christian, in Berlin zu sein und nicht zu ihm zu gehen, nicht einfach. In der Vorhalle der Kathedrale las Christian jedes Wort der Dokumentation, schaute sich die Fotos an, und erst als er seinen Aufenthalt wirklich nicht länger hinauszögern konnte, ging er. Nun konnte er schon gemächlich der Wohnung seiner Tante zustreben und er sah wieder: die Oper, das Zeughaus, das Ministerium, der Dom, der Palast der Republik und er fragte sich, warum er nicht einfach zu seiner Tante gehen konnte. Warum muß ich, was ich sehe, analysieren, fragte er sich, die riesige Baustelle mit den seltsamen bräunlichen Glasscheiben, Bauarbeiter mit Helmen: Aber es sind nur die Erscheinungen, dachte er, das Wesen bleibt mir verschlossen, ich sehe die Fassaden und die Straßen und die Glasscheiben und die Gardinen und die Blumen, aber was bedeutet das, fragte er sich und er dachte: Und dann erinnere ich mich an Sätze, an ihn – irgend jemanden – und an sie – irgendeine Frau –, an die Sätze, die ich gesprochen habe und an die Sätze, die er gesprochen hat, und an die Sätze die sie gesprochen hat, irgend etwas, und daran, wie sie es sagten und wie sie aussahen und wie ich mich fühlte, und ich suche nach der Bedeutung und ändere die Bedeutung irgendeines Satzes oder eine Bewegung in meinen Gedanken, und damit ändert sich die Situation, in der ich mich befand, und damit auch mein Schluß, und ich müßte mein Leben ändern, wenn ich mir wirklich trauen könnte, dachte er. Aber bevor es dazu kam, änderte er die Bedeutung eines anderen Satzes oder einer anderen Bewegung; man kann sich ja so leicht täuschen, sagte er sich, und er begann noch einmal von vorn. Er näherte sich dem Wohnblock seiner Tante, in einer Passage war ein Geschäft neben dem anderen, Porzellan, Süßigkeiten, komplizierte Werbearrangements mit vielen Blumen, Christian dachte daran, daß er noch etwas kaufen mußte für seine Tante, er ging vorsichtig, um die Menschen mit den schweren Taschen, den erregten Gesichtern, nicht zu berühren, sie redeten alle laut; Christian ging in ein Porzellangeschäft, nachdem er gesehen hatte, daß in einem Laden für Süßigkeiten und auch für Blumen eine Reihe von Menschen stand, er schaute sich die Kaffeeservice an und die Tafelservice und die Vasen und die Sammeltassen, er dachte nach und suchte, nichts erschien ihm nötig oder wirklich brauchbar für seine Tante, eine fünfzigjährige Dame hat ja alles, von der Tasse bis zur Suppenterrine, sagte er sich, und er kaufte eine kleine Vase aus Meißner Porzellan, er kostete den Akt des Kaufens voll aus, er ließ sich beraten, bedienen, er bezahlte und schlenderte hinaus. So sehr er auch in die Gesichter der Menschen schaute, er konnte nicht ergründen, wie sie hier leben, wie *sie* hier leben. Es schien ihm, als ginge es ihnen besser als ihm, Christian Gerber, und er hätte etwas darum gegeben, wirklich etwas von ihnen zu wissen. Hat man aber kein praktisches Verhältnis zu den Gegenständen, ist man äußerst gefährdet, sah Christian in Gedanken plötzlich in Druckbuchstaben vor sich. Er wußte nicht, ob das seine eigene Meinung war und er dachte: Ha, ein praktisches Verhältnis zu einem Dom, einem Palast der Republik, einem Ministerium! Aber wie immer gab er sich auch die nächste Antwort selbst: Darum geht es nicht. Man muß überhaupt, zu irgend etwas, ein praktisches Verhältnis haben, denn niemand weiß, was das ist: eine Bowlingbahn, eine Oper, ein Bahnhof, niemand weiß, was Berlin ist, aber alle handeln, müssen handeln, müssen gehen, reden, Gegenstände bewegen. Die Wohnung seiner Tante erreichte Christian, nachdem er geklingelt und seine Tante ihm die Tür geöffnet hatte, er den Fahrstuhl gerufen, gewartet, eingestiegen und hochgefahren war, dann ging er langsam, genau nach den Anweisungen seiner Tante, rechts und dann links durch eine Glastür und dann rechts die zweite Tür. Seine Tante begrüßte Christian herzlich und zeigte ihm stolz die Wohnung. Christian überreichte ihr die Vase. Während seine Tante das Abendbrot machte, wusch Christian sich. Als er aus dem Bad kam, fühlte er, daß er großen Hunger hatte. Er stellte sich an das große Fenster und schaute hinaus auf die Marienkirche. »Lebhafter Verkehr«, sagte seine Tante hinter ihm. Christian drehte sich um, er sah, daß der Tisch gedeckt war. Sie setzten sich zum Essen.

Stefan Heym

Mein Richard

Keiner wohnt mehr in dem Haus. Es soll abgerissen werden, habe ich gehört; vielleicht wird sogar die ganze Straße geräumt – obwohl die Grenze, die hier schräg einfällt und im rechten Winkel wieder abschwenkt, nur dieses eine Haus berührt.

Richard haben sie in den Jugendwerkhof geschickt. Einmal die Woche darf ich ihn dort besuchen; dann berichtet er mir, daß es ihm gut geht und daß die Erzieher mit seiner Arbeit zufrieden sind; er ist nicht renitent, war es nie; aber um den Mund herum hat er einen harten Zug bekommen, der vorher nicht da war.

Und das tut weh. Denn im Grunde ist es meine Schuld, ich gebe es zu: ich habe ihn nicht richtig erzogen – ich, eine alte Genossin und Witwe eines alten Genossen, der stets an verantwortlicher Stelle stand; wie sonst hätten wir in einem Haus wohnen dürfen, das direkt an der Grenze liegt? Ich habe ihn nicht scharf genug beobachtet. Heutzutage muß man ein wachsames Auge haben auf seine Kinder; sie haben gelernt, eines zu sagen und ein anderes zu denken, und sie haben diese distanzierte Art, durch die man so schwer hindurchdringt, und dieses ekelhafte Lächeln, so als wollten sie einem bedeuten: Und du glaubst das, Muttchen, du glaubst wirklich, was du mir da vorbetest? Ich hätte merken sollen, daß er zu häufig ausging und zu spät nach Haus kam, mit dem Jungen von unten, der zufällig auch Richard heißt, Richard Edelweiss, und der anderthalb Jahre älter ist als mein Richard aber jünger wirkt, weil er klein und schmächtig ist und blonde Löckchen und porzellanblaue Augen hat wie seine Mutter. Richard Edelweiss mußte nicht in den Jugendwerkhof: ihn haben sie von der Schule weg in die Armee gesteckt. Auch hat sein Vater seinen Posten als Leiter der Exportabteilung des Bereichs Kosmetik der Vereinigung Volkseigener Chemiebetriebe nicht verloren, so wie mir in meiner weit weniger wichtigen Stellung geschah; aber das erklärt sich daraus, daß seine Scheidung sechs Wochen, bevor unsere Organe die wiederholten Verletzungen des Paßgesetzes entdeckten, Rechtsgültigkeit erlangte; weshalb Herr Edelweiss für die Erziehung und das Verhalten seines Sohnes Richard nicht mehr verantwortlich war. Ich hätte erkennen sollen, daß mein Richard zusammen mit Richard Edelweiss ein Doppelleben führte; ich hätte seine Angaben darüber, wie er seine Abende verbrachte, nachprüfen sollen. Eltern, erklärte die Richterin, besonders solche, die alte Genossen sind, sollten stets mit den Lehrern ihrer Kinder Verbindung halten und ebenso mit der FDJ-Leitung an der Schule; hätte ich das getan, betonte sie, so würde ich sehr bald festgestellt haben, daß mein Richard auf den FDJ-Veranstaltungen gefehlt hatte, auf denen er gewesen sein wollte, und daß er auch nicht in der Arbeitsgemeinschaft für Biologie war oder in der Arbeitsgemeinschaft für Russisch, sondern ganz woanders.

Ich habe es versäumt nachzuprüfen. Ich habe Richard vertraut. Oder, wenn ich's mir jetzt, im nachhinein, überlege, habe ich ihn nicht fragen wollen, aus Furcht, ich könnte bei ihm wieder das Lächeln und diesen Ton in der Stimme erzeugen, die anzeigten, daß die Jalousie herabgerasselt war zwischen mir und meinem eigenen Kind. Wenn ich's mir jetzt überlege, dann glaube ich, ich hatte schon eine Art Vorahnung, als der junge Mann plötzlich in mein Büro trat und »Frau Zunk?« sagte. Sicher ist jedenfalls, daß ich nicht ganz so überrascht war, wie ich doch wohl hätte sein sollen. Ich erriet sofort, von welcher Stelle der junge Mann kam – das mochte allerdings auch an seiner Haltung gelegen haben: er gab sich ein wenig zu lässig.

»Wir möchten nicht, daß Sie sich unnötig ängstigen, Frau Zunk«, sagte er, während er einen Stuhl vor meinen Schreibtisch schob und darauf Platz nahm. »Aber Ihr Sohn wird heute nicht von der Schule nach Hause kommen.«

»Wo ist Richard?« fragte ich schrill und erschrak über den Ton meiner Stimme.

»Wir mußten ihn in Haft nehmen.«

Ich dachte an Richard, wie er drei Jahre alt war und Diphtherie hatte und keine Luft mehr bekam und der Arzt den Einschnitt in den Hals machen mußte. Mein Herz krampfte sich zusammen wie damals. »Ist ihm etwas zugestoßen?«

»Zugestoßen? Wieso?« Er schlug die Beine übereinander. »Wir haben ihn aus dem Schulzimmer herausholen lassen, und er ist hübsch brav mitgekommen. Ich kann Ihnen versichern, es geht ihm den Umständen entsprechend gut.«

»Aber was hat er denn verbrochen?«

Er schien nicht gehört zu haben. »Können Sie mir sagen, Frau Zunk«, erkundigte er sich, »wo Sie vorgestern abend zwischen 19 und 23 Uhr waren?«

»Vorgestern abend?« Den Umständen entsprechend gut, hatte er gesagt, aber was hieß das? »Natürlich weiß ich, wo ich vorgestern abend war.«

»Also?«

Montag war DFD-Versammlung gewesen; Dienstag Gewerkschaftsleitung, Diskussion des Betriebskollektivvertrages; vorgestern abend, das war Mittwoch... »Mittwoch war Deutsch-Sowjetische Freundschaft, ein Film über die Baumwollernte in der Grusinischen Sowjetrepublik wurde gezeigt, und eine von unsern Frauen hat von ihrer Moskaureise erzählt, die sie beim Mitgliederwettbewerb gewonnen hat...«

Er war gelangweilt. »Sind Sie von Ihrem Büro aus nach Hause gekommen, bevor Sie sich zu der Versammlung der Deutsch-Sowjetischen Freundschaft begaben?«

»Nein«, sagte ich schuldbewußt. »Ich bin direkt zur Versammlung gegangen. Sehen Sie, vor dem Film fand noch eine Vorstandssitzung statt, und ich bin stellvertretende Vorsitzende, und wenn ich erst noch nach Hause gelaufen wäre, dann wär ich zu spät zu der Vorstandssitzung gekommen. Folglich hatte ich Richard schon am Morgen gesagt, er möchte sich sein Abendbrot selber machen und dann die Teller abwaschen. Ja, das hab ich ihm gesagt.«

»Und hat er Ihnen etwas von seinen Plänen für den Abend angedeutet?«

»Er hat gesagt, er würde vielleicht zu Richard runtergehen – der Junge von unten, sein Freund, heißt nämlich auch Richard...«

»Ich weiß«, sagte er, »Richard Edelweiss. Und wie Sie dann von Ihrer Deutsch-Sowjetischen Freundschaftsversammlung nach Haus kamen – das war wann?«

»Kurz nach elf, glaube ich.«

»Wie Sie also von Ihrer Versammlung nach Haus kamen, wo war da Ihr Sohn Richard?«

»In seinem Zimmer«, sagte ich, »er zog sich gerade aus. Er hat doch nichts gestohlen?«

»Hat er erwähnt, wo er am Abend war?«

»Ich nahm an, daß er bei Richard war, dem Richard von unten, sie hören sich da öfters Platten an, stundenlang, das schreckliche Gejaule, aber ihnen gefällt's, es ist eben eine andre Generation, manchmal kriegt man direkt Angst, er hat doch nichts getan – nichts Gewalttätiges?«

»Es handelt sich nicht um ein Vergehen dieser Art«, sagte der junge Mann, wobei er das *dieser Art* betonte, als wären Diebstahl und Gewaltverbrechen unter seinem Niveau, kleine Fische. Dann stand er auf. »Ziehen Sie sich Ihren Mantel an.« Und da er bemerkte, daß ich ein Schreibtischschubfach aufzog: »Lassen Sie bitte alles, wie es ist.«

Ich war zu betäubt, um zu widersprechen. Er benutzte mein Telefon, bedeckte dabei die Sprechmuschel. Kaum hatte er den Hörer hingelegt, wurde die Tür aufgestoßen und herein eilten Genosse Otter, der Parteisekretär, und Genosse Dr. Wieland, der stellvertretende Werkleiter, beide etwas atemlos, und wie auf Stichwort. Genosse Dr. Wieland sagte: »Ich habe dir mitzuteilen, Genossin Zunk, daß du vorläufig von deinem Posten als Leiterin der Einkaufsabteilung beurlaubt bist; dein Gehalt läuft bis zu einer endgültigen Entscheidung weiter.« Genosse Otter blickte mich sorgenvoll an; ich wünschte, er hätte ein Wort zu mir gesprochen; im Grunde war er ein wohlmeinender Mensch, der die Probleme der Leute verstand, auch wo er sie nicht lösen konnte; doch Genosse Otter schüttelte nur den Kopf.

Unten wartete ein Wagen. Ein Unbekannter stieg ein und setzte sich neben mich; der junge Mann, der hinaufgekommen war und mit mir geredet hatte, saß vorn neben dem Fahrer. Während der ganzen Fahrt sah ich von ihm nur den

Nacken und seinen Hemdkragen; der war durchgeschwitzt. Ich hätte gern gewußt, wohin sie mich brachten, hatte aber nicht den Mut, zu fragen; es geht ihm den Umständen entsprechend gut, der Satz hatte sich im Gehirn festgehakt; den Umständen entsprechend, wie gut konnte es Richard gehen, wo er jetzt war?

Der Wagen hielt an: sie hatten mich nach Hause gefahren. Die Männer sprangen heraus; der, der mit mir in meinem Büro gesprochen hatte, nahm mich beim Arm, als wollte er mir über die Pfütze helfen, die noch von dem Regen am Morgen auf der Straße stand; doch ließ er meinen Arm auch nicht los, nachdem ich den Schritt über die Pfütze getan hatte. Der Hauseingang war offen; ganz kurz erblickte ich vor ihrer Wohnungstür Frau Edelweiss, das Gesicht teigig grau, die Augen weit aufgerissen vor Angst. Die zwei führten mich nach oben. Richards Zimmer und meines waren beide voller Menschen, davon mehrere in Uniform; die Zimmer machten den Eindruck, als wären sie durchsucht und danach sorgfältig wieder in Ordnung gebracht worden. Ein Photograph machte Aufnahmen, wie im Film, wenn einer ermordet worden ist. Ein Mann von der Statur meines Richard zog sich die Jacke aus und kletterte aus dem Fenster von Richards Zimmer und sprang auf das Dach der Garage, in der Herr Edelweiss seinen Polski Fiat noch immer stehen hat, und trat an den Dachrand und tat, als wollte er über den Stacheldrahtzaun hinüber in den Westen springen, und jede seiner Bewegungen wurde gleichfalls photographiert. Diesseits des Zauns ließen ein paar Grenzpolizisten ihre Hunde nach Spuren suchen; auf der anderen Seite, deutlich erkennbar zwischen den Bäumen, stand die Westpolizei und beobachtete die Vorgänge und ein amerikanischer Soldat blickte immer wieder durch ein großes Fernglas auf uns und ich dachte: Oh mein Gott, sie haben Richard bei versuchter Republikflucht ertappt, aber wieso hat der junge Mann mir dann gesagt, sie hätten Richard aus dem Schulzimmer holen lassen und daß er hübsch brav mitgekommen wäre? Und dann begann etwas in meinem Kopf zu surren. Ich hörte mein eigenes Schluchzen und meine verzweifelten Rufe: »Ich will meinen Jungen! Ich will meinen Jungen sehen!« Der junge Mann, der in meinem Büro mit mir geredet hatte, trat hastig zu mir und sagte: »Beruhigen Sie sich doch, Bürgerin«, aber ich spürte, daß auch er ganz durcheinander war, denn die Angehörigen der Behörde sind es wohl nicht gewöhnt, daß man sie anschreit.

Sie ließen mich auf der Couch in meinem Zimmer ausruhen. Ich sah sie zwischen halbgeschlossenen Lidern hindurch, sie waren wie Figuren in einem Spiel, die sich sonderbar bewegten, und ich hörte einen von ihnen sagen: »Jetzt ist es wohl ziemlich klar«, und ein anderer erwiderte nachdenklich: »Ich möchte nur herausbekommen, wie lange das schon so geht«, und eine dritte Stimme prophezeite: »Das wird sich erweisen, mach dir keine Sorge«, und jemand reichte mir eine Tasse Kaffee und wollte wissen, ob ich glaubte, ich könne ihm ein paar Fragen beantworten, und ich sagte, ja, ich glaubte schon.

Er war ein älterer Mann mit etwas gekrümmten Schultern; der, der zu mir ins Büro gekommen war, benahm sich ihm gegenüber ehrerbietig. »Sie brauchen nicht aufzustehen, Frau Zunk, wenn Sie nicht möchten«, sagte der Ältere. Ich trank einen Schluck und sagte, ich würde mich schon bald wieder wohl fühlen, und ob ich nicht vielleicht erfahren könnte, was mein Richard verbrochen hätte, das so schlimm sei, daß so viele Menschen sich damit beschäftigen mußten.

Er hob die schon angegrauten Brauen. »Ich kann Ihnen da nichts mitteilen, bis wir mit der Untersuchung fertig sind und wissen, wer noch in die Angelegenheit verwickelt ist und wie weit sie gegangen ist. Sie sind eine alte Genossin, hat man mir gesagt, Sie wissen also, daß der antifaschistische Schutzwall, den wir zwischen unserer Republik und dem Territorium West-Berlin errichten mußten, keine Sache ist, mit der man leichtfertig spielen kann.«

Ich setzte mich auf, »Hat er – hat Richard – versucht, über die Mauer –«

»Versucht?... Versucht ist ein reichlich milder Ausdruck für das, was wir vermuten.« Er brach plötzlich ab; vielleicht glaubte er, bereits zuviel verraten zu haben. »Und jetzt«, sagte er kalt, fast feindselig, »was für Freunde hat Ihr

85

Sohn außer dem Jungen von unten, diesem Richard Edelweiss?«

Er fragte mich aus; wie mir schien, eine sehr lange Zeit. Die Fragen betrafen vielerlei Punkte; oft standen sie, soweit erkennbar, in keinem Zusammenhang miteinander und schon gar nicht mit meinem oder mit Richards Leben oder mit dem, was Richard verbrochen haben sollte. Zweimal ersuchte ich meinen Befrager, eine Pause einzulegen, weil ich auf die Toilette mußte; beim zweitenmal übergab ich mich und blieb derart lange weg, daß er an die Tür klopfte und wissen wollte, ob etwas nicht in Ordnung wäre und ob ich Hilfe brauchte. Ich sagte nein und kam aus der Toilette heraus, dicke Schweißtropfen auf der Stirn, und kurz danach sagte er, für heute wäre es vielleicht genug, und ich möchte mich bereit halten, falls sie weitere Fragen hätten; auch sollte ich den Bezirk Potsdam nicht verlassen, ohne ihnen Bescheid zu geben. Die technischen Leute hatten ihre Siebensachen gepackt und waren fortgegangen; der junge Mann, der zu mir ins Büro gekommen war, gab mir eine Telefonnummer: »Falls Sie uns zusätzliche Informationen geben wollen oder falls einer aufkreuzt, der mit Ihrem Sohn Verbindung aufzunehmen sucht.«

Und dann war ich allein.

Ich ging in die Küche und zwang mich, ein Butterbrot zu essen. Ich ging in Richards Zimmer und streichelte den halb enthaarten Teddybär, an den er als Kind sich immer geschmiegt hatte. Ich ging die Treppe hinunter und hinaus in den Garten. Sie hatten den Rasen zertrampelt und die Blumenbeete; an dem stählernen Haken an der Ecke des Garagendachs hing ein Stück Seil. Frau Edelweiss bemerkte mich von ihrem Küchenfenster aus und kam heraus, verweint, und umarmte mich: ihr Richard war auch in Haft genommen worden, und sie erging sich in den düstersten Mutmaßungen. Ich konnte ihr nicht helfen. Ich konnte mir selber nicht helfen.

Die Ankunft des Polski Fiat unterbrach uns; dem Auto entstiegen Herr Edelweiss und ein rundlicher Mann mit rosigem Gesicht. Herr Edelweiss überschüttete seine Frau sofort mit Vorwürfen: das ganze Übel war das Resultat ihrer Gedankenlosigkeit und Unbeständigkeit, kein Wunder, daß der Junge in Schwierigkeiten geriet. »Aber ich«, proklamierte er, »lasse mich da nicht hineinziehen! Das Gericht hat Richard dir zugesprochen, meine Liebe, und er ist ausschließlich deine Verantwortlichkeit.« Er wurde sich meiner Anwesenheit bewußt und fügte eilig hinzu: »Was nicht bedeutet, daß ich mich von dem Jungen abwende. Ich weiß, was ich unserm Sohn schulde, auch wenn du, meine Liebe, es offensichtlich nicht weißt.« Und mit einer Handbewegung auf seinen Begleiter hin: »Darum ja habe ich meinen Freund und Rechtsanwalt Dr. Kahn um Hilfe ersucht.«

Dr. Kahn gab Frau Edelweiss und mir die Hand und ließ sich auf einen wackeligen Gartenstuhl sinken. Die etwas vorquellenden Augen auf uns gerichtet, bemerkte er: »Ich habe solche Fälle schon gehabt. Junge Leute, ah . . .« Er lachte unvermittelt. »Sehnsucht nach Abenteuer, nach neuen Horizonten . . .« Und ernst werdend: »Leider können wir nicht viel unternehmen, bis die behördliche Untersuchung abgeschlossen ist und wir die Anklage kennen gegen . . . Wie heißt der Junge?«

»Richard«, sagten Frau Edelweiss und ich gleichzeitig.

»Frau Zunk ist die Mutter des anderen Jungen, von dem ich Ihnen erzählt habe«, erläuterte Herr Edelweiss, »der diesen unglücklichen Einfluß auf unsern Richard ausübt.«

»Das tut er nicht!« widersprach ich.

Dr. Kahn brach wieder in Gelächter aus. Ich fand seine lärmende Fröhlichkeit übertrieben; doch als er die Frage einfließen ließ, ob er ihn nicht auch mit der Verteidigung meines Richard betrauen möchte, stimmte ich freudig erleichtert zu, warnte ihn allerdings, daß ich nur wenig Geld besäße.

Den Einwand tat er mit einem Achselzucken ab. »Wollen wir hören, was die beiden Damen von der Angelegenheit wissen.«

Es ergab sich, daß Frau Edelweiss noch weniger wußte als ich. Die Angehörigen der Behörde stellten ihre Befragung bald ein, nachdem sich herausstellte, daß die Aussagen der Frau einander auf wildeste Weise widersprachen; zuerst hatten sie es noch mit Zureden versucht: »Sie haben uns nicht ganz verstanden«, sagten sie und formulierten ihre Fragen neu; aber das vergrößerte die Konfusion im Kopf von Frau Edelweiss nur; ihr armes Hirn war noch immer ganz wirr, und die Ausfälle ihres geschiedenen Gatten brachten sie noch mehr durcheinander und erzeugten erneut Tränen. »Lassen Sie sie doch«, bat Dr. Kahn, und mit einem Augenzwinkern zu mir hin: »Nach dem, was Sie mir erzählt haben, Frau Zunk, nehme ich an, daß die Behörde wirklich der Meinung ist, sie wäre einer großen Sache auf der Spur. Auch verständlich, angesichts der Örtlichkeiten« – er deutete auf Garage und Zaun – »und wahrscheinlich erwägt man, ob Richard Eins und Zwo nicht in eine finstere Geschichte verwickelt sein könnten.«

»Das ist doch Wahnsinn«, sagte ich. »Mein Richard...«

Er faltete die Hände über dem Bauch. »Sie werden nicht glauben, wie wenig die Eltern oft von ihren Kindern wissen.«

»Aber so etwas«, sagte ich unsicher, »würde ich doch wohl bemerkt haben.«

»Bei Ihrer intensiven gesellschaftlichen Betätigung?«

Welche Art von Betätigung Frau Edelweiss abgehalten haben könnte, sich mit ihrem Sohn zu beschäftigen, ließ er unerwähnt.

In den nun folgenden Wochen führte ich ein sonderbares Leben. Angstzustände wechselten ab mit Perioden völliger Stumpfheit. Ich versuchte zu lesen, brachte es aber nicht fertig, mich zu konzentrieren. Ich ließ das Radio den ganzen Tag laufen, Ost, West, unterschiedslos. Abends ertappte ich mich, wie ich in die Röhre starrte, ohne zu wissen, was ich sah. Schlafen konnte ich nur mit Hilfe von Medikamenten. Familie, die mir hätte helfen können, besaß ich nicht; eine alte Tante in Ückermünde und ein paar entfernte Cousins in Erfurt waren kaum die Menschen, an die ich mich wenden konnte. Ich entdeckte, wie wenige Freunde ich hatte. Anfänglich besuchte mich noch Frau Edelweiss, aber es gab kaum etwas außer dem Fall und ihrem Richard und meinem, worüber wir uns unterhalten konnten, und beide spürten wir nach kurzer Zeit, daß wir einander auf die Nerven gingen.

Zweimal klingelten unauffällige Männer bei mir und sagten, sie hätten noch ein paar Fragen. Die Fragen waren eher technischer Natur und erlaubten keine Rückschlüsse auf das Schicksal meines Richard oder die Art seiner Schuld. Einmal stellte der Genosse Otter sich ein, der Parteisekretär des Betriebes, und erkundigte sich, wie es mir ginge und ob ich etwas brauchte. Er blieb etwa eine halbe Stunde; das Gespräch wurde mühsam. Dann murmelte er eine Entschuldigung und ging.

Am nächsten Tag läutete die Türglocke wieder auf die dringliche Art, die ich nun bereits kannte, und ich dachte schon, hier kommen wieder die Fragesteller; aber es war Dr. Kahn. Er lachte: »Sie haben mich wohl nicht erwartet?«

»Treten Sie doch ein«, bat ich.

»Ich habe den Wagen unten«, sagte er. »Machen Sie sich fertig, Frau Zunk – wir fahren Ihren Richard besuchen.«

Der Besucherraum war graugrün gestrichen; ein koloriertes Bild des Staatsratsvorsitzenden hing an der Wand. Richard saß mir gegenüber; er sah blaß aus und zwinkerte nervös. Der uniformierte Wärter an der Schmalseite des Tisches tat, als ob ihn der Vorgang nichts anginge. Dr. Kahn schnaufte in Abständen oder lachte in sich hinein.

»Ich freu mich ja so, daß du gekommen bist, Muttchen«, sagte Richard.

»Ist es sehr schwer?« fragte ich. »Ich meine – es kam alles so plötzlich.«

»Nach einer Weile gewöhnt man sich«, sagte er. »Ich bin mit noch einem Jungen in der Zelle.«

»Nicht mit Richard?«

»Nein.«

»Wie ist das Essen?« fragte ich. »Ißt du auch genug?«

»Es ist nicht wie zu Hause«, sagte er.

Ich kam mir blöd vor mit meiner Fragerei.

»Muttchen«, sagte er, »ich habe nichts Schlimmes getan.«

Der Wärter blickte auf. »Es ist verboten, über den Fall zu reden.«

»Richard«, sagte ich, »der Genosse hier ist Dr. Kahn, dein Anwalt.«

»Wird schon alles werden, Richard«, sagte Dr. Kahn heiter. »Nur immer bei der Wahrheit bleiben.«

»Es tut mir leid, daß ich soviel Ungelegenheiten mache«, sagte Richard. »Vielleicht war es eine große Dummheit von mir – aber es hat eben so irre Spaß gemacht...«

»Was hat?« fragte ich.

»Wenn Sie über den Fall reden«, sagte der Wärter, »muß ich den Gefangenen in die Zelle zurückbringen.«

Den Gefangenen, dachte ich, und fragte: »Kriegst du auch genügend Schlaf, Richard?«

»Jetzt ja.« Er zögerte. »Zuerst hat mich das Licht gestört. Es ist keine starke Birne, aber sie brennt.«

»Es ist verboten, über die Haftbedingungen zu sprechen«, sagte der Wärter.

»Ich hab dir paar Stück Kuchen gebracht, Richard«, sagte ich. »Erdbeertorte, die hast du doch immer gemocht. Und Socken und Unterwäsche. Die bekommst du dann, das haben sie versprochen.«

»Muttchen...«

»Ja, Richard?« Plötzlich sah er so klein aus, so sehr noch wie ein Kind. »Was wolltest du mir sagen?«

Er schlug die Hände vors Gesicht, die Schultern zuckten. Dann ließ er die Hände sinken. »Weißt du, daß ich gelernt hab, Zigaretten zu drehen, Muttchen?« Er zeigte ein Lächeln. »Sogar mit einer Hand!«

»Zeit ist um«, sagte der Wärter.

Richard stand auf. Er tat einen Schritt, als wollte er in meine Arme flüchten, aber der Tisch stand zwischen uns, und es mag auch sein, daß ich seine Bewegung mißverstanden habe. Dr. Kahn klopfte Richard auf den Rücken und sagte, er käme ihn bald besuchen und dann würden sie über den Fall reden, und Richard sagte, ja, er würde gern mit Dr. Kahn darüber reden, aber er wisse nicht, wann es ihm erlaubt werden würde.

»Halt die Ohren steif, Richard«, sagte ich.

Er nickte und ging durch die Tür in der Rückwand des Raums hinaus.

Wo sie nur die elektrischen Birnen in den Korridoren unserer Gerichte herkriegen. Diese Birnen erleuchten wenig mehr als die eigenen Glühfäden, und die Menschen vor den Eingangstüren der Gerichtssäle sehen aus wie die Schatten der Verstorbenen, die auf Einlaß in irgendeine Unterwelt warten. Das Getippte auf dem Zettel rechts neben der Tür war kaum zu lesen. *Strafsache gegen Edelweiss, Richard und Zunk, Richard*, entzifferte ich, *wegen wiederholter Verletzung des Paßgesetzes*. Frau Edelweiss umklammerte meine Hand, ihre Fingernägel gruben sich mir ins Fleisch. »Verletzung des Paßgesetzes«, sagte sie erschüttert, »und wiederholt.« Herr Edelweiss war ferngeblieben: er mußte zu einer Leitungssitzung des Bereichs Kosmetik der Vereinigung Volkseigener Chemiebetriebe, und da er nicht mehr gesetzlich verantwortlich für seinen Sohn war, hatte er keinen stichhaltigen Grund zur Nichtteilnahme an seiner Konferenz.

Der Gedanke, daß ich Richard wiedersehen würde, machte mich froh; er würde uns anblicken und ich würde ihm Mut zulächeln. Doch waren meine Besorgnisse größer als meine Freude: als alte Genossin wußte ich ja, wie Genossen auf so etwas wie wiederholte Verletzungen des Paßgesetzes seitens des Sohns eines Genossen reagieren: wir haben unsern Arbeiterstaat, und wir verlangen, daß unsre Gesetze und unsre Grenzen respektiert werden, besonders von den Kindern der Genossen; wenn einer mit sechzehn Jahren sich über das Gesetz hinwegsetzt, was – und wo – wird er sein, wenn er fünfundzwanzig ist, und was für ein Beispiel gibt er andern Jugendlichen?

Das bekannte Lachen. »Meine Damen«, ließ Dr. Kahn sich vernehmen, »das Warten ist vorbei.« Die Schatten im Korridor wandten die Köpfe. Er mäßigte seinen Ton. »Ich kenne die Richterin, sie ist eine vernünftige Person. Wenn die Jungen, wie ich ihnen geraten habe, ein bißchen Reue zeigen –«

Die Tür zum Gerichtssaal öffnete sich. Frau Edelweiss ging voran, ich folgte ihr, dann Dr. Kahn; zwei Weiblein, wie zum Begräbnis gekleidet – Rentnerinnen wohl, die ihre überschüssige Zeit auf den Zuschauerbänken der Gerichte verbrachten

– wurden vom Gerichtsdiener abgewiesen. Der Staatsanwalt, noch jugendlich, angehende Glatze, nickte mit ernsthaft-feierlicher Miene zunächst Dr. Kahn zu und darauf zwei Männern, die in der vordersten der vier Bankreihen Platz genommen hatten; ich erkannte den Nacken des einen und die leicht gekrümmten Schultern des anderen. Dr. Kahn begab sich an einen kleinen Tisch zur Linken des richterlichen Podiums und stellte seine Aktentasche ab; der Staatsanwalt blätterte in irgendwelchen Papieren. In diesem Augenblick trat mein Richard durch die enge Tür hinter dem Tisch des Staatsanwalts. Ich bemerkte, daß er mich gesehen hatte. Er wandte sich Richard Edelweiss zu, der noch schmächtiger aussah als sonst, und nahm ihn bei der Hand. Die kleine Geste beschäftigte mich derart, daß Frau Edelweiss mich anstoßen mußte, damit ich beim Eintritt der Richterin und ihrer zwei Beisitzer nicht aufzustehen vergaß. Die Richterin blickte sich um in ihrem Gerichtssaal; sie hatte etwa meine Figur, trug genau wie ich ihr Haar hinten aufgesteckt, und in ihrem Blick lag ein Ausdruck, den ich auch bei mir schon bemerkt hatte – ein Ausdruck jener Zurückhaltung, die sich einstellt, wenn die großen Hoffnungen allmählich dahinwelken; sie sah mich kurz an, dann setzte sie sich.

Die einleitenden Formalitäten zogen sich hin. Ich hatte Augen nur für Richard. Er schien seit meinem Besuch noch gewachsen zu sein, oder war es, daß sein Gesicht in den paar Wochen die Spuren der Kindheit verloren hatte. Er erinnerte mich an seinen Vater, als der ein junger Mann war; sein Vater und ich hatten nie genug Zeit füreinander gehabt; sein Vater verausgabte sich für den Aufbau des Sozialismus.

Mit der Verlesung der Anklageschrift fand ich mich zurück in die Gegenwart. Der Staatsanwalt las von unserer Jugend, die in ihrer überwältigenden Mehrheit den Zielen und Errungenschaften des Sozialismus gegenüber eine positive Haltung einnahm und die nichts sehnlicher wünschte, als noch größere Errungenschaften erreichen zu helfen. Dann las er von dem antifaschistischen Schutzwall als einem Bollwerk im Kampf gegen den Imperialismus, und wie unsere Jugend in ihrer überwältigenden Mehrheit durch Wort und Tat bewies, daß sie dessen Wichtigkeit durchaus verstand und zu schätzen wußte – nicht so dagegen die beiden Angeklagten. Er verlas eine Anzahl von Daten, vierzehn insgesamt, an denen die Angeklagten in voller Kenntnis der Strafbarkeit ihrer Handlungen besagten antifaschistischen Schutzwall in beiden Richtungen überquerten, immer an der gleichen Stelle, nämlich hinter der zu dem beiderseitigen elterlichen Wohnhaus gehörigen Garage, wobei sie den Posten, die diesen Abschnitt des Schutzwalls zu bewachen hatten, und den technischen Einrichtungen, durch welche die Posten alarmiert werden sollten, mit List aus dem Wege gingen und derart die Paragraphen soundso und soundso des Strafgesetzbuchs der Republik absichtlich verletzten; sie seien sogar so weit gegangen, Vertretern der kapitalistischen Westpresse gegenüber sich ihrer Taten zu rühmen, wodurch sie die Gesetze und Einrichtungen unserer Republik der Lächerlichkeit preisgaben und Wasser auf die Mühlen der imperialistischen Propaganda gossen, wie aus Beweisstück A der Staatsanwaltschaft ersichtlich. Die Jugend der Angeklagten – der eine nicht ganz sechzehn, der andre bald achtzehn Jahre alt – habe sie nicht davon abgehalten, ein ganzes Netz abgefeimter Lügen zu weben, um ihre Eltern, ihre Lehrer, ihre FDJ-Funktionäre hinters Licht zu führen; als erschwerend bei der Beurteilung ihres wiederholten Vergehens müsse ferner die Tatsache gelten, daß keiner der beiden je daran dachte, die zuständigen Behörden von dem Vorhandensein des von ihnen benutzten Durchlasses zu unterrichten, was die Gefahr vergrößerte, daß andere, die die Grenze illegal zu überschreiten beabsichtigten, den gleichen erprobten Weg beschreiten möchten – und wer weiß, ob es nicht welche auch taten. In Anbetracht all dessen bestehe wohl kein Zweifel, daß das Gesetz in voller Strenge Anwendung finden müsse. »Nur so«, schloß der Staatsanwalt, »können diese zwei irregeleiteten Jugendlichen wieder zu nützlichen Mitgliedern unserer sozialistischen Gesellschaft werden.« Und trocknete sich den Schweiß von der Nase und setzte sich.

Vierzehnmal, dachte ich, vierzehnmal hinüber in den Westen und zurück, das heißt achtundzwanzigmal über die

Mauer. Achtundzwanzigmal hätte der Junge erschossen werden können, dachte ich, hätte verbluten können in dem Niemandsland zwischen den zwei Welten – und ich hatte keine Ahnung davon gehabt. Frau Edelweiss, sah ich, zerrte an ihrem Taschentuch. Vielleicht war ihr ein ähnlicher Gedanke durch den Kopf gegangen; aber ich hatte nicht das Herz, sie zu fragen, und sowieso waren ihre Gedanken nie sehr präzise.

Die Richterin rief den ersten Zeugen auf: den jüngeren der beiden Männer, die mich befragt hatten. Der trat vor und stand vor dem Richtertisch, das Gewicht auf dem rechten Fuß, den linken ein wenig vorgeschoben. In dieser Haltung, ganz der Detektiv aus dem Fernseh-Krimi, berichtete er über die technische Seite der wiederholten Verletzung des Paßgesetzes. Seine Aussage klang recht kompliziert; dennoch ging daraus hervor, daß eigentlich jeder, der die Gelenkigkeit eines jungen Menschen und ein festes Seil von der richtigen Länge besaß und der die Abfolge der Postengänge kannte und das Gesichtsfeld des Manns auf dem nahgelegenen Wachtturm mied, die Tat hätte begehen können.

Sein Vorgesetzter, der ihm auf dem Zeugenstand folgte, sprach mehr allgemein: nach seinen Erfahrungen ereigneten sich Überschreitungen dieser Art nur selten als Einzelfall; der individuelle Verletzer des Paßgesetzes stehe gewöhnlich in Kontakt mit anderen, die ähnliches im Sinne hatten, und selbst wo anfänglich keine Organisation bestand, bildeten sich sehr bald Gruppen und Banden; bekanntlich werde ja die jugendliche Abenteuerlust häufig von gewissen Elementen ausgebeutet. Hier besonders läge die Gefahr, und darum müsse dieser Fall in viel ernsterem Licht gesehen werden, als bei oberflächlicher Betrachtung notwendig erscheine.

Dr. Kahns Gesicht strahlte Wohlwollen aus. »Bei Ihrer Untersuchung haben Sie diesem Gesichtspunkt doch Ihre spezielle Aufmerksamkeit gewidmet, Genosse, nicht?«

»Sicher.«

»Und sind Sie auf irgendwelche Beweise gestoßen, daß die Jungen solche Kontakte hatten oder daß eine solche Organisation bestand?«

Richard hob den Kopf. Ich wollte ihm zulächeln, doch waren meine Lippen wie eingefroren.

Unterdessen entwickelte sich zwischen dem Zeugen und Dr. Kahn ein Wortwechsel, den die Richterin zu mißbilligen schien. Schließlich richtete Dr. Kahn seinen dicken Zeigefinger auf den Zeugen und sagte mit einem kurzen Lachen: »Ist meine Feststellung korrekt oder nicht, daß Sie der ganzen Sache erst gewahr wurden, als der Westberliner Zeitungsausschnitt, der jetzt als Beweisstück A der Staatsanwaltschaft dem Gericht vorliegt, auf Ihren Schreibtisch kam?«

Die Richterin mahnte: der Zeuge konnte nicht gezwungen werden, die Untersuchungsmethoden der zuständigen Organe preiszugeben.

»Genossin Richterin«, sagte Dr. Kahn, »könnten wir Beweisstück A vorgelesen bekommen?«

Die Richterin wandte sich an den Staatsanwalt: »Sie haben keine Einwendung?«

Ich sehe noch, wie der Staatsanwalt das Stückchen bedrucktes Papier einer Zellophanhülle entnahm. Ich höre noch die Stimme, mit der er den Ausschnitt verlas, seinen unterdrückten Ärger, aber auch den höhnischen Ton des Artikels, der hindurchklang. Richard E. Und Richard Z., hieß es, beides Söhne von SED-Funktionären, beide wohnhaft in der kleinen Stadt D. nahe der Grenze von Westberlin, hatten es sich zur Gewohnheit gemacht, über die Mauer hinweg den Westen zu besuchen. Richard Z., 15 Jahre alt, meinte, wo sie über die Mauer gingen, wäre es ein Kinderspiel; Richard E., 17 Jahre, fügte hinzu, zuerst hätten sie ein bißchen Angst gehabt, jetzt aber wäre es »wie über den Zaun in den Nachbargarten klettern«. Das Leben in Westberlin gefiele ihnen, gaben sie zu, doch hätten sie nicht vor, im Westen zu bleiben. Ihre Eltern wüßten nichts von ihren Ausflügen über die Grenze; achselzuckend erklärten die Jungens: »Die würden ja doch nicht verstehen ...«

Würden ja doch nicht verstehen, dachte ich. Hatte ich nicht stets Richards Fragen geduldig beantwortet? Hatte ich ihm nicht immer alles erklärt – wie er aus meinem Leib geboren wurde und wie er dort hineinkam, über Geschichte, über die

Entstehung des menschlichen Zusammenlebens, über Revolution, über Deutschland, und über den Stacheldrahtzaun, der hinter unserm Haus verlief? Und er hatte mich angehört. Aber im Lauf der Jahre hatte sich seine Art, mich anzuhören, geändert, und dieser Ausdruck im Blick hatte sich entwickelt und dieses Kräuseln der Lippen, obwohl er immer noch antwortete: Ja, Muttchen, und: Natürlich, Muttchen.

»Nun, Richard?« sagte die Richterin.

Beide Jungen standen auf.

Die Richterin präzisierte: »Richard Zunk.«

Der junge Edelweiss setzte sich sichtlich erleichtert wieder hin.

»Du hast doch gewußt, Richard, daß es gegen das Gesetz ist, über die Mauer nach Westberlin zu gehen?«

Richard senkte den Kopf.

»Dann erzähl uns mal mit deinen eignen Worten, warum ihr es getan habt.«

»Wir wollten ins Kino.«

»Und seid ihr gegangen?«

»Ja.«

»Vierzehnmal?«

»Ja.«

»Erzähl weiter, was euch drüben noch passiert ist.«

»Wie wir das letzte Mal rübergegangen sind, haben uns ein paar Westpolizisten gesehen und haben wissen wollen, ob wir aus dem Osten kämen. Und wir – wir haben Ja gesagt. Sie haben uns gefragt, ob wir im Westen bleiben wollten; da haben wir gesagt, Nein, und da haben sie gefragt, was wir denn wollten, und wir haben es ihnen gesagt...«

»Ja? Sprich weiter.«

»Da haben sie gelacht. Und dann hat der eine gesagt, er kennt jemand, dem würde die Geschichte sicher gefallen, und wie wir aus dem Kino kamen, da war dieser Mann da und hat uns Fragen gestellt und hat Currywurst und Cola für uns gezahlt, aber wir haben ihm nicht richtig getraut und haben ihm nicht viel gesagt.«

Die Richterin spielte mit ihrem Kugelschreiber.

»Richard!« sagte der Staatsanwalt.

Richard zuckte zusammen.

»Ihr seid also insgesamt vierzehnmal nach drüben gegangen und vierzehnmal, sagst du, wart ihr im Kino. Immer im gleichen Kino?«

»Ja.«

»Wie habt ihr die Billetts bezahlt?«

»Wie wir gesagt haben, daß wir nur Ostgeld hätten, hat die Kassiererin den Chef geholt und der hat unsre Ausweise angesehen und hat gesagt, wir brauchten nicht zu zahlen.«

»Und habt ihr Spaß gehabt?«

Richard schwieg mißtrauisch. Er hatte die Falle erkannt, die der Staatsanwalt ihm stellte: wenn er mit Nein antwortete, wieso war er dann immer wieder nach Westberlin ins Kino gegangen, und wenn er Ja sagte, wo blieb die Reue, die er doch zeigen sollte?

Endlich richtete er sich auf. »Jawohl«, sagte er sehr ruhig, »es hat Spaß gemacht. Es hat uns Spaß gemacht, über die Mauer zu gehen und uns drüben umzusehen. Es war so ... ich weiß nicht ... anders ...«

Oh Gott, dachte ich, der Junge redet sich selber ins Unglück.

Die Richterin verkündete das Urteil.

Die Angeklagten wurden abgeführt, vornan Richard Edelweiss, dann mein Richard. Die Richterin stieg vom Podium herab und kam auf mich und Frau Edelweiss zu und sprach von der Schuld, die auch wir trügen, und zögerte einen Moment und sagte dann etwas von der Zeit, die ja bekanntlich vorbeigehe, und daß die Erfahrung unsern Söhnen nur nützen könne – ob in Armee oder Jugendwerkhof. Der Staatsanwalt, sah ich, trat zu Dr. Kahn und sie schüttelten einander die Hand: zwei Berufsboxer, es war ein fairer Kampf gewesen, nur keine Haßgefühle; diese Art Geste.

Die Richterin war verstummt.

Dann auf einmal das Lachen, das ich kannte, und Dr. Kahns etwas rauhe Stimme: »Wenn ich Sie gewesen wäre, Genosse Staatsanwalt, ich hätte einen Orden für die beiden Jungen beantragt.«

»Wieso das?« sagte der Staatsanwalt.

»Weil sie, wie jetzt gerichtsnotorisch, vierzehnmal hintereinander ihre absolute Treue zu unserer Republik unter Beweis gestellt haben.«

Der Staatsanwalt lächelte schief. Dann drehte er sich um und ging.

Hans Ulrich Klingler

Am Montag fiel der Hammer

Ein Mißverständnis. Was anderes kann es nicht sein. Nur weil ich meine Füße ins Wasser gehalten habe? In der vergangenen Woche hielt ich jeden Tag meine Füße ins Wasser. Zur Abküh-lung. Mittun mit der Jugend muß man. Ich bin doch noch kein Alt-FDJler. Ein Tag ist nicht wie der andere, wie Groß-mutter sagt, aber die Gesetze, Bestimmungen, Verordnungen müssen Montag sein wie Freitag. Wenn es am Donnerstag erlaubt ist, die Beine in den Brunnen zu hängen, kann es am Dienstag nicht verboten sein. In unserem Staat werden Ge-setze nicht von heut auf morgen gemacht. Da wird das Volk unterrichtet und befragt, es wird beraten, und dann erst wird beschlossen oder verworfen.

Also braucht er mich nicht so streng anzusehen. Er macht ein Gesicht als wäre ich ein Verbrecher. Alle Polizisten ma-chen heute am Montag so ein Gesicht. Das müssen sie auch. Damit die Delinquenten einen Schreck bekommen und nicht mehr... delirieren. Wer unschuldig ist, braucht keinen Schreck zu kriegen und sich vor niemanden Polizistengesicht zu fürchten.

Ich bin das erstemal in Berlin, zu unseren Weltfestspielen. Und ich muß sagen, eine Polizei ist hier ganz anders als in unserem Dorf. Hier hätte man jedem Polizisten in die Tasche pissen können, er würde dazu gelächelt haben. So freundlich, eben unsere Polizei des Volkes. Bis alle Neuerungen nach Mecklenburg kommen, das dauert eine Weile. Ein Bismarck hat gesagt, daß, wenn eine Revolution ausbricht, er zu uns kommt, da bricht alles hundert Jahre später aus. Heute ist das nicht mehr so, nur noch ein bißchen.

Ich bin kein Staatsfeind. Ich bin Delegierter. Die Regierung lächelt mir zu. Ich lächle der Regierung zu. Die einzigen Bil-der in diesem Raum. Das ist mir vertraut. Wie in unserem Dorf. Die Neuerungen setzen sich auch in Mecklenburg durch. Bismarck irrte. Er war auch nur Blut und Eisen.

Alles Mißverständnisse. Gleich wird der Genosse Volks-
polizist aufstehen und sagen: Jugendfreund Klagenfurth, wir
haben uns geirrt. Sie können wieder auf den Alex gehen und
weiter Ihre Beine in die Nuttenbrosche, wie wir Berliner sagen, halten. Alles Verwechslungen, alles Gerüchte. Wie war
das mit unserem Genossen Walter Ulbricht? Es hieß: Sie werden seinen Tod nicht bekanntgeben. Man wird die Spiele
abbrechen. Aber ich habe mir gleich gesagt: Ein Freund der
Jugend bleibt auch im Tod ein Freund der Jugend. Und nun
platzte sein Tod mitten ins jugendliche Fest. Nichts wurde
verheimlicht. Alles wurde aufgedeckt. Mit seinen letzten
Worten gedachte er unser und rief uns vom Sterbelager aus
zu:

> Feiert Freunde die Feier,
> rufet vivat, hoch und hick,
> wenn auch des Todes Nebelschleier
> trübet meinen Blick.

Er hätte ja auch sagen können: heute sterbe ich, und ab morgen ist eine Woche Staatstrauer. Aber nein. Nichts von dem.
Nur Größe. Bis über den Tod wahrhaft internationalistisch.
Wir wußten es ihm zu danken. Haben ein Feuerwerk veran-
staltet, das rummste noch in Mecklenburg. Und Tanz unter
den Linden bis in den frühen Morgen. Man hätte glauben
können, wir feiern den Tod eines Klassenfeindes.

So ein Fest war das.

Und wie geht's aus? Nun sitze ich in der Keibelstraße. Ich.
Ein Fehlgriff ist das. Man greift zu, in die schuldige Masse. Bei
einer Aktion größeren Ausmaßes sind zwangsläufig Unschul-
dige darunter. Gleich wird sich alles klären. Wie unsere Jugendfreunde gleich alles geklärt hatten, mein Alter, mein
Jahrgang. Einfach großartig. Die Hauptstadt bildet eben. Da
kann ich nicht mithalten: Ran an den Feind und ihn als Feind
entlarvt. Mit Worten, in einer friedlichen Diskussion. Lächerlich gemacht. Als historisch-materialistisch unterentwickelt
hingestellt. Was steht im Potsdamer Abkommen? Na sehen
Sie. Nichts wissen Sie, dann wollen Sie mit uns diskutieren.

Zack, zack. Und der ganze Sozialdemokratismus lag am Boden, mit beiden Schultern. Im geistigen Ringkampf besiegt. Auch ein Roth wurde als braun demaskiert. Aber da konnte ich nicht mithalten. So nicht. Anders ja. Und auch an der vordersten Front. In der ersten Reihe. Alle herhören, Jugendfreunde. Runter mit dem Blauhemd. Du ziehst einen Pullover an, du ein kariertes Hemd usw. Dann in einen Berliner Großbetrieb. Ab gings. Rein zum Hintereingang, raus zum Vorderausgang. Als Arbeiter. Und da stand sie schon, die Strauß-Bande, verteilte Flugblätter. Aber wir lassen uns nicht die Arbeiterklasse verdummen. Wir sammelten die Flugblätter ein, und die Schlacht war gewonnen.

Gleich wird sich alles rausstellen. Irren ist menschlich. Auch der Polizist ist ein Mensch. Ich bin Delegierter aus Mecklenburg. Habe eine Jugendgruppe, zehn Mann stark, unter mir gehabt, vier Tage lang, habe mich dann noch vier Tage für Sondereinsätze zur Verfügung halten müssen. Ich habe kein schlechtes Gewissen. Was am Donnerstag erlaubt ist, kann am Dienstag nicht verboten sein. ODER? Warum sieht er mich so strafend an? Wenn ich reden dürfte, würde ich den Fall sofort klären. Aber hier ist Schweigepflicht. Oder hält man mich wegen etwas anderem fest? Ich habe doch alle Instruktionen ausgeführt. Etwa nicht? Natürlich. Alles funktionierte. Sonst hätte ich doch keine Auszeichnung erhalten. Ich habe nichts übersehen. Hat es also doch mit dem Brunnen zu tun. Ich kann doch nicht auf meine Großmutter hören!

Aber manchmal ging es eben doch zu weit. Man konnte ja nachts kaum auf dem Alex treten. Was da alles so rumlag. Bestimmt Jugendliche ohne ordentliches Quartier. Am hellichten Tage auch. Unsere Bürger mußten sich ja verletzt fühlen; ich komme zur Besinnung. Was schweigt, denkt zwangsläufig. So ein Trubel war das. Ich bin ja selbst benommen. Ich habe vergessen, daß heute Montag ist. Aus reiner Gewohnheit hielt ich meine Beine ins Wasser.

Ich habe keine Angst, und jetzt muß ich mir Vorschriften machen lassen. Was Recht ist, muß Recht bleiben. Es ging zu weit, und es konnte nicht so weitergehen.

Fest ist Fest, und DDR ist DDR.

Wir misten doch unseren Stall nicht vor den Augen unserer Gäste aus. Wir warten die Zeit ab.

Gucken Sie bitte etwas freundlicher, Genosse. Was unschuldig ist, wird sich gleich herausstellen. Ich bin ein Delegierter mit Ausweis und Quartier. Ich brauche meine Füße nicht im Volkskunstwerk von Nationalpreisträger Womatzka waschen. Was sich jetzt öffentlich wäscht, macht sich verdächtig.

Warum habe ich keine Order erhalten? Ich hätte diesen Elementen schon beim Füßewaschen geholfen. Immer in der vordersten Linie. Ich wäre dazwischen gegangen. Hat der Polizist eben gelächelt? Auftrag ist Auftrag. Ich hätte mich selber abgeführt. Aber eine Order muß man haben.

Meine Großmutter hat doch recht: Ein Tag ist nicht wie der andere. Was Donnerstag erlaubt ist, muß Montag verboten sein. Wo kämen wir sonst hin!

Paul Gratzig

Transportpaule in Berlin

Rose und ich gingen durch den Vorgarten. Durch das halb-runde Balkonfenster sah ich die zurückbleibende Hedwig den Abendbrottisch abräumen. Wir stiegen in eine Straßenbahn, fuhren über die Schönhauser Allee und stiegen am Beginn der Bornholmer Straße aus.

Hier, in meiner Barhöfter Puppenstube, der Schlafkammer meines Schiffes, erinnere ich mich sehr genau, wie ich diese Bornholmer Straße für immer verließ und einer Frau wegen nach M. zog. Ich hatte in meiner Berliner Holzbude, das war ein kleiner Betrieb, nur hundertdreißig Tischler, für alle Mit-glieder der FDJ-Gruppe ein Fest gegeben. Als das Fest leider zu Ende war, setzte ich mich in den Zug und fuhr nach M. Doch als ich M. betrat, und diese Frau mich nicht abholte, aber ihre Mutter, war mir klar, daß ich hier nicht alt werden konnte. Ebensowenig, wie ich in Berlin alt werden wollte. Zwischen Können und Wollen ist schon ein Unterschied. Zum Wollen gehört der Zufall und natürlich auch die Lei-stung. Ich mochte M. etwas mehr als Berlin, aber diese Stadt war zu sehr in sich, zu abgeschlossen, um noch zu werden. Ich rechnete mir keine Chance aus. Mit Berlin war das anders, aber hier wollte ich nicht bleiben, die Stadt war mir zu groß und viel zu unorganisiert. Dieser Steinhaufen bedrückte mich nicht nur, das gab es woanders auch, sondern es gab Wochen-enden, wo man zwischen den vielen Menschen sterben konnte, ohne das einem sagen zu dürfen. Anders, wenn zwei Hunde zusammenfanden, um sich auf der Promenade zu mi-schen, da war Zeit. Die Menschen standen und schauten und waren, wenn Spitz und Dackel zufrieden fortschnupperten, wieder eilig. Hier lernte ich auf der Berliner Abendoberschule für Berufstätige, wo ich als Tischler neben einer Sekretärin aus der Staatlichen Plankommission saß. Ich trug ihr zwi-schen meinen Büchern im Winter manchmal ein Stück Holz zu und hoffte, wenn mein Holz in ihrem Ofen brannte und

Hitze gab, sie würde an mich denken. Das habe ich nur gehofft, mehr nicht.

Ich stand mit Rose vor dem Haus meiner Untermieterjahre. Sparkasse und Friseur waren noch, nur kleiner, als ich immer gedacht hatte. Rose zog mich auf die Bornholmer Brücke zu. Nichts, schien mir, hatte sich verändert, auch die kleine Hecke vor der Post war kaum gewachsen, an der ich den Hund meiner Wirtin sein Geschäft kratzen ließ. Die rechte Front der Bornholmer Straße, sah ich, war vor Jahren renoviert worden, an der linken hingen jetzt die Gerüste. Ich dachte, was ein paar Tonnen Putz und einige Eimer Farbe doch hergeben konnten, da, wo die Gerüste gefallen waren. Die Kollegen renovierten in die Hinterhöfe hinein, brachen sich richtig durch. Das war gut. Nur der Arme, der nicht wirtschaften kann, kauft und baut vorläufig und glaubt, er habe es billig. Das ist selbstverständlich ein Irrtum, denn er kommt aus der Arbeit nicht raus und steht in den Sorgen bis zum Hals: Hier ein Flick und da ein Flick. Im Straßenlampenlicht sah ich die vom neuen Putz bespritzten alten Haustüren. Sie waren nicht ausgewechselt worden. Vielleicht hoffte man mit Farbe auszukommen. Rose langweilte sich. Ich sagte: »Ich habe hier einige Jahre gelebt!« Rose zog mich zur Brücke, zum Grenzübergang. Hier war diese Straße für uns zu Ende. Ich dachte, Rose wollte nun schnell zurück, aber sie stand und sah darauf, was die Menschen für Lumpen auf ihrem Leib trugen, die zu uns kamen. Sie horchte, wie diese Menschen sprachen. Sie hatte Glück. Ein Mann, dessen schwere Hände meinen Transporterpranken glichen, aber eine feine Pelle um sich rum hatte, fragte mich, indem er Rose ansah, nach der Gaudystraße. Ich erklärte ihm die Richtung, indes er sich mit einem goldglänzenden Feuerzeug eine lange Zigarette aus einem bernsteinbesetzten Etui anbrannte. Er bot mir keine an. Ich fragte ihn: »Wo arbeitest du, Kollege?« Er antwortete: »Bei Siemens!« »Was zahlen sie dir?« Er sagte wörtlich: »Mark die Stunde!« Dann bedankte er sich und trabte an den Gerüsten vorüber und auf die Schönhauser Allee zu. Ich war an die Zeit erinnert, als hier noch keine Polizei stand. Ein Mann lungerte oberhalb der S-Bahntreppen, die von der

Brücke hinab auf den Bahnhof führten. Er rief: »Drei Meter wasch- und kochfestes Gummiband! Einemarkzwanzig West oder dreimarksechzig Ost!« Das war ein guter Kurs, als ich diesen Händler zum erstenmal rufen hörte. Ich fuhr diese Strecke nur am Sonnabend, da hatte ich keine Abendschule und sah vielleicht deshalb nicht, daß hier mit Westmark Gummiband gekauft wurde. Vielleicht kriegte er am Montag Westgeld, oder Mittwoch. Ein Jahr später, da war ich neben der Abendoberschule noch in der Kampfgruppe Friedrichshain, kostete ein Meter Gummiband schon viermarkachtzig. Ein Jahr weiter, unsere Karabiner in der Kampfgruppe waren durch sowjetische Maschinenpistolen ersetzt worden, wir schossen ganz ordentlich damit, kostete ein Meter mehr als sechs Mark. Doch die Beste war die blinde Alte, die im Tunnel Gesundbrunnen auf ihrer Zither zerrte. Sie saß auf dem grauen Beton, über den die Berliner eilig ihre Hacken schief liefen, und neben ihr lag ein Umschlagtuch mit vollem Troddelbesatz. Oft kam ich nicht hier durch. Nur wenn wir Kampfgruppenübung hatten, war diese Strecke günstig für mich. Ich gab ihr immer fünfzig Pfennig. Sie dauerte mich, weil sie auf dem kalten Tunnelboden saß. Ich gab ihr auch dann noch den Fünfziger, als ich sie einmal in einer Kneipe der Bornholmer Straße das Geld häufen sah: Ein Häufchen West, einen Haufen Ost. Sie war gar nicht blind, aber lustig wie ein Junger Pionier, der froh sein blaues Halstuch trägt, weil er es tragen darf. Sie freute sich vielleicht darüber, daß sie traurig Zither spielen konnte. Auf dem Untergrundbahnhof Gesundbrunnen passierte mir ein politisches Mißgeschick. Ich setzte mich in meiner Kämpferuniform neben eine Frau mit Hut, öffnete mein Neues Deutschland und begann, wie üblich, im außenpolitischen Teil zu lesen. In diesem Moment stand die Frau mit Hut so demonstrativ auf, daß alle wußten, warum sie aufstand. Seitdem mied ich das, durch den Westen zu fahren. Einmal, nicht viel später, weihten wir in der Samariterstraße eine Gedenktafel. Eine halbe Stunde vor Schulbeginn, das war um siebzehn Uhr dreißig, stand ich mit meiner Waffe immer noch angetreten. Ich zitterte vor dem, was Dr. Boru sagen würde, wenn ich in seine Stunde zu spät käme. Ich flüsterte meinem Kommandeur, das war mein Chef der kleinen Möbelbude in der damaligen Fruchtstraße, ich müsse sofort wegtreten. Er nahm meine Maschinenpistole an sich, mein Hintermann rückte in die Lücke, ebensoschnell wurde auch dessen Lücke wieder vom hinteren Mann gefüllt. Als ich zur U-Bahn rennen wollte, wurde eine Autotür vor mir geöffnet. Der Planer unserer Holzbude saß im Betriebswagen, auch in Uniform, und fuhr mich in die Neue Königsstraße zur Schule. Da saß ich nun neben den anderen berufstätigen Berliner Abendoberschülern. Doktor Boru trat in die Klasse, sah mich und blieb vor mir stehen: »Ich unterrichte vor keinem Militaristen. Niemals! Ich hasse den Krieg!« Ich reagierte nicht, hatte aber Angst, ich könnte die Stunde schmeißen, indem er meine Uniform zum Anlaß nimmt, über Philosophie zu schwatzen. Davon, von der Wissenschaft der Wissenschaften, begriff er, so schien uns, nichts. Wir wollten reine Mathematik von ihm, denn in wenigen Tagen mußten wir klüger als ein Computer rechnen, aus dem Stand. Er schrieb danach den Vorschlag für die Jahreszensur in sein Büchlein und packte es sorgsam in seine dicke Brieftasche: Mein Wissen in einer Zahl gerafft, vielleicht eine Vier, die Eins des Studenten. Er begann: »Wissen Sie, was das ist: Ihre *Dialektik?*«

Ich lief vor das Haus, bekam ein Taxi, fuhr in meine Bornholmer Straße, zog mir andere Klamotten an und saß nach wenig mehr als dreißig Minuten vor ihm. Er strahlte. Die Mathematik war wieder mal gerettet. Auf dem Flur, nach seiner vorzüglichen Doppelstunde, nahm er mich beim Arm, er hatte viel von dem Vater, der mir fehlte, und sagte: »Wenn ich Ihnen nach hundert Jahren begegne, und Sie können mir einen Bruch als ganze Zahl definieren, verneige ich mich vor Ihnen!« Man sah auf uns. Frau Doktor Clara Schicke, die Chefin der Abendoberschule, lächelte ihm zu. Da war er nur noch Grieche, ein Sokrates, der gütig seinem Schüler auf und ab wandelnd die Verwandtschaft der Musik zur Mathematik erläutert. Als Clara Schicke, vor Hitler bereits in der richtigen Partei, die Tür zu ihrer Direktion hinter sich zuklappte, keiner hat je gezittert, der in dieses Zimmer hinter jene Tür gerufen wurde, sagte er: »Sie werden mich in meinem Haus im Tiergarten besuchen, Sie dürfen jemand mitbringen.« Er spitzte seine vollen Lippen und zwinkerte meiner Nachbarin, der Sekretärin aus der Staatlichen Plankommission zu. Doch ich trat ganz allein auf den samtblauen Läufer seines Flures. Meine Banknachbarin wurde in der Nacht in ihr Ministerium abgeholt. Am Telefon sagte sie mir, daß sich ihre Arbeit hinziehen könnte. Doktor Boru erwartete mich am Ende dieses himmelblauen Läufers, wunderte sich, warum ich mich mit keinem Mantel und keiner Mütze vor dieser Berliner Kälte schützte, erklärte mir den jähen Verlauf einer Kopfgrippe bis zum Exitus und öffnete die Tür zu einem gewaltigen Raum. Darin sah ich nur zwei Dinge: Einen weißen und einen schwarzen Flügel. Wir tranken im Stehen einen Kognak und noch einen, und, als er merkte, daß meine Schüchternheit nicht fort wollte, den dritten. »Ich habe mein Leben lang die Musik geliebt, so sehr, daß ich gleich am Anfang meiner Jahre wußte: Ich darf mich von ihr nicht nähren. Drum studierte ich zunächst in Bonn und Heidelberg fünf Jahre Philosophie.« – »Und die Politik«, sagte ich. Boru sprach: »Ich habe mich keiner dieser Farben verschreiben können. Nur die Musik gab es für mich und die Frauen, doch die Philosophie begann mich schrecklich zu langweilen.« Ich fragte: »Aber es gab Bücher von Marx und Hegel!« Boru wurde traurig und meinte, daß man an die rechte Philosophie, wie an jede Wissenschaft, nur durch das Experiment herankäme. Er meinte, daß er »dank Frau Doktor Clara Schicke« in Ostberlin Mathematik lehren dürfe, was als Tatsache selbst unwichtig sei. Wesentlich seien wir ihm geworden, jeder von uns, die achtundvierzig Stunden im Betrieb wären oder im Ministerium und schließlich jeden Abend noch die Schulbank drückten. Er habe vor jedem von uns Hochachtung, zumal unsicher sei, daß unser Lernen irgendwann die Brieftasche füllen könnte. Er sagte: »Sie sind freilich nicht alle Kommunisten, aber Sie haben jeder etwas davon. Ich überlege, was ich tun könnte, dazu zu gehören. Ich bin«, sagte er, »leider zu alt schon.« Das, was er erzählte, langweilte mich etwas. Ich wollte genau wissen, wodurch er so ein guter Mathematiklehrer wurde.

»Durch meine Mutter. Sie wünschte, wie viele Mütter, daß aus mir was rechtes würde. Nach dem neunten Jahr wurde ich aus der Humboldt-Universität als Doktor der Physik und Mathematik herausgetragen.« »Sie sind zweimal Doktor?« Er erwiderte, indem er grinste: »Da diese Titel Ihnen imponieren: Ich bin das auch in der Philosophie. Was jedoch die Mathematik betrifft, verehrter Herr Schüler, haben Sie alle mir diese trockene Sache lebendig gemacht. Sie haben zur Mathematik ein ebenso inniges Verhältnis wie die Musik!« Eine Weile war er still. »Darum habe ich beschlossen, für Menschen wie Sie ein Mathematiklehrbuch zu schreiben, damit, wenn ich einmal nicht mehr bei Ihnen sein werde, das, was ich begriffen habe, nicht verlorengeht.« Doktor Boru schämte sich. Er glaubte wohl, ich dächte, er habe eine Macke. »Ihre Freundin arbeitet in einem Ministerium. Dieser Minister hat einen klugen Kopf. Wenn die Zeit da ist, daß ich meine Erfahrungen mit Ihnen, so genau es mir möglich war, aufgeschrieben habe, werden Sie beide ein Wort bei diesem Mann für dieses Buch verlieren?«

Ein westberliner Doktor schiebt ein Lehrbuch der Mathematik unserem Chef der Staatlichen Plankommission auf den Schreibtisch, und diese didaktischen Erkenntnisse des Herrn Doktor Doktor Boru sind vielleicht im Programm der zuständigen Abteilung im Ministerium für Volksbildung gar nicht gefragt! Aber, so dachte ich mir, er ist wirklich ein vorzüglicher Mann, vielleicht kriegt er davon was in dieses Buch rein. Er gab mir einen geschlossenen Briefumschlag und sagte: »Da ich keinen Menschen durch diesen verfluchten Krieg habe und da ich fühle, daß ich mein Testament machen muß, hier ist die Pariser Adresse, wo dieses Buch für euch Kommunisten liegen wird. Ich bin kein blöder Demokrat, der euch nicht von Herzen zugetan sein kann. Und was sind das schon für Demokraten«, so Doktor Boru, ein nicht mehr ganz bürgerlicher Mann, von uns schon angesteckt, weil er ein Mensch war, »die ihre Tragödie wie ein Schauspiel betrachten!« Seine Hände zitterten ein bißchen. Ich nahm diesen Umschlag, öffnete mein Oberhemd und schob ihn über die nackte Haut bis zum Hosenbund, wie alle wichtigen Sachen.

Er wartete zwischen beiden Flügeln. »Auf dem schwarzen übe ich in der Woche, auf dem weißen am Sonntag. Heute ist ein Wochentag, aber für einen verbohrten Kerl, der wenig weiß und denoch in der Politik quacksalbert, setze ich mich an den weißen.« Ich wußte natürlich um das Besondere, von Boru eingeladen zu werden, auch, daß man, wenn er sein Konzert am schwarzen Flügel runtertobte, nie sitzen durfte. Keiner jedoch hatte erzählt, daß er sich an den weißlackierten gesetzt habe. Ich stand in Panik vor dem weißen Gerät. Er sagte: »Die Polen sind eine große Nation! Hören Sie dieses.« Ich hatte das Gefühl, mich hinsetzen zu dürfen, was ich auch tat. Und, während er sachte eine so einfache Melodie zu spielen begann, daß ich darum sofort hinhorchte, sagte er zu mir: »Sie dürfen nie denken, daß dieses Mädchen Sie nicht lieb hat. Auf jeden Topf paßt ein Deckel.«

Nach vielleicht zwei Stunden ging ich über den hundeblauen Läufer raus. Mein Herz war kaputt. Ich telefonierte in das Ministerium, vor dem ich kältegesichert im gläsernen Telefonhäuschen stand. Sie muß was gemerkt haben. Sie sagte: »Warte bitte!« Ich horchte durch den Hörer auf das Summen Berlins. »Bist du noch da? Wo bist du? Ich komme!« Ich hatte mich nicht lange gewärmt, da wurden tatsächlich drei Fenster in ihrem Bau dunkel.

Immer, wenn ich viel später nach Berlin kam, schaute ich nach Boru aus, obwohl ich wußte, daß ich vor ihm nie mit meinem bißchen Wissen glänzen konnte. An einem frühen Sommermorgen stand ich neben meinen Kameraden, den »Kämpfern der Arbeiterklasse«, mit meiner Maschinenpistole wie ein Ast im Brett quer durch Berlin. Vor uns, in gehöriger Entfernung, erregte Menschen, manche sehr böse. Eine Frau hatte sich die Bluse aufgerissen und kroch auf Händen und Knien auf uns zu. Ihr Gesicht hieb sie wieder und wieder auf die Straße, die Stirn blutete schon. Sie schrie: »Ihr Schweine! Ihr Schweine!« Zwischen unseren Stiefeln wollte sie sich durchquetschen. Endlich sagte mein Kommandeur, unser Betriebsleiter in der Tischlerei für Innenausbau: »Laßt sie durch!« Wir rückten zwanzig Zentimeter auseinander. Sie kroch hinter uns. Wir schlossen die Lücke. Ich sah mich um.

Sie wurde in einen neuen Krankenwagen gehoben. Als ich, mich an meiner MPi festhaltend, wieder geradeaussah, drückte sich durch die Menschenansammlung Boru auf uns zu. Ich erschrak. Nicht weit von mir, vielleicht fünfzehn Meter, blieb er stehen. Ich weiß heute noch nicht, ob er mich damals erkannte. Aber ich war mir ziemlich sicher, daß er wußte, wen er vor sich hatte. Er sah zu uns und weinte. Er klammerte sich an seine Unterrichtstasche und suchte, so schien mir, eine Lücke zwischen uns, doch wußte er zugleich, es gab keine, denn er war klug. Als er so stand und hoffte, daß wir nur ein schlimmer Gedanke von ihm waren, brach, so schien mir, sein Idealismus zusammen. Wir waren eine zu schlecht rasierte Realität. Er hatte eine tadellose Haltung, wenn auch über seine zitternden Backen Tränen rollten. Einige junge Leute, sie sahen gar nicht gut aus, drängen ihn brutal hinter sich. Sie riefen uns was zu, was sie riefen, vergaß ich.

Ich fragte Rose: »Weißt du, was ein Bruch ist?« Sie sagte: »Das interessiert mich nicht. In der Schule rechnen wir anderes. Das war in der fünften Klasse dran.« Ich fragte sie wieder: »Wenn du mich fragen würdest, und ich könnte dir einen Bruch als ganze Zahl definieren, was würdest du dann sagen?« Rose aber zog mich schon eine Weile auf die Schönhauser Allee zurück. Sie wollte von mir wissen, ob Patricio, mein angeblicher Freund, ihr, da er doch seine zwei Bücher aus Westberlin holte, was Schönes mitbringen würde. Ich wollte sie beruhigen, aber sie meinte, er habe ihr noch nie ein Geschenk, nur Blumen, mitgebracht. Ich versprach ihr, falls er tatsächlich wieder Blumen brächte, ihn zu überzeugen, außer diesen eine Kleinigkeit im Intershop für sie zu kaufen. Damit war sie zufrieden.

Auf der Schönhauser Allee wollte sie plötzlich das Berliner Nachtleben kennenlernen. Ich lachte. Wir blieben vor einem Kino stehen. Der Film »Paul und Paula« begann. Rose sagte: »Wir sind Paul und Paula!« Ich sagte: »In Berlin gibt es kein Nachtleben. Die Berliner arbeiten, essen, schlafen, fahren auf ihr Grundstück und dann, schließlich, sterben sie. Die, die noch nicht tot sind, besuchen ihre Toten am Totensonntag in der Invalidenstraße, Prenzlauer Allee oder Driedrichstraße. Bei uns in M. gibt es eher ein Nachtleben!« Ein Mann stand vor uns, er mochte ein Angestellter sein, der hatte zugehört: »Da müßt ihr in die Möwe, zu den Künstlern, gehen, oder in den Johannishof, aber das kostet was!« Rose reckte den Hals nach einem Taxi, Straßenbahn schien ihr zu umständlich. Sie hatte, wie oft, Glück und bat den Fahrer, er solle uns zur »Möwe« fahren. Der Taxifahrer sah uns schief an. Ich gab ihm fünf Mark, und als wir an der Möwe hielten, in einer Straße, so finster, daß man hier erschlagen werden konnte, ohne beim Umfallen großes Aufsehen zu erregen, war Rose schon drin. Der Fahrer sagte, als er mein Geld kassierte: »Na, die ist schärfer, als ein Rasiermesser.«

Rose stritt sich mit der Garderobenfrau. Die Frau wollte ihr die Fellmütze nicht abnehmen. Mißtrauisch sah sie auf das Ding, denn draußen war es noch warm. »Hier kommen nur Klubmitglieder rein. Haben Sie einen Ausweis?« Rose, die Tochter Willys: »Ich darf überall rein. Wenn Sie mich nicht reinlassen, sage ich das meinem Vater.« Ich war darum schnell neben Rose, führte sie zum schäbigen Sessel neben dem Wartetisch und sah der Frau hilflos zu, die so tat, als besorge sie eine wichtige Arbeit. Sie fragte: »Sind Sie Schauspieler, Schriftsteller oder wenigstens Maler?« Ich meinte, wenn ich so was wäre, wie sollte ich's dann beweisen? Sie meinte, ich müßte das nur sagen, mir würde sie glauben. Ich sagte blöde: »Ich will vielleicht gar nicht hier rein, ich bin nur ein lumpiger Transporter!« Da meinte die Frau, nun könne sie mich wirklich nicht reinlassen, das Haus sei ein Klub für die Berliner Kulturschaffenden. Ich drehte mich Rose zu, um es im Johannishof zu versuchen. Da küßte ein Männlein Roses Hand. Ich wollte ihn anfauchen, schon weil ich nicht zu meinem Bier kam, doch als ich genau hinsah, mußte ich heute zum zweitenmal lachen. Er hatte Ähnlichkeit mit dem Mann, der scheinbar aus dem Fluß gestiegen war und Mundharmonika spielte. Nur daß dieser Mann keiner war, sondern eher ein Männlein, ein Strich auf der Tapete. Mir schien, ich kannte ihn seit langem, kurz: Ein richtiges sympathisches Stück Mist, asozial mit einem Schuß Eleganz. Er berechnete wohl, daß er mich nicht übergehen konnte: »Ich bin Müle! Kennst du Müle?« Ich fragte ihn, ob er mir und Rose das Berliner Nachtleben zeigen könne. Er sah mich an wie einer, der dumm geworden ist. Ich bat ihn, nachzudenken. Müle gab seinen Mantel ab: »Die Dame«, er zeigte auf Rose und mich, »und jener Herr sind meine Gäste!« Rose wurde ihre Fellmütze los und wir schrieben uns in ein großes Buch ein. Hinter Beruf schrieb Rose Studentin, obwohl sie gerade man in der zehnten Klasse war, ich schrieb Transporter. Während ich dazuschrieb, wo wir wohnten, hörte ich die Frau mahnen: »Müle, du mußt heute bezahlen, sonst brauchst du gar nicht erst hochzugehen.« Müles Hände zitterten, er hatte solche kleinen hutzeligen, lange nicht gewaschenen, nikotingedörrten Finger. Ich sagte zur Frau: »Ich zahle für den Herrn«, und war erstaunt, wieviel Geld dieser kleine Mann ausgeben konnte. Für einen Rückzug war's zu spät. Wir stiegen hoch. Das war auch schon das beste vom ganzen Klub: Die Treppe mit den Bilderchen immer links und einem Läufer, der auf den Treppen aller unanständigen Häuser der westlichen Welt liegt, wenn man von den Filmen aus urteilt, die wir darüber sehen. Aber Rose war glücklich. Müle besorgte uns einen wunderbaren Platz in einer Ecke zwischen Spiegeln. Das Essen war gut, vielleicht sogar sehr gut. Rose aß ein Stück Fleisch, über das eine Ananasscheibe gelegt war, auf der Frucht wuchsen ganze Champignons. Zu meinem Huhn mit Pommes frites bestellte ich roten Wein aus Rumänien. Ich riet Rose, Moselwein zu versuchen, danach sowjetischen Sekt, was sie auch tat. Der Kellner war freundlich, er vergraulte uns die Mahlzeit nicht. Allerdings hatten wir beide einen Hunger im Bauch, daß wir auch eine Schaufel Sand verschlungen hätten. Zwischen Essen und Trinken tanzten wir nach einer sauberen Musik. Die Rhythmusgruppe bestand aus Klavier, Schlagzeug und Baß, die Melodie aus Trompete und Klarinette. Jedes Instrument war beim Vortrag herauszuhören, und der Trompeter sagte nach jeder Runde:

»Das war'n wieder drei Stück Lieder, mehr als dreimal kann wohl keiner...«, hier setzte er eine Kunstpause, »*tanzen!*«

Er schien mir der Interessanteste der Truppe. Wenn er nach den üblichen drei Musiktiteln jenen Schlußvers hersagte, indem er ein bißchen mit der Zunge anstieß, lächelte er verschämt. Auf diesen Trompeter mußte man zweimal sehen, so dünn war er. Auch sein Kopf glich dem eines Herings, er schaukelte ihn mit pfiffiger Klugheit durch diese Nacht. Ob er ein begabter Trompeter war, konnte ich nicht entscheiden, auf alle Fälle hörte er liebenswürdig auf den leidenschaftlichen Bassisten, lauschte konzentriert den gewagten Einfällen der Klarinette und schmetterte danach scheinbar unbekümmert alles nicht auf diese Nacht Passende weglassend zwischen uns. Ab und an sah er schnell zu uns runter, die wir nach seiner Trompete Arme und Beine schlenkerten, lange noch nach seinem Gedicht. Dieser Mann war in dieser Truppe genau richtig, für den Raum, in den er blies, nicht zu klein und nicht zu groß, auch sein Ton weder zu laut noch zu leise, nur eben ein wenig dünn. Und mit dem Gedichtchen schuf er sich sein Image. Mir war sofort klar, daß dieser Trompeter seine Familie nähren konnte und wohltuend von diesem Schuppen abstach, in den er wiederum auch reinpaßte. Ich war neidisch.

Müle saß am Tisch und lebte. Die Hauptlast, Hunger zu haben und nichts zu essen, und Durst, aber nichts zu schlukken, war nicht. Die ersten Gläser Wein stauten sich in seinem Mund und flossen über die Mundwinkel auf sein Hemd. Kaum, daß er richtig aß. Denn, wenn er aß, sah er zum Glas, das Rose nachfüllte, und trank er, verschlang er gierig mit den Augen sein Essen. Das dauerte nicht lange, denn bald erkannte er, daß für die nächsten zwei Stunden für alles gesorgt war. Sein Genick wurde gerade. Ein Mädchen kam vorbei, er griff sie sich, tanzte, hielt sie fest, stopfte wieder, schluckte den Wein, doch jetzt schon sachter. Sein Glück machte auch uns fröhlich. Er wirbelte sein Mädchen. Und doch, schien mir, war Unruhe in ihm. Auf der Toilette bat er mich um Geld. Ich gab ihm welches, warum nicht, wenn es ihn lustig machte. Er rief den Ober, streichelte die Hand Roses und die Knie seiner Schönheit, bestellte schweren Wein und ließ uns alle hochleben: »Ich bin ein bedeutender Mensch gewesen.

Ich hatte das nie nötig als Nationalpreisträger aufzutreten. Aber nun habe ich wieder Mut. Und wenn ich mich noch so sehr bücken muß, ich werde einen Auftrag unterschreiben. Man wird«, so Müle, »wieder von mir hören! Diese Zeit hatte mich zermahlen, alles aus mir rausgemahlen und den Rest an die Schweine verfüttert, aber«, die Menschen im Spiegelzimmer horchten, »jetzt werde ich mitmahlen. Ich werde mich in diese Zeit einbauen. Unübersehbar!« Als er fertig war, schien Müle erschrocken. Er kratzte mit den gelben Fingernägeln die weiße Decke. »Sag mal, du bist doch ein ganz ordentlicher Mensch, warum sprichst du mit mir? Aber du mußt nicht denken, du nicht, gerade du nicht, daß ich nicht mehr hochkomme!« Er schrie: »Müle kommt hoch!« Dann schluchzte er. Seine Zähne knirschten und er biß sich in die Hand. Und Müle ging fort, aber er ging wie einer mit dem Strick in der Hand zum nahen Wald.

Mit dem Verstand sagte ich mir, er wird nicht untergehen, solche wie Müle gehen nicht unter, doch ich konnte Rose nicht ansehen. Ich wollte auch nicht denken, daß ich ja keine Schuld habe, das waren andere. Rose lief Müle hinterher. Die Schönheit am Tisch sagte: »Er hat heute genug, der kommt nicht wieder!« Rose kam. Ich sah, daß er schon fort war, ehe sie ihn greifen konnte.

Als ich bezahlte und Rose mich fragte, wo denn die Fernsehschauspieler alle wären und mir das kein bißchen leid tat, niemanden zu sehen sagte Rose zu mir: »Aber schön war es doch!« Mir war, als habe sie in diesem Moment gezaubert und hob meinen Kopf, sah auf ihre schönen Lippen und über ihre Schultern weg. Der Abend war noch nicht zu Ende, denn Angelika Domröse, die große Schönheit mit der kleinen Hand, kam in unseren Raum. Ich sagte: »Rose, dreh dich mal um!« Hinter der Schauspielerin ging der Herr, der den Kindern und Großen den Clown Ferdinand machte und nach beiden, in Jeans, kariertem Hemd, einem Bart wie Taras Bulba im Gesicht und der Stirn eines deutschen Philosophen, ein Mensch, dessen Arme schlaff hingen wie die Flossen eines Pinguins. Er schimpfte vor sich hin, sah hinter sich, als würde er verfolgt werden: »Da sitzen zwei und glotzen zu mir, als sähen sie im Zoo einen Wolf! Aber ich bin kein Hund, das kannst zu bezeugen!« Ich sah auf die abgenagten Knochen meines Huhnes auf dem Teller und hörte Angelika Domröse: »Wer verlangt von dir, ein Hund zu sein?« Der Mann in den Jeans und dem dunklen Gesicht, ich sah wieder hoch, zeigte mit dem Finger zu uns. Ich streckte die Zunge zu ihm raus, ganz lang. Er freute sich: »Der hat die Zunge zu mir herge-reckt!« Rose wollte bleiben, aber der Ober klärte uns auf, dieser Raum sei nun geschlossen. Trozt der eisigen Freund-lichkeit des Kellners, hätte ich meinen Platz noch eine Weile verteidigt, wenn Rose sich nicht an mich gehuschelt und ge-sagt hätte: »Ferdinand hat leider schon eine, Paule, und ich bin betrunken! Hebe mich mit deinen Arbeiterarmen auf mein liebes Bett!« Ich nahm Rose auf und trug sie wie Stefan, der freundliche Erzieher, seinen Uwe, die Läufertreppe runter und setzte sie in das Sesselchen. Der gleiche Fahrer wartete, der uns brachte. »Wir sind pünktlicher als unsere Kunden«, sagte er zu mir. Die Frau zwischen den vielen Mänteln hinter der Barriere gab mir Roses Fellmütze ohne Marke raus, denn ich bat sie, mich nicht zu zwingen, in Roses Tasche zu wühlen. Für die Marke zahlte ich zwei Mark. Müle war wieder da. Wie ein Sumpfgestrüpp stand er vor mir. Das schlimmste, was ich von meiner Mutter gelernt habe, ist, nicht nein sagen zu können. Er wollte Geld von mir. Ich aber hatte keinen Pfennig mehr, sondern fast das ganze Geld, das ich für den kommenden Urlaub vorgesehen hatte, schon hier ausgege-ben. Ich besaß nur noch Scheckvordrucke. Müle wollte sogar so ein Blatt nehmen, ich sollte nur unterschreiben. Rose riß mir die Schecks aus der Hand. Drum ließ ich mir vom Taxi-fahrer ein Pfund geben und schenkte diese zwanzig Mark Müle. Ich war ganz froh, im Wagen zu sitzen. Rose schlief sofort. Der Taximann fragte: »Wie war das Nachtleben, Lord Habenichts?« Ich fragte: »Kennst du Müle?« Er meinte, daß er diesen Vogel recht gut kenne, zu gut, und wie es diese Nas-sauer immer geben würde. »Da wird keiner was dran ändern, auch die Kommunisten nicht. Gerade die nicht! In das Ar-beitslager müße man solche Vögel stecken!«

In der Weißenseer Villa war noch Licht. Der Taxifahrer

wunderte sich, daß ich tatsächlich kein Bargeld hatte. Einen Scheck wollte er nicht. Er meinte, was ich wohl von ihm denke! Ich bat ihn, einen Augenblick zu warten und wollte Rose auf die Arme nehmen und in das Haus tragen. Er versperrte mir den Weg. »Die läßt du schön hier. In solchen Kisten wohnen und sich noch Geld pumpen!« Ich ging zu Willy, ihrem Vater, und ließ mir die nötigen Scheine geben. Ich rechnete dem Fahrer jeden Pfennig vor und verlangte sogar einen Beleg. Er sagte, bevor er die Quittung schrieb: »Du mußt schon entschuldigen, es gibt sone und solche.« Ich packte mir meine Rose und trug sie durch den Vorgarten. Hedwig war rausgekommen. Sie öffnete mir die Türen, als sie Rose sah und tat erschrocken.

Ich legte Rose aufs Bett, zog ihr die Schuhe aus und deckte sie zu. Ihre Tasche stellte ich auf das Schränkchen neben dem Kopfende der Liege und ging runter. Willy wollte wissen, was mit Rose sei. Ich sagte ihm, sie wäre vom Berliner Nachtleben beschwipst. Hedwig sagte: »Besoffen ist sie!«

(Romanauszug)

Günter Kunert

Die Druse

Wahrlich, ich sage: Es gibt Sehenswürdigeres und Anschauenswerteres, wie etwa die schmalen, historisch patinierten Bürgerbauten, niederländische Gemütlichkeit über Grachten breitend, oder kaisergelbe Jugendstilhäuser, in ihren Höfen rund um alle Stockwerke umlaufende Eisengalerien, an deren Streben die Budapester ihr Kirschpaprika trocknen, oder in Downtown Manhattan die pittoresken zweistöckigen Kästen, deren Blechfassaden Ziegel vortäuschen, auf dem Dach den hölzernen Wasserbehälter, unten der jüdische Altkleiderhändler, die chinesische Wäscherei, die italienische Garküche –

dagegen erscheint grau und ärmlich jene andere Stadt, unsere, von der man vielleicht ein Lied, aber keine Hymne singen kann, von der wir jedoch ahnen, daß ihre äußere Erscheinungsweise nicht ihre ausschließliche ist; ein Vergleich aus der Mineralogie, dem Steingebilde entsprechend, mag sie bezeichnen: wie die der Druse. Außen farblos und unauffällig geformt, innen eine Kristallisation, unerwartet und erstaunlich.

Und obwohl dieses »Steinerne Berlin«, die einstmals größte Mietskasernenstadt der Welt, wie Werner Hegemann sie nannte, im Zentrum durch den Luftkrieg zerstört ward (um in einer neuen, viel öderen Kastenförmigkeit aufzuerstehen), existiert es immer noch in weitläufigen Residuen, von deren Umfang und Unberührtheit der Durchreisende nichts ahnt, und wo immer noch Walter Benjamins Worte zutreffen, »daß die Mietskaserne, so fürchterlich sie als Behausung ist, Straßen geschaffen hat, in deren Fenstern nicht nur Leid und Verbrechen, sondern auch Morgen- und Abendsonne sich in einer traurigen Größe gespiegelt haben, wie nirgends sonst, und daß aus Treppenhaus und Asphalt die Kindheit des Städters seit jeher so unverlierbare Substanzen gezogen hat wie der Bauernjunge aus Stall und Acker.«

Es ist hier die Rede vom plebejischen Berlin, in dessen fast »klassisch« zu nennenden Bezirken diese besonderen Substanzen sich noch nicht verflüchtigt haben; wo sie wie unbewegtes Wasser in den Aufgängen bis zum Dachboden stehen, durchdrungen vom gleichen Licht, wie es unter Wasseroberflächen herrscht, nur daß es hier durch überlebende Butzenscheiben eines nicht ganz reinen Jugendstiles fällt; wo meist, der enormen Dicke der Mauern wegen, nichts vom Straßenlärm eindringt oder bloß fein Gefiltertes, daß es die Abgeschiedenheit dieser Treppenhäuser eher betont, und wo die geöffneten Nüstern den Odor dieser Substanz sogleich erkennen: ein Gemisch aus Kohl und Kohle hat das Mauerwerk im Laufe von sechzig, siebzig Jahren mit seinem Geruch für alle Zeiten (also bis zum Abbruch) imprägniert. Dieser abstoßende und zugleich »Heimat imaginierende Duft« ist der der Armut: Er überrumpelt den Eintretenden mit der Hemmungslosigkeit einer alten Hure, deren frisch geflicktes und gereinigtes Kleid nicht über ihr wahres Wesen hinwegtäuscht.

Hinter den kassettierten, dunkelbraun gestrichenen Türen, von denen manche noch in einem Oberlicht, einem Milchglasfenster direkt unter der Decke enden, ragen in den Räumen noch die Türme mächtiger Kachelöfen mit ihren verschnörkelten, barock anmutenden Aufsätzen bis zum beschädigten Stuck empor. In der traulichen Düsternis des berühmt-berüchtigten »Berliner Zimmers«, einem meist schlauchartigen Durchgangszimmer, das nur durch ein einziges Fenster etwas Helle vom Hof empfängt, hausen außer den Mietern auch die Schemen eines präsenten Gestern, von einem Kronleuchter aus »besseren Tagen« nicht verjagt. Wer als Hausfremder die Treppen hinauf- oder hinuntersteigt, spekuliert, was hinter den schweigenden Pforten vorgehen möge! Doch es gibt ein Springwurz, einen Sesam-öffne-Dich, der zwar nicht alle, doch viele dieser verborgenen Höhlen auftut, und das ist eine Annonce in der »Berliner Zeitung« oder der »BZ am Abend« unter Vermischtes. »Suche altes Kinderspielzeug«, könnte der Zauberspruch lauten, der aus Namensschildern Personen macht, die den Fremden zum Eintreten auffordern, ihn ins und durchs Dunkel endloser Korridore führen, für die

Unordnung sich entschuldigend, bereitwillig Stuben und Kammern enthüllend, auf daß er sehe und erkenne, welche Substanz hier geronnen und in den Zustand der Kristallisation, nämlich der Vergegenständlichung, übergegangen sei.

Alte Berlinerinnen, von den bekannten Ereignissen schwer geschlagen, selten verzweifelt, unsentimental, berichten nebenher vom Leben, von dem wir nicht glauben wollen, daß es das Leben sein soll. Hier stehen in einem überfüllten Zimmer, sogar ein Elektrokocher ist da, zwei Betten und über dem einen auf schwarzem Stoff, vielleicht Samt, schwungvoll unpassend und buntgemalt die Worte: »Ruhe sanft!« – weil dort die kürzlich verstorbene Freundin der alten Zimmerbewohnerin schlief, die, auf dieses eigenartige Grabmal weisend, die Auskunft gibt: »Wie zwei Kinder haben wir zusammen gelebt, wie zwei Kinder...«

Und, obwohl ganz gewiß nicht auf der Suche nach ihr, findet sich in so vielen dieser per Kleinanzeigen erschlossenen Räumen die verlorene Zeit wieder, manchmal von einem grauen Glanz überzogen wie in jener Wohnung in der Kuglerstraße (Ecke Schönhauser Allee), wo eine Familie vierundsechzig Jahre unverrückbar gewohnt; denn die Berliner sind ein seßhaftes Völkchen und von überraschender Immobilität gewesen und – im Gegensatz zu anderen Großstädtern – aufs innigste *ihrem* Haus, *ihrer* Straße, *ihrem* Nachbarn, dem Milchgeschäft, dem Schuster, dem Gemüseladen, der Eckkneipe verbunden, daß sie sich davon nicht lösen mochten.

Freilich, es gibt nicht mehr, wie Tucholsky es noch kannte, einen von Bezirk zu Bezirk sich wandelnden Jargon, ein unterschiedliches Berlinisch, und auch die Zahl der Berliner, die nie aus ihrem Wohnviertel herausgekommen sind, dürfte inzwischen sehr klein geworden sein, aber immer noch fährt man von einem, keineswegs am Rande gelegenen Bezirk wie zum Beispiel Weißensee »in die Stadt«, und noch immer leben Leute, die im Jahr nur drei-, viermal in diese »Stadt« fahren, gezwungen durch ein mangelhaftes Angebot von Dingen des täglichen Bedarfs und durch eine unaufhörliche Abnahme der kleinen Ladengeschäfte, aus denen Wohnungen werden.

(Berliner im Ausland wäre eine Extra-Studie wert; das fatale Gefühl von Verwandtschaft und Aversion; das sofortige Entstehen einer zwangsneurotischen Solidarität; und das Ausland fängt schon hinter Lübars an – genug, genug!)

Eine heimliche Kontinuität, deren Ursachen ebenso verborgen sind wie sie selber, setzte in Käthe Kollwitzens Atelierwohnung (die räumlich unverändert geblieben, Türen und Rahmen teilweise rundbogig, verkleidet mit unlackiertem gebeiztem Holz, »Neue Sachlichkeit« beschwörend) einen jungen Maler, damit er uns einlade, aus dem Hinterfenster hinunterzublicken auf den ältesten jüdischen Friedhof Berlins, auf dem vielleicht meine Großmutter begraben liegt. Keiner, auch meine Mutter nicht, weiß, wo sie beerdigt wurde, nachdem sie hier gleich um die Ecke in der ehemaligen Weißenburger- und jetzigen Kollwitzstraße vor dem Anfang der »Endlösung« starb. Da unten die alten Grabsteine mit der ausbröckelnden altertümlichen Konsonantenschrift, wohl von kaum einem Friedhofsbesucher mehr entschlüsselt, geben den Blick nicht zurück und starren weiter vor sich hin: auch sie steinerne Berliner, einsame und aus dem Fortgang der Zeit entlassene Zeugen, die mundlos zu jedem sprächen, der sie hören wollte und könnte.

Immer weiter, angetrieben durch die »Erneuerung« der Stadt, zieht sich ihr eigenes Wesen, ihre unverwechselbare Eigenart, in ihre Bewohner zurück und verliert die einstige Anschaulichkeit. Auf Hinterhöfen, wo die Remisen Garagen wurden, wo über ein altes Motorrad mit Kastenbeiwagen der Eigentümer, die abgeschabte Kunstlederjacke verrutscht, die Hände geschwärzt, sich sorgend neigt, will er, der Unbekannte par excellence, uns wie ein Bekannter vorkommen, obwohl wir nichts von ihm wissen, als daß er ein altes Motorrad mit Kastenbeiwagen besitzt und pflegt und eine lederähnliche Jacke trägt und schlechtes Schuhwerk und ein Allerweltsgesicht, vorausgesetzt er wendet sich zu uns um: Auf keiner Berliner Vedute dürfte seine Gestalt fehlen. Auch die jenes anderen nicht, der neben uns in einer der »Flohkisten« saß, handtuchschmale Tageskinos in der Münzstraße, als Straße und Kinos, beide Schwerbeschädigte, noch bis zu ihrer endgültigen Letalität vor einigen Jahren als Schatten ihrer ehemaligen strahlenden Trivialität, ihrer kriminellen schlupfwinkligen Vergangenheit dahinvegetierten. Fehlen darf nicht die typische und so leicht vergeßbare Physiognomie jenes Jemand, dem wir im Keller von Luther & Wegner (Charlottenstraße 49) am gleichen Tisch gegenübergesessen, vor uns Krebse auf Reisrand (200,– Reichsmark: mein erstes Honorar), über uns ein Haufen Schutt, um uns unter dem niedrigen Gewölbe weder das Gespenst E. T. A. Hoffmanns noch das Devrients, weil auch Gespenster die Handgreiflichkeit ihres Spukortes brauchen und mit diesem zusammen in Rauch aufgehen oder auf die Trümmerhalde gelangen, wo man sie nicht wiederfindet. Es kann auch sein, wir begegneten einander im hohlen Architrav des Brandenburger Tores, von dem »Eine Heimatkunde für Schule und Haus« (von 1893) kündet, es handele sich um eine Nachahmung der sogenannten Propyläen der Akropolis des alten Athen: »Auf diesem Bau aber erhebt sich das Meisterwerk des alten Schadow, die Siegesgöttin mit dem Siegeswagen, der von vier Pferden gezogen wird; die Quadriga oder das Viergespann. Als Napoleon der I. 1806 von Charlottenburg her durch das Brandenburger Thor seinen Siegeseinzug in Berlin hielt, faßte er den Plan, die Viktoria nach Paris zu senden. In Kisten verpackt, wanderte sie nach Frankreichs stolzer Hauptstadt, und das Brandenburger Thor stand Jahre lang zur großen Betrübnis der Einwohner Berlins ohne Schmuck. Der alte Blücher ließ sogleich nach dem Einzug der Verbündeten in Paris nach der Viktoria forschen. Er fand sie endlich, noch unausgepackt, und ließ sie wieder nach Berlin zurücktransportieren. Hier fand sie ihren alten Platz wieder, diesmal aber das Gesicht der Stadt zugekehrt, während sie früher nach dem Thiergarten sah; auch erhielt sie zum Andenken an den ruhmreichen Feldzug das eiserne Kreuz im Lorbeerkranz.« Letzteres hat sie nach dem ruhmlosen Untergang des Reiches verloren. Wir erkannten es, als wir dort oben standen, auf einem archäologischen Trip, Inschriften suchend, solchen von Spartakisten und Noske-Soldaten und Kapp-Putschisten, darauf aufmerksam gemacht durch Fotos aus der Beilage des »Berliner Tageblattes«, veröffentlicht vor Äonen: aber da oben war nichts mehr. Auch spätere, letzte oder erste Worte von Wehrmachtsangehörigen und Rotarmisten erwiesen sich als gelöscht. Alles frisch gekalkt, weiß und kahl. Nur wenn man den Kopf aus der Ausstiegsklappe steckte, wußte man sofort Bescheid: da lag ein Berlin, das von Riesennippes der Siegessäule und, wandte man sich um, da das andere, das vom Roten Rathaus und damals noch nicht von einer teuren Beton-Erektion gekennzeichnet wurde.

Auch die Gardinenspannerin aus der Auguststraße, Ecke Oranienburger, gehörte dazu, wie sie, die krasseste Form ortsüblicher Sprechweise auf den Lippen, strohblond, auf einer Leiter stehend im Laden Gardinen auf einen Holzrahmen spannt (man kann's von draußen sehen), der auch der Rahmen ist, in dem sich ihr Dasein begibt, und das für Gardinen riesig, für ein Leben jedoch gewiß zu klein ist.

Das plebejische Berlin streckt sich (mit Unterbrechungen) topographisch weit aus. Es unterhält Dependancen in seinen Schrebergärten und Kleingartensiedlungen, die manchmal »Freies Land« heißen, manchmal »Neue Heimat«, obwohl's die alte ist, und die in dem Ringgebiet zwischen City und Außenbezirken aufgehoben und planiert und mit Neubausiedlungen eilig bepflanzt werden. Durch solche verlassenen und zur öffentlichen Plünderung freigegebenen Laubenkolonien zu wandern, dem Rentner mit der kleinen Ziehkarre voller Kleinholz eingestürzter Buden zu begegnen oder anderen Leuten, die mit Auto und Spaten erscheinen, wir zum Beispiel, um nachgelassene Stauden und Blumen auszupflanzen und in einem anderen Garten in Sicherheit zu bringen, gleicht einem Spaziergang durch die zerbrochenen Herzkammern einer alteingesessenen Gemeinde von »Naturfreunden«, die niemals Geld genug besaßen, sich Natur leisten zu können. Ein Leben, ihr Leben, verwandten sie für den Aufbau dieser Häßlichkeiten, und alle Sorgfalt, derer sie fähig gewesen, an die Ornamente um Fenster und Tür, an den Anstrich, in Farben wie sie Pastillen eigen waren: lindgrün, hautrosa, himmelblau. Welche Mühe haben die Wegeinfassungen aus Feldsteinen gemacht, der selbstgegrabene Brunnen, der handgesägte Taubenschlag, die Miniaturvilla, vor der sich (jetzt stark lädierte) Gartenzwerge zur Verbildlichung eines Märchens mit dem Titel »Wirklichkeit« versammelten und in der nun eine streunende Katze vorübergehend wohnt, bis sie von den Bulldozern exmittiert wird. Weiter draußen in Biesdorf, Heinersdorf, Mahlsdorf (und wie die längst eingemeindeten Dörfer heißen) ist dieses obskure Buen Retiro des Berliners noch intakt. Und der Kram in den Wohnungen, unter welchem sich ungehobene Schätze befinden (Rückbezug auf den Sesam), wie etwa ein einzigartiger Ziehharmonika-Prospekt der Berliner Gewerbeausstellung in Treptow 1896, in den man wie in eine hintereinander gestaffelte Saalflucht hineinblickt, auf den Fortschritt bewundernde Herren und Damen; wie etwa ein Paradies aus buntem Zuckerguß in einer Zigarrenschachtel, belebt von schnäbelnden Tauben, auslugenden Hasen, Schwalben und zwei nackten Menschenpärchen, in unkonventionellen Posen des Beischlafs rosig erstarrt – dieser Kram also ist auf eine bestimmte Weise identisch mit den kramigen Lauben, an denen ebenfalls das Zusammengestoppelte, das jahrelange Hinzufügen von Irgendetwas auffällt: In beiden erscheint, und das Wort fiel schon, das vergegenständlichste Leben einer Epoche, von der, dank dieser Vergegenständlichung, wir uns noch eine Vorstellung machen können, deren Skizzenhaftigkeit eher auf Heinrich Zille als auf Georg Grosz deutet.

Es kommt nur darauf an, die romantische Kruste zu durchstoßen, die sich über den Resten des einstigen Berlin bildet, und nämlich gerade weil es Reste sind. Alle geschichtlichen Rudimente überziehen sich sehr rasch mit dem Mycelium des Sentimentalen und erwecken Anschein, Sehnsucht statt Anteilnahme, Bedauern statt Mitleid. Man muß einiges von dem Bewuchs abkratzen, damit der wahre Kern dieses plebejischen Berlins zutage tritt, der so wenig süß, und der so sehr bitter ist. Es ist dies die Bitternis der Vereitelung.

Vor uns liegt ja das innere Panorama einer vereitelten Stadt, vereitelt durch Weltgeschichte, vereitelt auch durch eigene Schuld, falls man angesichts einer solchen Ortschaft überhaupt von Schuld sprechen kann: Diese war nicht Rom, ihr Hinterland nicht das Imperium, ihr Untergang nicht der von Kultur und Zivilisation für Jahrhunderte – beim besten Willen zur Analogie nicht.

Unsere Stadt hat bloß ihre Versprechen und Ansprüche nicht völlig erfüllen können wie andere Metropolen, welche erst nach längerem glanzvollem Aufenthalt im Mittelpunkt der Geschichte langsam in die Bedeutungslosigkeit zurücktraten. Dieses Vereitelte und Unerfüllte, verdüstert durch die soziale Biographie eben dieses plebejischen Berlins, ist von der Psyche ihrer Bewohner aufgenommen worden und zeigt sich (unter anderem) in einem Hang zum Aufheben, Aufbewahren, Hegen und Pflegen wichtiger wie unwichtiger Dinge, ohne rechtes Unterscheidungsvermögen, ein leicht manisches Sammlertum, im Extremfall eine Vorliebe für Nichtiges, soziologisch übrigens ungebunden. Wo man noch auf den Abtritt im Treppenhaus geht, wo der Sturm des Weltgeschehens gerade noch als der Hauch einer Brise wahrgenommen wird, ist dieses Aufheben und Bewahren weit überschätzter Altertümer aus dem vorigen Jahrhundert heimisch geworden. Dort trifft man Menschen, die statt eines neuen Mantels sich lieber eine signierte Gallé-Vaese zulegen; in deren Wohnung zwar kein Fernseher, wohl aber eine Biedermeier-Garnitur steht. Auch wir selber, Bekannte und weniger Bekannte, wallfahrten, sobald die frühjährliche Gerümpelaktion ausgerufen wird, zu dem schnell ansteigenden Hügel von »Sperrmüll« an der nächsten Ecke, begierig, etwas zu finden, von dem uns jede feste Vorstellung fehlt. Wir wissen nur: irgend etwas soll es sein. Wir versuchen einfach unser Glück, und an dieser sprachlichen Wendung für das Unternehmen ist etwas ganz Wahres.

Was Walter Benjamin in seiner Rezension eines unübertroffenen Berlin-Buches als »Unverlierbare Substanz« bezeichnet, ist eigentlich der Sinn für das Verlorengegangene, für gar nicht mehr aufzuzählende Verluste, die, auch ohne Krieg, eine große Stadt dauernd erleidet. (Auch der Bauernbursche betritt als Mann nicht mehr den gleichen Stall, den gleichen Acker.) Daher wollen wir uns im Gegenstand des Verlorenen versichern, wollen wir noch einmal seiner habhaft werden.

Wir, Vereitelte und Unerfüllte, nehmen den Teil für das Ganze, und sei dieser Teil noch so klein und gering.

Was sonst wäre im plebejischen Berlin zu entdecken? Ästhetisches Vergnügen an klassischer Architektur, an außerordentlichen Baudenkmälern gewiß nicht, und gewiß nicht die welthaltige Farbigkeit von Hafenstädten wie London oder Amsterdam (Berlin hat schon im 14. Jahrhundert der Hanse angehört, mußte aber die Mitgliedschaft quittieren), wohl aber etwas anderes, und den Weg dazu, zu diesem »anderen« weist uns erneut Walter Benjamin: »Und wenn erst der Berliner in seiner Stadt nach anderen Verheißungen forscht als denen der Lichtreklamen, dann wird es ihm ans Herz wachsen.« Das gilt heute noch. Oder: heute erst recht. Es ist die Verheißung der Wahrheit, nicht mehr, nicht weniger. Suchet, so werdet ihr finden.

1973

Jürgen Leskien

Gründonnerstag

Fünfunddreißig Jahre, das ist kein Alter, aber ihm fehlt schon ein Finger. Der rechts ist es. Alle rufen ihn Kralle. Jeder kann sich denken, daß es wegen der Hand ist, wegen des Fingers. Die Drehbank hat den Finger abgerissen. Vor acht Jahren am dritten Juli, früh fünf nach sieben. Rettungswagen, Krankenhaus, geschienter Arm.

Er war hilflos in den ersten Tagen danach, zu Haus in seiner Junggesellenwohnung am Friedrichshain. Annemarie mußte beim Hosenanziehen helfen. Auch beim Ausziehen. Das tat sie gern, obwohl sie berufstätig war, Lehrerin, Deutsch – Geschichte.

Die Wunde heilte schlecht. Sie sind zu unruhig, tadelte der Arzt in der Charité. Auf der Narbe klebte noch ein großes Pflaster, da wurde Katja geboren.

Als die Dame in Schwarz auf dem Standesamt über die sozialistische Familie sprach und die Kerzen knisterten und spuckten, nagte Kralle an der Unterlippe. Das irritierte die Beamtin, Kralle sah es ihr an. Aber die Narbe juckte und juckte.

Das muß man alles wissen, um zu verstehen, warum Kralle immer wieder zur Uhr sieht. Dabei hat er eine wichtige Arbeit in der Maschine. Das Dreibackenfutter hält einen silberglänzenden Flansch zwischen den Zähnen. Mit sachtem Vorschub schält der Stahl einen kringligen Span. Eine seidige Rauchschleife windet sich vom Spänehaufen zur Hallendecke. Das ist in der Ordnung, nicht deshalb ist Kralle unruhig. Er möchte wetten, mittwochs und freitags zögert jemand die Mittagspause hinaus. Gut, die Elf an der Hallenuhr ist abgebrochen, aber nicht nur deshalb dauert es ewig, bis sich der Zeiger zur Zwölf geschleppt hat. Gespanntes Warten vervielfacht die Zeit, Kralle hat es früher nie geglaubt, jetzt kennt er das. Jeden Mittwoch, jeden Freitag.

Natürlich könnte er einfach den Hebel herumwerfen, dann

stünde die Maschine. Aber er will es ertragen. Er will warten bis zur Mittagszeit, er ist doch wer.

Kralles Blick springt zum Drehmeißel, auf die Support-skala, auf die Uhr. Mein Gott. Noch einmal auf die Uhr, zum Werkzeugschrank. In drei Minuten! Der Feldstecher liegt bereit. Kralle fährt zusammen – die Hupe! Drei Minuten früher! Er zögert, dann greift er zum Hebel. Die Hände am Hosenboden abgewischt, das Fernglas gegriffen und zur Tür. Sein Fahrrad hat er günstig postiert.

Als die anderen aus der gläsernen Halle in die Sonne treten, rollt Kralle auf seinem Rennrad dem Werktor entgegen. Für einen Augenblick fixiert er von weitem den Posten. Der grauhaarige Wächter hat Dienst.

»Aha, wieder mal Mittwoch!« trompetet der und hebt den Schlagbaum. Kralle kann rollen. Plötzlich läßt der Grauhaarige die rotweiße Barriere in die Gabel zurückfallen. Kralle muß das Rad herumreißen.

»Verrückt geworden!« blafft er den Alten an. Der zeigt mit gerunzelter Stirn auf das Fernglas, das Kralle um den Hals trägt. »Und das da? Das ist ja neu!«

»Neu und gehört mir. Hoch den Baum!« keucht Kralle vor Wut. Er sieht auf die Uhr. Noch zehn Minuten. »Das ist mein Glas!«

Der Grauhaarige schielt unsicher zu seinem Kollegen, der in der Pförtnerbude sitzt. Der nickt. Knarrend hebt sich der Schlagbaum.

»Idiot!« knurrt Kralle und tritt scharf an. Noch neun Minuten!

Auf der Asphaltstraße ist er schnell, schneller als die Straßenbahn. Dann durch die Schrebergärten bis an den Rand des Parks. Am Fuße des kleinen Hügels legt er das Rad ins Gras, gerade zur rechten Zeit. Er hastet den Hügel hinauf. Immer das gleiche – oben ist er außer Atem. Er ist außer Atem, die Hände zittern und so auch das Glas. Jeden Mittwoch und jeden Freitag ist er außer Atem und immer zittern die Hände. Heute rüttelt es ihn besonders heftig. Er sieht nur hüpfende graue Mauern. Durchatmen, redet er sich ein. Hände hoch und kräftig ausatmen. Das Glas zittert nicht mehr, aber die graue Mauer bleibt. Kralle blinzelt, nimmt das Glas noch einmal hoch. Ein Bauzaun! Sie haben einen Bauzaun errichtet. Alles umsonst!

Er sieht auf das Glas, dann läuft er den Hügel hinunter in die breite Schneise zwischen den alten Bäumen auf den Bretterzaun zu.

Der Zaun ist hoch und lang. Mit unruhigen Händen sucht er ein loses Brett. Egal, und wenn ich mit ihr angetroffen werde, ich muß sie sehen, denkt er. Der Zaun ist fest und reicht bis an die helle Wand des Hochhauses. Nur das Klettergerüst, das nahe am Schulhaus steht, ragt über den Zaun hinaus. Die Leute sehen ihn an, schütteln die Köpfe. Kralle nimmt das Fernglas vom Hals.

»Ich hole sie mir«, knurrt er, »ich hole sie mir!«

Eine Querstraße weiter, am S-Bahnhof, setzt er sich in einen der Korbsessel des Gartenlokals.

»Ein großes Helles!« Der Ober sieht von der Zeitung auf und hat einen langen Blick für das Emblem auf Kralles Overall »VEB MIKROMA«. Kralle wird ruhiger. Vielleicht ist der Zaun gut, überlegt er. Für mich und für Katja. Ab September hat sie möglicherweise einen anderen Stundenplan, verläßt vor zwölf schon die Schule, oder geht erst am Nachmittag.

So ist das: Scheidung, das Kind der Mutter. Die Mutter wünscht keine Begegnung zwischen Vater und Tochter. Wegen der Entwicklung, wegen der Erziehung. Die Köpfe in der Abteilung Volksbildung nickten, erhoben es zur Forderung: keine Begegnungen. Besonders der Glatzkopf begründete laut und heftig den Beschluß. Sie wären eine erfahrene Kommission, sie könnten das wohl richtig einschätzen. Die Frau sei ja Pädagogin, leitet die neue Schule im Stadtbezirk, so hieß es. Na ja.

Und nun zeigt sie es ihm, trifft ihn an der verwundbaren Stelle. Daß er und Katja die Luft der großen Stadt atmen, konnten sie nicht verhindern, aber sehen soll er sie nicht, sie nicht berühren. Nun noch der Bauzaun! »Der hält die Kinder vom Leben fern«, murmelt er. Schnell ist der Ober bei ihm. Kralle bestellt stumm mit erhobenem Daumen. »Wird gemacht, Chef!« Der Ober beugt sich mit schiefem Kopf Kralle entgegen und grinst.

»Scheißkerl!« grollt Kralle.

Am Nachmittag pendelt sich Kralle in den Gastraum hinein. Die Gläser klirren leise, als er das Fernglas auf den Tresen legt. »Hier nimm, ich zahle morgen, morgen...!«

Der Wirt dreht mit feuchten Fingern an den Okularen.

Kralle, wieder vor der Tür, kramt in den Hosentaschen. Ein Zweimarkstück in der Faust, steuert er die kleine Konditorei auf der anderen Seite des S-Bahndammes an. Gierig stürzt er den Kaffee hinunter. Eine Minute lang wundert er sich, wie viele Leute jetzt schon Kaffee trinken. Der Serviererin lächelt er freundlich zu. Es treibt ihn an den Bauzaun. Tief atmet er die Luft ein und spürt zufrieden die Wirkung des Kaffees.

Die Sonne sticht in den Augen, als er die Höhe des Bauzaunes taxiert. Neben einer Parkbank findet Kralle ein Stück verrostetes Wasserrohr. Er kichert leise vor sich hin, wiegt das Eisen in der Hand.

Laut knarrend löst sich das Brett vom Zaun. Das erste, das er auf der anderen Seite des Zaunes sieht, ist das erstaunte Gesicht eines alten Mannes. Gebeugt, mit geöffnetem Mund, die Hände auf die Knie gestützt, beobachtet er von der Treppe des Schulgebäudes her die Veränderung am Bauzaun. Das stört Kralle nicht, er zwängt sich durch die Zaunlücke.

»Zurück, aber zurück!« schreit der Alte und fuchtelt mit den Armen. Der Hausmeister, erinnert sich Kralle unklar. Den hatte er sich größer vorgestellt. Die Optik täuscht eben.

Kralle stützt sich am Zaun ab. Er hält immer noch das Rohr in der Hand. Nach einem unsicheren Blick auf den Alten wirft er es in den Sand. Die geraden Linien der Gehwegplatten erleichtern Kralle den Gang zur Treppe. Der Alte tappert unruhig hin und her. »Keine Bange, nicht nervös werden«, besänftigt ihn Kralle. Kralle steht auf der letzten Treppenstufe. Der Alte breitet wie ein Priester die Arme aus und tritt einen Schritt zurück. Kralle zuckt mit den Schultern.

»Ich muß da rein, verstehst du«, sagt er ganz ruhig zum Alten. Der steht mit dem Rücken an die große Glastür gelehnt, Kralle sprachlos gegenüber. Langsam läßt er die Arme sinken.

»Na, was ist«, knurrt Kralle. Es ist still. Irgendwo im Haus spielt jemand Klavier. Mit einem Ruck schiebt Kralle den Alten zur Seite. Er ist erschrocken, wie leicht der alte Mann ist. Aber es ist ihm nichts geschehen.

Mit schweren Schritten geht Kralle den Gang entlang. Die zweite Tür ist es, überlegt er. Dort sitzt sie. Er klopft und wartet. Kralle zupft am Overall herum. Entschlossen drückt er die Klinke herunter. Lautlos und federleicht läßt sich die Tür bewegen. Kralle starrt auf den Wald von Stuhlbeinen. Eine große rote Blume bedeckt die Hälfte der Wandtafel. Durch das Fenster sieht Kralle den Bauzaun und die alten Bäume des Parks. Er tastet über die glatten und kalten Tischplatten. Zu spät. Natürlich. Das Bier. Der Kaffee. Sie ist schon zu Haus.

Mit einer Hand hebt er ihren Stuhl aus, stemmt ihn in die Höhe. Sie hat einen guten Platz, denkt er. Sie kann den Park und auch die Tafel sehen – ein Blick ins Leben und einen in die Wissenschaft. Kralle setzt sich. Er drückt die Brust gegen die Tischplatte. Das Klavierspiel ist angenehm. Kralle legt den Kopf auf die Arme und lauscht. Mit einem Schlag wird es laut auf dem Flur.

»Da, da sitzt er!« Der Alte steht in der Tür, hinter ihm ein sehr langer Polizist. Der Lange zieht den Kopf ein, als er durch die Tür tritt. Kralle hat sich in den Stuhl zurückgelehnt, er verschränkt die Arme vor der Brust. Plötzlich bricht das Klavierspiel ab. Aufmerksam mustert der Lange die Wandtafel. Langsam, mit knarrenden Stiefeln, geht er durch die Tischreihen. Kralle würdigt er keines Blickes, er interessiert sich für die Bilder an den Wänden. Vor einem Bild schüttelt er sogar den Kopf. Nun bleibt er doch vor Kralles Tisch stehen, tippt mit der Hand an die Mütze. »Wachtmeister Schönemann, kommen Sie mit!« sagt er halblaut mit trauriger Stimme, und gleich ist sein Blick wieder bei den Bildern. Kralle hat noch nie einen traurigen Polizisten gesehen. Er steht auf. Vorsichtig setzt er den Stuhl mit der Sitzfläche auf den Tisch zurück, fährt noch einmal mit den Fingern über den Kunststoffbelag.

»Unerhört!« keift der Alte von der Tür her. Kralle stockt der Atem. Hinter dem Alten steht Annemarie.

»Lassen Sie nur, Genosse Schönemann, wir regeln das hier schon allein«, sagt sie belustigt. Sie hat das Recht dazu, sie ist hier Leiterin, Hausherr gewissermaßen. Das ist gut herauszuhören. Vielleicht dreht deshalb der Polizist so träge und gelangweilt den Kopf zur Tür. Einen Augenblick später sieht er Kralle prüfend an. Kralle glaubt freundliche Funken in den Augen des Langen zu sehen. Langer, Genosse, laß mich jetzt nicht im Stich! Walte deines Amtes, barmt Kralle im Inneren.

Kaum sichtbar gibt Schönemann Kralle mit dem Kopf ein Zeichen. Er soll ihm folgen. Schönemann tritt nur mit den Sohlen auf. Den Blick auf den geölten Fußboden staken sie zur Tür des Klassenzimmers.

Der alte Mann hat sich die Jacke vom Leibe gezerrt und das Hemd bis über der Brust aus der Hose gezogen.

»Hier, Genosse Meister! Hier und da. Blaue Flecke!«

Schönemann muß jeden Fleck zur Kenntnis nehmen, er kommt an dem Alten nicht vorbei.

Angezogen und abgestoßen sieht Kralle indes auf ihre Lippen. Sie öffnen sich ein wenig, geben für einen Moment die tadellosen Zähne preis. Sie schminkt sich, stellt er fest. Hier in der Schule! Aber es steht ihr, ob es zu ihr paßt, weiß er nicht. Plötzlich muß er an das »WÄSCHTSCHON« denken, wenn sie ihm mit diesen Lippen den komplizierten Zischlaut im Wort Towarischtschi begreiflich machen wollte. Diese Lippen berührten fast jeden Flecken seines Körpers. Und er hat sie geküßt, gebissen – und einmal nur, einmal auch geschlagen. Kralle reißt sich von diesem Rot los. Er preßt die feuchten Hände an das Tuch des Overalls und tritt näher an die Tür heran.

»Gehen Sie nur, Genosse Schönemann«, sagt sie ruhig in das Gezeter des Alten hinein, »ich bringe das schon in Ordnung.« Ihre Stimme ist weich. Die Stimme für einen Kranken. Nun schieb auch Schönemann den Alten zur Seite. Kralle spürt ihren spöttischen Blick. Mit heftigen Bewegungen traktieren ihre Finger einen Kugelschreiber.

»Wie spät ist es eigentlich?« fragt Kralle Schönemann vor der Tür des Schulgebäudes. Schönemann sieht über den Bauzaun hinweg in die Ferne. »Für Sie Zeit, nach Hause zu gehen. Nach Hause!« Er nimmt die Mütze vom Kopf und trocknet sich die Stirn. Sie steuern das Loch im Bauzaun an. Schönemann muß sich völlig zusammenklappen. Er schlüpft, ohne mit dem Kopf anzustoßen, hindurch. Bevor Kralle nachsteigt, wirft er einen Blick auf das rostrote Klettergerüst.

Wieder verstellt der Zaun die Sicht. Sie stehen unter den alten Platanen. Die Zigarette in der hohlen Hand versteckt, raucht Schönemann.

»Was haben Sie sich eigentlich dabei gedacht?«

Auf diese Frage hatte Kralle gewartet. Das ist eine der Fragen, die ihn durch sein ganzes Leben zu begleiten scheinen. Trotzdem ist er überrascht, daß Schönemann sie doch noch stellt.

Kralle erzählt, und Schönemann hört still zu. Ein wenig unsicher geworden, schweigt Kralle nach einer Weile. Schönemann fingert an der Uniformjacke herum. Behutsam zieht er die Brieftasche hervor.

»Mein Junge, sechs Jahre, geht ab September in diese Schule«, sagt er, zeigt das Bild und verbirgt es schnell wieder. Kralle sieht Schönemann an.

»Die Schule, ich glaube, das Gebäude, da sind gute Bedingungen«, stottert er.

Schönemann geht zwei Schritte in den Rasen hinein, bückt sich nach einem Stein und schlägt das Brett wieder fest an den Zaun. »Mach's gut«, sagt er dann und tippt mit den Fingern an die Mütze. Kralle sieht ihm nach, bis er in der Seitenstraße verschwindet.

Am nächsten Tag sitzt die Brigade in der Frühstücksecke. Kralle ist sehr müde. Er sagt gleich: »Also, zieht mir das ab. Drei Stunden oder vier. Egal. Ja, und ich streiche das Klettergerüst der neuen Schule. Der da am Park. Dort bauen sie übrigens.« Er schmunzelt. Die Brigade nickt, alle kennen ihn und auch die Katja. Stühle kratzen über den Fußboden.

»Das Rad haben sie mir geklaut!« sagt Kralle halblaut, mehr für sich. Er sieht auf die Rücken seiner Kollegen, die zu den Maschinen gehen. Der bärtige Spänefahrer dreht sich zögernd um. »Mein Rad ist das hellblaue. Mußt vorn Luft aufpumpen.« Kralle zieht erstaunt die Augenbrauen hoch.

»Ich glaube, das Ventil ist es«, sagt der Bärtige noch und schlendert zum Elektrokarren.

Ulrich Plenzdorf

kein runter kein fern

sie sagn, daß es nicht stimmt, daß MICK kommt (und die
Schdons) rocho aber ICH weiß, daß es stimmt rochorepocho
ICH hab MICK geschriebn und er kommt rochorepochopipoar ICH könnte alln sagn, daß MICK kommt, weil ICH ihm
geschrieben hab aber ICH machs nicht ICH sags keim ICH
geh hin ICH kenn die stelle man kommt ganz dicht ran an die
mauer und DRÜBEN ist das springerhaus wenn man nah
rangeht, springt es über die mauer springerhaus ringerhaus
fingerhaus singerhaus MICK hat sich die stelle gut ausgesucht
wenn er da aufm dach steht, kann ihn ganz berlin sehn und
die andern Jonn und Bill und hörn mit ihre anlage die wern
sich ärgern aber es ist ihre schuld, wenn sie MICK nicht rüber
lassn ICH hab ihm geschriebn aber sie habn ihn nicht rü-
bergelassn aber MICK kommt trotzdem so nah ran wies geht
auf MICK ist verlaß sie sagn, die DRÜBEN sind unser feind
wer so singt, kann nicht unser feind sein wie MICK und Jonn
und Bill und die aber MICK ist doch der stärkste EIKENN-
GETTOSETTISFEKSCHIN! ICH geh hin dadarauf kann sich
MICK verlassn ICH geh hin Mfred muß inner kaserne bleibn
und DER hat dienst ICH seh mir die parade an KEIN FERN
und dann zapfenstreich KEIN RUNTER und dann das feuerwerk und dann MICK parade ist immer schau die ganzen
panzer und das seh mir die parade an KEIN FERN dann zapfenstreich KEIN RUNTER dann feuerwerk KEIN RUNTER
dann MICK KEIN RUNTER arschkackpiss ICH fahr bis
schlewskistraße vorne raus zapfenstreich stratzenweich samariter grün frankfurter rot strausberger blau schlewski grau
vorne raus strapfenzeich stratzenweich mit klingendem spiel
und festem tritt an der spitze der junge major mit seim stab
der junge haupttambourmajor fritz scholz, der unter der
haupttribüne den takt angegeben hat mit sein offnes symp
warte mal symp gesicht und seim durchschnitt von einskom-
madrei einer der besten er wird an leunas komputern und für

den friedlichn sozialistischen deutschen staat arbeitn denn er hat ein festes ziel vor den augn dann feuerwerk dann MICK ICH weiß wo die stelle ist ubahn bis spittlmarkt ICH lauf bis alex dann linje a kloster grau märk mus weiß spittlmarkt vorne raus springerhaus MICK und Jonn und Bill und die aufm dach EIKENNGETTOSETTISFEKSCHIN rochorepochopipoar! *Schweigen. Sonne. Rote Fahnen. Die Glockenschläge der neunten Stunde klingen über der Breiten Straße auf. Und da beginnt mit hellem Marschrhythmus unter strahlend blauem Himmel der Marsch auf unserer Straße durch die zwanzig guten und kräftigen Jahre unserer Republik, unseres Arbeiter-und-Bauern-Staates, die großartige Gratulationscour unserer Hauptstadt zum zwanzigsten Geburtstag der DDR auf dem traditionellen Marx-Engels-Platz in Berlin. Auf der Ehrentribüne die, die uns diese Straße immer gut und klug vorausgegangen sind, die Repräsentanten der Partei und Regierung unseres Staates, an ihrer Spitze Walter Ul* jetzt komm sie aber bloß fußtruppen panzer noch nicht *NVA mit ausgezeichneter Kampftechnik, die unsere gute Straße hart an der Grenze des imperialistischen Lagers sicher flankiert, bildet den Auftakt der Kampfdemonstration. Die Fußtruppen der Land- und Luftstreitkräfte sowie der Volksmarine, in je drei Marschblöcken, ausgerichtet wie straffe Perlenschnüre, paradieren mit hellem Marschtritt unter winkenden Blumengrüßen der Ehrengäste an der Haupttribüne vorbei* Mfred wird sich in arsch beißn, daß er da nicht bei ist er ist bloß BULLE BULLN marschiern nicht – Aber Junge, dein Bruder ist kein Bulle, er ist Polizist wie viele andere – MAMA – Wenn er nochmal Bulle zu seinem, dann weiß ich nicht, was ich! Den Bullen kriegst du noch wieder! – Mfred der B! B marschiern nicht Mfred rocho ist rochorepocho B rochorepochopipoar! wenn ICH dran bin mit armee und dem, geh ICH als panzermann, wenn sie mich nehm das ist die einzige scheiße, wenn man gestört ist sie nehm ein nicht zur armee aber wenn man sich freiwillig meldet, müssen sie ein nehm *Dann werden die Motorgeräusche stärker, voller: Silberglänzende Panzerabwehrkanonen, die schlanken Rohre schützend zum Himmel gerichtet, sind die nächsten, die unter dem*

Winken und Rufen der tausende begeisterter Betrachter un-
sere Straße heraufrollen. Die Bedienungen dieser Technik er-
reichten bei allen Gefechtsschießen Höchstnoten. Dann zit-
tert die Luft. Schwere modernste Kettenfahrzeuge rasseln
heran und dröhnen: Panzerverbände, darunter erstmalig ge-
zeigte gewaltige Brückenlegepanzer und Raketentruppen,
deren Spezialfahrzeuge teilweise mit drei Raketen bestückt
sind, donnern in exakter Formation über den Asphalt ICH
kenn ein den habn sie auch genomm wenn man die prüfung
besteht, ob man normal ist wenn man weiß, was die hauptstädte sind von polen, tschechen, ungaren, sowjetunion und
die warschau prag budapest und moskau als panzermann
würdich Mfred laut sagn, du bist ein B und er könnte nichts
machn panzermann ist mehr als B B bleibt B aber panzermann ist panzermann ICH möchte panzer sein silberner panzer dann würdich alle B niederwalzn und DEN auch vielleicht
nicht alle B aber Mfred ganz sicher aber vielleicht Mfred auch
nicht ICH würde meine schlankn rohre auf ihn richtn und
sagn, sag, daß du ein B bist, auch wenn er dann schon studiert
aber B bleibt B und wenn ers sagt, muß er noch gegen mich
boxn zwei rundn er muß immer gegn mein panzer boxn und
ICH würde bloß dastehn und stillhaltn bis ihm seine knochn
blutn und IHN würdich vielleicht auch nicht umwalzn ICH
würde meine schlankn rohre auf IHN richtn und sagn, hol
sofort MAMA zurück und sag, daß sie nicht haltlos ist und
daß sie die schönste frau ist und daßich ein taschenmesser
habn darf zwei drei tausendmilljonen, wennich will und daßich mit links schreibn darf und daßich kein kronischer bett-
nässer bin und nicht gestört und keine haltung und faul und
daßich tischler werdn kann und dann fragich IHN, ob ER sich
ändern will und wenn ER jasagt, sagich, das muß ER erst
beweisn ER muß zum ballspiel damit aufhörn, seine stinken-
den zigarettn zu rauchn, daß eim zum kotzen wird, wenn man
in sein zimmer kommt dadamit muß ER anfangn und dann
muß ER aufhörn, sich beim essn die sockn auszuziehn und
zwischen den zen zu puln zen schreibt man mit ha und dann
seine stulle anfassn und ER muß mir WESTKAUGUMMIS
kaufn und ER muß aufhörn damit, daß in der wohnung

nichts aus WESTN sein darf und daß der WESTN uns aufrolln will MICK will kein aufrolln und Bill und die und Jonn und ER muß jedn tag dreimal laut sagn, in WESTN kann man hinfahrn, wo man will, in WESTN kann man kaufn, was man will, in WESTN sind sie frei MAMA ist in WESTN – Eure Mutter hat die Republik verraten, wir sind jetzt ganz auf uns, wir drei. Jetzt zusammen halten. Haushalt gemeinsam. Manfred wird sich weiter um seinen Bruder wie schon, und *er* wird weiterhin gut lernen und noch besser wie in der letzten. Jetzt gerade und mir keinen Ärger in der Schule, klar?! *Er* geht zur Hilfsschule. Wer sagt? Frag ihn doch. – Mfred der B und VER-RÄTER. *Er* geht zur Hilfsschule? Wer hat das veranlaßt? Mama. – VERRÄTER – Seit wann?! Seit wann ist *er* auf dieser Schule?! Seit der dritten. Seit *er* sitzengeblieben ist. Warum weiß ich das nicht? Wa – rum – ich – das – nicht – weiß?! Mama hat es verboten! VERRÄTER – Ich will das Wort Mama oder Mutter für *diese* Frau nicht mehr! – MAMA – *Diese* Frau hat *ihn* also hinter meinem Rücken in *diese* Schule! Deswegen also seine guten Leist in der letzten! *Da* kommt *er* mit! Das werden wir ja! Das hat *er* sich so! Sich vor normalen Leistungen drück! Hinter meinem Rück! *Diese* Frau und dann sich ab! Das mach ich rück! Wo ist *diese* Schule? Wie heißt der Direk? Brade? – vater Brade schafft keiner, nicht mal die 4c und die schaffn jedn lehrer – Als hilfs-schulbedürftig im Sinne des Paragraphen neunzehn des Ge-setzes über das einheitliche warte mal über das ein das soziali-stische Bildungssystem und der fünften Durchführungsbe-stimmung zu diesem Gesetz sind alle schulbildungsfähigen schwachsinnigen Kinder. Mein Sohn ist nicht schwachsinn – der lauscher an der wand hört seine eigne schand – im Irrtum. Bei Ihrem Sohn sind alle Merkmale einer ausgeprägten intel-lektuellen Schädigung. Mein Sohn ist nicht geschädigt! Ein-fach faul, von früh auf, keine Haltung. Ihr Sohn ist nicht faul, und er hat sogar eine relativ gute Merkfähigkeit für ein schwachsinn. Schwachsinn ist doch nur eine Folge kapita warte mal also kapita wo soll im Sozialismus der Nährboden für Schwachsinn! Wo ist im Sozialismus der Nährboden für Krebs? Krebs ist eine Krank. Schwachsinn ist auch. Lediglich die Ursachen für Krebs sind. Die Ursachen für Schwachsinn sind auch noch nicht, mein lieber Mann. Kein korrekter Vorgang hinter meinem Rück als Vat. Das ist nicht selten aus Furcht, und wir sind nicht ver die Unterschriften beider Eltern. Bei mir braucht keiner Angst, das ist eine Intrige *dieser* Frau, politisch, aus Haß gegen, sie wußte um meine Tätig, ich bin beim, und dann hat diese Frau die Republik, im Wissen, daß mir die weitere Tätigkeit beim nicht. Verlange ich die sofortige Rückschulung. In der päda Praxis konnten solche Rückschulungen bisher nur in äußerst seltenen, so etwa bei groben Fehlern in der Aufnahmedia warte mal dia, liegt bei Ihrem Sohn keinesfalls vor, mein lieber Mann. Wie ich bereits sagte, arbeiten die Hilfsschulen mit speziellen Lehrplänen. Ein zu uns über Kind kann daher die ohnehin vorhandenen Rückstände nicht nur nicht – hilfser bleibt hilfser – sondern die Leistungsunterschiede zur Oberschule vergrößern sich rasch und schließen eine spätere Rück – hilfser bleibt hilfser rochorepochopipoar – das ist alles der Ein fluß *dieser* – MAMA hat auch nie kapiert, warum bei 35 minus e ist gleich 17 e gleich 18 ist, oder sie hat es kapiert, weil 17 und e 18 ist aber sie weiß auch nicht, wie man darauf kommt warum man e auf die andre seite bringn muß auf welche andre seite überhaupt und warum e auch d sein kann e kann doch nicht d sein und was dabei variabl kain und abl sind variabl abl und kain sind sind sind arschkackpiss alle wußtn das, bloß ich nicht sitzenbleiber schweinetreiber sitzenbleiber fünfenschreiber – Ausgerechnet *er* nicht, das kann doch bloß daran, daß *er* zu faul. Einfach zu! Nie hat es das! Sieh dir meinen Vater an. Unter dem Kapitalismus nicht mal als Arbeiterjunge. Die Familie ernährn und wie hat er sich hoch. In den Nächten mit eisernem und morgens um vier. Von mir will ich ganz. Aber nimm seinen Bruder. Leistungen sehr wenn auch noch. Keine Klagen, weil vom ersten Tag an. – Mfred der B ICH bin hilfser aber Mfred ist B es muß ja auch hilfser gebn aber B muß es nicht gebn ICH hatte schon immern jagdchein – Jagdschein schreibt man mit sch. *Er* soll nicht immer die Endungen verschlucken, deswegen schreibt er auch falsch. Geht das nicht in seinen Kopf? Sprich mir nach: r*eden*, sing*en*, l*aufen*. Das

schreibt er jetzt zehnmal – arschkackpissrepochopipoar
MICKMAMA – Der Junge kann doch nichts dafür, wenn er
nicht alles begreift. – MAMA – Du hast für alles eine Entschuldigung, was den Jungen. Ich hab auch nicht alles begriffen und bin trotzdem ein halbwegs anständiger Mensch geworden. Du immer mit deinem halbwegs, heute sind die An-
forderungen, dir würde es auch nichts schaden, wenn du,
manches muß man eben einfach, sich hinsetzen und pauken,
das Einmaleins kann man nicht begreifen, das muß man, bis
es einem in Fleisch und Blut. *Er* ist Arbeiterjunge, und *er*
kann. Daß ich hier richtig verstanden werde. Ich will hier keinen Gegensatz zwischen Arbeitern und Söhnen von Frisören.
– frösen von sisören frönen von sisören frisen von sösören
sösen von frisönen – Schließlich sind wir alle eine große Gemeinschaft und wenn *er* so weiter, landet *er* noch in der Hilfsschule, ein Fleischmann und in der Hilfs. Wir heißen Fleischmann und nicht Fleichmann. Seinen eigenen Namen wird *er*
doch noch! Wie es in deiner Familie, weiß ich natürlich. Bitte
laß meine Familie aus dem Spiel. – MAMA – Ich werde dafür
sorgen, daß er, sagen wir in zwei Jahren, auf Durchschnitt
zwokommafünf und Manfred wird ihm dabei helfen, noch
besser als. Schließlich seid ihr Brüder. In Ordnung, Manfred?! Ich wünsche eine deutliche Ant! Da wird eben gesessen
und gearbei und nicht mehr runter und kein Fern und jeden
um sechzehn Uhr wird bei mir und angetanzt, die Schularbei-
ten der ganzen und die Leistungen durchgesprochen, solange
bis es, und dann werden wir ja. *Schon dröhnen am Firma-
ment über der Straße unserer Arbeiter-und-Bauern-Ge-
schichte Böllerschüsse. Seidene Banner der Arbeiterklasse
und unserer Republik schweben durch die Sonnenstrahlen
herab. Und ringsum hinter dem Platz, auf dem die Marsch-
musik des abmarschierenden Spielmannzuges und des Mu-
sikcorps der NVA verklungen war, hört man ein Summen,
Singen, Rufen – die breite und bunte Front der Berliner Be-
völkerung zieht zur Gratulationscour auf der Straße heran.
Die Straße ist voller* Manfred wird das beaufsichtigen, Ein
wände? – zwokommafünf KEIN RUNTER KEIN FERN ka-
lernkalorumkapitalismuskonzentrationsmängel sind ein tü-

piches zeichn – Und in zwei Jahren wird mich kein Lehrer mehr in die Schule und ich wie dumm dastehen, und mein Sohn ist versetzungsgefährdet, und die Schule bereits schon lange signalisiert und Information gegeben, und ich weiß nichts. Jeder Brief wird mir in Zukunft und jede Arbeit vorgelegt – vorgelege das sind, wenn man vorgelege dien sie erhöhn sie sind eine zusatzeinrichtung zur erhöhung der drehzahl der welle zum ballspiel bei drechselbänkn bei der verarbeitung sehr spröder holzartn zum ballspiel kiefer die würde ja splittern es empfiehlt sich, bei kiefer kernholz zu nehm, wenn überhaupt zum drechseln eher von den einheimichen hölzern buche esche also kurzfasrige Hölzer dabei geht es auch mit kiefer, wenn man aufpaßt kiefer ist gut – daß die Schule meine Dienststelle informiert, daß der Sohn des Nossen Fleisch schlechte Leist, erziehungsschwierig außer Werken, ich weiß. Wegen seinem Holzfimmel – filzhommel folzhimmel – keine Illusi – warte mal illu – Ich habe nicht und mein Vater hat nicht in den schweren Jahren, damit unsere Kinder Tischler! Damit ich hier richtig verstanden, das richtet sich nicht gegen Tischler. Es muß und es soll auch Tischler. Aber sollen die mal Tischler, die so lange Doktor. Wobei ich nichts gegen Doktoren. Doktoren muß es. Sie sind sogar die Verbündeten, aber wir orientieren sowieso daß im Zuge der technischen – sisiwo – wenig intelli – warte mal intell – Tätig zum Beispiel Tischler durch weitgehende Mechani beziehungsweise Substi neuer Werkstoffe, wie zum Beispiel Plaste, – schlaste klaschte pflaste von plaste kriegt man krebs plastekrebs – und da soll *er* Tischler werden? *Sein* Taschenmesser gibt *er* sofort ab, und das ganze Holz kommt aus dem Kell. Plaste hat Zukunft, und das hört auch auf, daß *er* nicht von Plaste essen. Wir alle essen von Plaste, und es bekommt. Nimm Manfred! Ißt er etwa nicht? Und außer dem ist es hyg. *Er* wird sich daran gewöhnen, an Rechtsschreiben hat *er* sich auch und sehr gut. Und noch ein Punkt: das Bettnässen. Das hört nun auch auf. Zehn Jahre und nicht wissen, wann man aufs Clo. Meine Meinung hierzu, daß wir *ihm* das Linksschreiben abgewöhnt und *er* jetzt aus Protest ins Bett. *Er* soll sich zusammennehmen, oder ihr geht zum Arzt. Es gibt gegen alles ein *ihre Freiheit ringenden Völkern. Die DDR ist richtig programmiert. Sie hat in aller Welt Freunde und ein hohes Ansehen. Unsere Straße war nie eine glatte Chaussee. Schwer war der Anfang, voller Mühen und Entbehrungen. Aber sie ist gepflastert mit dem entschlossenen Willen von Millionen. Zeugnis der Befreiungstat der Sowjetunion ein T34 mit der russischen Aufschrift: Tod dem Faschismus! Dann ganz groß* fotoko würdich auch bei mir vorne drauf schreibn, wenn ich panzer wär und dann würdich meine schlankn rohre auf IHN richtn und befehln, rufn sie sofort aus, tod dem faschismus das würde ER bestimmt machn und dann würdich sagn, sagn sie, daß sie ein faschist sind das würde ER nicht machn und dann würd ich mit meine schlankn rohre auf IHN losfahrn und wenn ER in ein haus rennt oder in seine dienststelle, würdich davor in stellung gehn und sagn, gebt IHN raus oder ich schieße das ganze haus in klump und sie würdn IHN rausgebn, weil sie sich ihr schönes haus nicht für ein faschistn kaputtmachn lassn würdn und dann würdich IHN vor mir hertreibn bis vor Mfreds kaserne und würde sagn, gebt Mfred den B raus und sie würdn vielleicht auf mich schießn aber ihre kugln komm durch mein silbernen panzer nicht durch und sie müßtn Mfred rausgebn rocho und dann zwingich IHN, mit Mfred zwei rundn zu boxn, bis ER auf die bretter geht rocho-repocho und immer, wenn Mfred nicht richtig zuhaut, weil er IHM nichts tun will, lang ICH IHM eine mit meine zwei schlankn rohre, daß ER um fällt rochorepochopipoar ER hat nur kraft aber Mfred ist im verein er weiß wo er hinhaun muß, daß es gemein ist bloß im verein darf er nicht aufn magn und die ohrn immer auf die ohrn – Jedenfalls, da hat deine Mutter recht, Manfred, daß du *ihn* haust, das muß! Das ist nicht! Dazu hat hier nur einer das, klar? Wenn *er* anfängt? Stimmt das? Wie ein Idiot geht *er* plötzlich auf mich los. Stimmt das? – wenn Mfred mich nicht rausläßt, wenn ich aufs Clo muß – Das mit Mfred macht *er* auch bloß, um mich zu ärgern. Warum spricht *er* seinen Bruder nicht mit seinem Namen? Der Idiot und dann wundert *er* sich. – hier sagt ja niemand mein nam – Aber das ist doch nicht wahr, Junge. – MAMA ja du aber die nie – Was heißt denn hier die? Ich soll

nie? Also? Das macht *er* immer so, der Idiot, sagt keinen Ton!
Laß den Idiot! – MAMA – Und das mit dem Clo sagt *er* auch
nur, um sein Bettnässen auf mich zu schieben, zehn Jahre und
nicht wissen, wann er aufs Clo muß, das ist doch nicht normal. Jetzt sag mal wirklich, läßt Manfred dich nicht aufs Clo,
wenn du mußt? – MAMA MAMA MAMA wenn er da ist, darf
ich nur aufs clo, wenn er bestimmt er stellt sich einfach vor die
Tür – Der spinnt! Aber wenn wir da sind, kann sich Manfred
doch nicht. Ich sag ja, der spinnt. Nachher bin ich noch
schuld, daß *er* eine Fünf nach der andern schreibt. – wenn ihr
da seid und ich geh aufs clo, ohne ihn zu fragn, haut er mich
später – Der spinnt. Der fängt an. Er geht wie ein Idiot auf
mich los. Du sollst den Idiot lassen, ich hab das schon mal
gesagt! – MAMA – Daß du gegen mich bist, weiß ich. Deine
Mutter ist nicht gegen dich, Manfred. Aber was *er* hier vor-
bringt ist natürlich. Und von Manfred als dem Älteren und
Reiferen hätte ich erwartet, daß er nicht. Jedenfalls wollte ich
so nicht verstanden werden, daß Manfred *ihn* so beauf. Und
in Zukunft will ich da keine Klagen mehr. Und was das
Hauen anlangt, folgender Vorschlag. Ich stifte *ihm* auch ein
paar Boxhandschuhe, und damit kann *er* in Zukunft auf
Manfred losgehen, und dabei lernt *er* gleich etwas von der
Technik. Das kann nicht schaden. Sag Manfred! – Mfred –
Gut, eine Runde. Sag Manfred! – Mfred – Gut, zwei Runden.
Sag Manfred! – Mfred – Gut, drei Runden. – immer auf die
ohrn EIKENNGETTOSETTIFEKSCHIN MICKMAMA springer-
gerhaus vorne raus MICK und Jonn und Bill und die mit ihre
anlage auf dem ICH muß glotzen *Straße gehört der Jugend.
Ein über tausendköpfiger Fanfarenzug von Jung- und Thäl-
mannpionieren, die besten ihrer Freundschaften, führt die
nächsten Marschblöcke an. Mädchen und Jungen mit blüten-
weißen Blusen schwenken mit* ich glotz mir das hier zuende
an ob da auch hilfser bei sind von uns keine samariter grün
strausberger blau schlewski grau ich fahr durch scheiß zapfenstreich schilling gelb alex um auf linje a kloster grau märk
mus weiß spittelmarkt vorne raus springerhaus MICK MICK
ist größer als die andern man sieht ihn sofort auch ist MICK
blond seine haare gehn ihm bis auf die hüftn sie sind auch

wellig und wenn wind ist, stehn sie ab wie bei MAMA er hat
auch so kleine hände sie riechn süß nach WESTKREM und sie
sind warm mit den kleinen gerilltn huckln, wenn sie mich
anfaßt und die nägl glänzn und sind lang und vorn rund sie
soll aufpassen, daß sie nicht kaputtgehn beim gitarrespieln er
soll lieber ein plättchen nehm, sonst kann er mich nicht mehr
aufm rückn krauln, wenn die anfälle komm das ist schön holz
ist schön messer sind schön schlafn ist schön trinken – *Er* darf
einfach nicht mehr soviel trinken, dann wird *er* auch nicht
mehr ins Bett nässen. – ist schön träum ist schön blütenweiße
blusn sind schön weiße blusn sind schön blusn sind schön die
denkn ICH kann nicht mehr träum, weil sie MAMAS bluse
habn, Mfred und DER – Ist dieses Kleidungsstück bekannt?
Aha. Um was für ein handelt es sich? Sehr richtig, eine Bluse.
Eine Mädchenbluse. Welchem Mädchen gehört beziehungsweise hat sie? *Er* weiß es nicht. Manfred, wo hast du diese
Bluse? In seinem Bett unter der Matratze. Was hat es also mit
der Bluse? Nichts, sie liegt in seinem, aber es hat nichts. Sieh
mich an! Was hat es mit der Bluse?! *Er* legt sie immer unters
Kopfkissen. Und dann? *Er* schweigt. Nun gut, fünf Tage kein
und kein, und dann werden wir ja! Ich glaube, die Bluse gehört Mama, dieser Frau. – Mfred der B und VERRÄTER Ach
sie gehört! Das ist ja abnorm. Das ist ja perv! Wie kommst du
zu dieser Bluse von *dieser* Frau? Geklaut wird *er* sie haben,
damals noch. – VERRÄTER – Stimmt das? Gut, weitere fünf
Tage kein und kein und außerdem kein. Was ist noch von
dieser Frau? Rede! Wir durchsuchen dich sowieso – sisiwo
wisiso sosowie sisowie MAMAS taschentuch das findn die nie
das schluck ich runter rocho ich brauches bloß anfassn, dann
kommt MAMA rochorepocho sie kommt und holt mich nach
WESTN rochorepochopipoar sie kommt vom springerhaus
über die mauer und ihre haare gehn ihr bis auf die hüftn die
gitarre hat er bei sich keiner kann ihr was er ist stark ein
schlag auf der gitarre und alle falln um und sie nimmt mich
bei der hand mit den kleinen gerilltn huckln und sie sagt ent-
schuldige bitte, daß ich erst jetzt komme ich mußte mir erst
ein haus und ein auto kaufn es hat zwei zimmer für dich eins
zu schlafn und eins, da steht eine hoblbank und soviel holz

wie du willst aber zuerst fahrn wir nach italien oder wohin und dann hopsich mit ihr über die mauer keiner macht was sie habn angst, weil MICK so groß ist oder sie sehn uns nicht es ist nacht sie will mich rübertragn aber ICH sag ihr, gib mir bloß ein finger ICH springe alleine wie früher springerhaus fingerhaus und er macht es und ICH spring und Jonn und Bill und die fangn an zu spieln EIKENNGETTOSETTISFEKSCHIN rochorepochopipoar und ICH mach für jedn eine gitarre für MICK die beste ICH bin hilfser und blöd und alles und hilfser brauchn sie in WESTN auch nicht aber gitarrn machn kann ICH aus dem bestn holz aus linde ICH hab jetzt ein zimmer und holz und eine hoblbank und ICH bin der größte gitarrnmacher in WESTN aber nicht für stars für alle, die sich keine kaufn könn, aber spieln wolln ICH nehm auch kein geld nur von stars außer von MICK und Jonn und Bill und die Schdons das ist es, was die armen so erbittert und die reichn auf die barrikade treibt *unsern besten Freund aus. Sprechchöre rufen mit kräftiger Stimme: Mit der Jugend jung geblieben* wennich in WESTN bin, darf Mfred nicht mehr B bleiben mit bruder in WESTN wie damals bei IHM, als MAMA da durfte ER auch nicht mehr da mußte ER die dienststelle wechseln deswegn haßt ER MAMA es ist bloß wegn vater Brade dem schreibich, daß es nicht wegn ihm ist wenn alle so wärn, wärich noch da und frau Roth und herr Kuhn und unsre ganze schule und alle hilfser außer Eberhardchen es ist wegn MAMA *leuchtet das Blau der FDJ die Straße herauf. Tausendzweihundert Musiker ziehen an der Spitze der drei Marschblöcke mit zwanzigtausend FDJlern heran. Die eng geschlossenen Reihen der Marschformationen vermitteln ein anschauliches Bild von der Kraft der Jugend, von unserem Tatendrang. Rhythmisches Klatschen von den Tribünen begleitet sie. Da verhält der Zug vor der Ehrentribüne. Die Hymne der Republik steigt, von den vielen Tausend gesungen, in den Himmel. Die mächtigen neuen Bauten ringsherum werfen das Echo zurück. Dann zieht auch die letzte, die machtvolle Marschformation der FDJ, auf der sonnenhellen Straße hinaus – hinaus ins dritte Jahrzehnt unserer* die gehn in richtung springerhaus nachher fängt MICK schon an ICH muß los die wern mich sehn zu hell arschkackpiss auchegal hauptsache ICH bin bis neun wieder da, wenn DER vom dienst kommt sonst schlägt ER mich tot soll ER doch auchegal ich geh zu MICK wenn nicht, das ist verrat ICH kenn die stelle ICH nehm die u oder tram? ich nehm die u samariter grün oder die tram heißt japanich baum tram tram bäume und wald? tramteram teramteramtramtram MAMA ICH kann japanich französich mong cher mong mon mong frer gastrong spuckt mir warte mal spuckt mir also spuckt immer in die bulljong englich scheißampel mit ihr ewiges rot ICH nehm die u die u die diudiudi dudibu *Fahrgäste ohne gültigen Fahrausweis zahlen außer dem Fahrpreis laut Tarif 5 MDN Nachlösegebühr. Modehaus Dorett. Bei Augenqual nur Zaple al. Schöner unsere Hauptstadt – Mach mit! DDR 20 DDR 20 DDR 20 DDR 20 DDR 20. Weiße Schiffe – Frohe Stunden. DDR 20 DDR 20 DDR 20. Ich bin zwanzig. Unsere Besten. Besteigen und Verlassen fahrender Züge lebensgefährlich. Bitte benutzen Sie auch die hinteren* zuch kommt der zuch kommt schön neu der zuch fährt nach alex über strausberger weiß ICH doch bin nicht vons dorf *Nicht öffnen während der Fahrt! Lebensgefahr!* du ißt mich nicht, du trinkst mich nicht du tust mich nichts in kaffe rein du bist mich doch nicht krank MAMA vorm schlafngehn zwei tablettn mit etwas flüssichkeit, wenn vom arzt nicht anders Mein Gott, Junge, warum hast du das bloß getan? – MAMA nicht wegn dir es ist aber besser so – Lebensgefahr! Schwester halten Sie! Wieviel Tabletten waren. Wie kommt das Kind überhaupt? Haben Sie das Testament, er hat ein Testament, er wollte – liebe MAMA es ist besser so meine sachn sind alle für dich du kannst nun auch weg – Aber, Junge, ich will doch nicht weg von dir, ich laß dich doch nicht allein. Stimmt es, daß *er* eine Klassenarbeit bei Frau Schunzilord? – Mfred der B und VERRÄTER – Deine Arbeit ist wieder, Fleischmann. Alle andern. Ich weiß nicht mehr, was ich. Fünfenschreiber. Der Idiot spinnt doch mal wieder. Der hat garantiert den Film gestern mit dem Selbstmord gesehn. Du bist jetzt mal ruhig! Dir haben wir es doch. Du solltest doch. Hab ich nicht gesagt, kein Fern?! Was hat *er* gestern? Keine Ahnung, soll ich vielleicht. Ruhe! Raus! Schon immer gesagt, daß der Einfluß des Westfern *Notbremse!*

Handgriff bei Gefahr ziehen! Leistungen des einzelnen nun mal das Maß für alles in unserer Gesellschaft. Wenn ich auch zugebe, daß manchmal mit allzu großer Härte erzwungen, statt mich rein zeitlich mehr um *ihn.* Aber meine Aufgabe als. Trotzdem der Meinung, daß hier ein Fall von extremer Drük-kebergerei. Indizien wie Klassenarbeit sprechen. Nicht zulassen. Will aber jedenfalls bis auf Wider dahin gehend modi, daß Runter möglich, wenn Manfred. Kein Fern bleibt bestehen, sein Taschenmesser kann *er* wieder, wenn *er* sagt von wem *Bitte benutzen Sie auch die hinteren Wagen!* von Eberhard-chen ICH hab jetzt vielleicht tausend mark schuldn bei ihm oder warte mal dritte klecker dann vier jahre hilfs am tag eine mark für das messer das sind das sind wenn der mich sieht zwanzig stück hat er verpumpt das sind am tag zwanzig mark – Gut, Fleischmann! – das jahr hat dreihundert warte mal also zwölf monate der monat hat war das schon schlewski? samariter grün strausberger blau schlewski grau also das sind dabei war sein vater heilich die bibl oder die heiliche schrift – Mein Vater hat nur heilige Schriften. Sag bloß, du hast noch nichts von der Bibl, ehj? – und adam erkannte sein weib eva und sie gebor IHM zwei söhne kain und abl sind variabl abl und kain wieso kannte ER sein weib nicht? warte mal kain und abl und sie wurdn bauern und da gingen sie zu IHM und brachtn IHM von den früchtn des feldes also korn und rübn und junge schafe abl war schäfer und kain bauer und da sagte ER, was abl hat, gefällt mir, die jungn schafe aber was kain hat nicht warum nicht? ich wußte gleich, daß ER was gegn abl hat abl war auch der kleinere bruder von beidn und da war kain ergrimmt und ER sagte, warum bist du so ergrimmt kain sagte, weil es ungerecht ist und ER sagte, was ungerecht ist, bestimme ich klar? und da war kain noch mehr ergrimmt und das wußte ER und da schlug kain abl tot, der gar keine schuld hatte und da fragte ER, wo ist abl und kain sagte, keine ahnung soll ich vielleicht vielleicht warte mal soll ich vielleicht meines bruders hüter sein? aber da wußte ER schon, daß abl tot war von kain und verfluchte kain und schickte ihn in die wüste und kein geld und nichts und da sagte kain, die schlagn mich tot und da sagte ER, das stimmt und ER machte ein zeichn an kain wahrcheinlich tinte und da durfte keiner kain totmachn, weil ER nämlich gar nichts gegen kain hatte die steckten unter einer decke, sondern gegen abl und kain konnte wegziehn und heiratn und alles und abl war tot was daran heilich sein *Alexanderplatz* raus umsteign oder ICH lauf den rest esbahn rathaus geradeaus springerhaus auf dem dach MICK EIKENNGETTOSETTISFEKSCHIN rochorepochopipoar oder ICH fahr? *Benutzen Sie bitte auch die hinteren Wagen! DDR 20* oder ich lauf *DDR 20* wennich mit links an der treppe, laufich links ist wo der daum rechts ist MAMA *DDR 20* ICH lauf ist auch besser, wenn die bahn steckn oder ICH fahr? ICH lauf ICH hab gesagt ICH lauf also lauf ICH lauf jäger lauf jäger lauf lauf lauf mein lieber jäger *DDR 20* ist ranzich dreißich ist warte mal ist vierzich ist würzich fünfzich ist fünfzich warte mal *DDR 20 DDR 20 DDR 20 DDR 20 DDR 20* masse licht masse leute masse fahn *Eins, zwei, drei, wenn die Partei uns ruft, sind wir* hier kommich nicht durch doch fahrn *haben früh erfahren der Arbeit Frongewalt in düstern Kinderjahren und wurden früh schon alt* masse ausländer hau du ju du im gummischuh sliep ju werri well in jur bettgestell? o werri matsch wat ju sei is kwatsch MAMA ICH kann englich *Wir sind auf dem richtigen Weg! Folgt dem Beispiel unserer Besten! Stärkt die Republik mit Höchstleistungen in Wissen* rathaus bitte melden ICH kann sie nicht sehn hallo *Druschba – Freundschaft! Druschba – Freundschaft! Drusch* masse leute wenn die alle zu MICK masse licht rathaus ICH kann sie nicht sehn ICH bin geblen esbahn! esbahn ist gut esbahn mussich durch esbahn fressbahn *auch der Rhein wieder frei, brechen den Feinden die Klauen, Thälmann ist immer dabei* ernst thälmann ist der war der die faschistn habn ernst thälmann sie habn in buchnwald ernst thälmann spricht zu dem bauern der sich warte mal der sich aufen stock stützt thälmann grüßt freundlich thälmann holt ihn ein und grüßt freundlich thälmann unterhält sich gern mit einfachn menschn was ich über ernst thälmann *DDR 20 DDR 20 DDR 20 DDR 20. Die DDR ist richtig programmiert. Plan der Berliner... Geschlossene Veranstaltung. Der Musterschüler. Nathan der... Trabrennbahn Karlshorst. DDR – Sozialismus! DDR Sozialismus! Eins, zwei, drei, vier, Klasse!* die könn brülln

Sieger der Geschichte B sind auch hier Mfred ist B sperrn ab laß sie was ich über den neuen fernsehturm der neue fernsehturm in der Hauptstadt der ddr berlin sagan mein kind sorau der wind wien berlin wieviel städte das sind vier MAMA masse leute masse licht das sehn sie auch in WESTN in WESTN habn sie kein so hohn fernsehturm wie der fernsehturm in der hauptstadt der ddr mit seinen mit seinen warte mal zweitausenddreihundertvierunddreißig metern der größte in rathaus bitte komm ich seh sie jetzt danke rathaus *Erfolg haben ist Pflicht! Die sozialistische Menschengemeinschaft ist unser größter Erfolg! Schöner unsere Hauptstadt – Mach mit DDR 20* masse fahn masse lärm *grüßen wir den Vorsitzenden des . . . haben Platz genommen die Mitglieder des . . . hurra hurra hurra und die Kandidaten des . . . und den Sekretär des . . . wir begrüßen den Stellvertreter des Vorsitzenden des . . . hurra hurra hurra und den Stellvertreter des Vorsitzenden . . . weiterhin den Vizepräsidenten des . . . drei, vier, Klasse! Wenn die Partei uns ruft . . . und andere hervorragende Persönlichkeiten . . . den außerordentlichen Botschafter . . . und die Delegationen ausländischer Jugendorganisationen, unter ihnen mit besonderer Herzlichkeit . . . Liebe Freunde und Genossen! Liebe Berliner! PGH Hans Sachs* schöne schuhe *Bowling* bowling ist, wenn also bowling ist warte mal das ist ein verfahren zur arschkack schon dunkl ist ja schon dunkl scheiß masse licht schon dunkl wars der mond schien helle als ein auto blitzeschnelle langsam um die ecke drinnen saßn B was machn die hier fahrn auto laß sie ICH muß renn schon dunkl MICK ICH komm! drinnen saßn drinnen saßn warte mal stehend leute schweigend ins gespräch als ein totgeschossner hase übern über also er lief geradeaus springerhaus B masse B – Hau ab hier, Kumpel! – wieso ICH – Hau ab, ist besser! Die lochn uns ein! – wieso MICK – Mick ist nicht, keiner da. – MICK kommt – Siehst dun? War alles Spinne. Die drübn habn uns beschissn! MICK kommt du spinnst der haut ab schöne lange haare hat er sie gehn ihm bis auf die hüftn wenn wind ist, stehn sie ab da sind welche masse leute B auch B sperrn ab lösn auf drängeln ab Mfred was machn die mit den leutn was machn die leute nosse unterleutnant! der leutnant von leuten befahl seinen leuten nicht eher zu MAMA die wolln uns nicht zu MICK – Die habn uns beschissn, Kleiner! – MICK hat mir ICH will zu – Wie alt bistn du? Hau ab hier! Das ist ernst! – was machn die B drängeln ab ICH will nicht wohin solln wir Spree oder was die machen ernst aufhörn – Power to the people. Ist doch Scheiße! Gehn Sie weiter. Wohin denn? Laßt uns raus! I like Mick! Halt doch die Klappe, Kumpel! Die habn was gegen uns. Ich auch gegn die. Ruhe. Fressen halten! Sie können uns hier nicht! Gehn Sie weiter! Mir ist. Geh zu Mama, Bauch waschen! – die habn die habn ja knüppl die habn ja knüppl draußn was wolln die – Dreimal darfste raten! Die wolln uns! Ruhe bewahren! Nicht provozieren! Gehn Sie weiter! Wohin denn? Lassen Sie uns! Hat kein Zweck, die. Wir solln in die Ruine! Die wolln uns in die Ruine. Nicht in die Kirche schiebn lassen! Damit sie uns! Aufhörn! Amen! Friede sei mit euch! – kirschners kleener karle konnte keene kirschen kaun MAMA die wolln uns und in die machn ernst die drängln uns in die kirche ich kenn die die hat kein dach mehr die haun uns die haun uns in die kirche die haun auf die köpfe aufhörn die dürfn nicht MAMAMICK – Hautse, hautse immer auf die Schnauze! Ruhe! Haltet die Fressen. Was haben wir denn? Nicht wehren! Säue! Genossen, wir! Halten Sie den Mund! – MAMA wir sind drin ICH war noch nie inner kirche darf keiner kein was tun wir sind heilich lieber gott die haun auch die mädchen die haun alle die haun die dürfen doch nicht – Nicht wehren! Hinlegen! Legt euch hin! Hände übern Kopf! Wehren! Wehrt euch! Singen! Wacht auf, Verdammte dieser . . . Deutschland, Deutschland über . . . Power to the people . . . – die singn oh du lieber augustin alles ist MAMA die haun MICK – Wir müssen brülln! Alle brülln, dann hörn sie uns draußen! Brüllt! – arschkackpissrepochopipoaaaaar Mfred! da ist Mfred der B! er haut inner kirche darf keiner kein Mfred! Manfred! MANFRED! hier! ICH! ICH BIN HIER DEIN BRUDER! nicht haun mehr ICH BIN HIER! MANFRED! herkomm! hier nicht haun man du sau

Klaus Schlesinger

Am Ende der Jugend

Kurz bevor ich aufwachte, hatte ich einen Traum. Ich sah
mich im Zimmer meiner Eltern, auf dem Bett sitzend, jemand
hämmerte gegen die Wohnungstür, und eine Stimme, die mir
bekannt vorkam, rief meinen Namen. Ich wollte zur Tür, war
aber wie gelähmt. Angst befiel mich, ganz plötzlich, ohne daß
ich hätte sagen können, worauf sie sich bezog. Das Pochen
wurde stärker, ich wendete unter unendlicher Mühsal den
Kopf, und mir wurde klar, daß die Geräusche nicht von der
Wohnungstür kamen, sondern aus der Standuhr, aus dem In-
nern der Standuhr, deren Verkleidung plötzlich aufsprang,
und heraus trat eine kleine muskulöse Gestalt, die mich mit
einem froschähnlichen Satz ansprang und mit ihren tätowier-
ten Armen meinen Hals zu würgen begann. Ich hatte Mühe
Luft zu holen, fiel irgendwann durch eine lilaschwarze Leere
und stand in einem Raum, der mir wie ein Schulzimmer vorkam. Er war voller Menschen; die meisten von ihnen kannte
ich, ohne daß ich hätte sagen können, wer sie seien. Ich saß
auf einer Bank, flankiert von zwei Wächtern. Hinter dem
Katheder stand eine Frau in schwarzem Kostüm, sah mit
ernstem, fast strengem Blick zu mir herüber und fragte mich,
wer ich sei.
— Ich heiße Gottfried, sagte ich, indem ich aufstand, bin 24
Jahre alt und technischer Assistent am Institut für Serologie.
— Setzen Sie sich, sagte die Frau, in der ich nun meine frü-
here Englischlehrerin erkannte.
Martin erkannte ich sofort. Er stand im Gespräch mit ein
paar Leuten und tat sehr entschlossen. Als er sah, daß ich ihn
beobachtete, senkte er seine Stimme und kam dann zu mir
herüber. Er beugte sich über die unbeteiligt ins Leere blicken-
den Wächter und sagte, daß jeder im Raum es hören konnte:
Mach dir keine Sorgen! Ich werde auf jeden Fall bezeugen,
daß du in der fraglichen Zeit bei mir warst! — Alle sahen auf

Martin, der nun, über die Wächter hinweg, die Hand nach mir ausstreckte und sie auf meine linke Schulter legte. Im ersten Moment spürte ich Erleichterung, die aber sofort einer Bestürzung wich, wie wenn etwas verletzt war in mir, ein sehr großes, ehrliches Gefühl, aber da war wieder das Klopfen, und ich wachte auf, wußte, daß ich geträumt hatte, wollte aufstehen und die Tür öffnen, fiel für einen Augenblick wieder zurück, stand abermals im Klassenzimmer, sah Martin in die Augen, wußte nun auch, weshalb ich so bestürzt war, lehnte mich auf, redete etwas in den Raum hinein, ganz laut und gut artikuliert, wachte dann wieder auf durch das Klopfen, rollte mich seitwärts aus dem Bett und stand taumelnd im Zimmer. Marie lag im Bett und schlief noch. Wenn ich sie je um etwas beneidet habe, dann war es ihr tiefer Schlaf.

Ich schleppte mich zur Wohnungstür, sah durch die Vorhänge, daß heller Tag war, dachte, daß draußen eigentlich nur Martin stehen konnte, war aber nicht überrascht, als es Rosenberg war.

– Sei bitte still, sagte ich, Marie schläft noch.

– Was denn, flüsterte er, es ist gleich Mittag, ihr versäumt ja das Wichtigste, oder wißt ihr noch gar nichts?

– Komm rein, sagte ich, aber sieh dich nicht um.

In meinem Kopf war ein dumpfer Druck, ich kam mir wie ausgelaugt vor, nur dieser Traum war da, verschwommen zwar, aber wie auf der Lauer, bereit, mich jederzeit anzuspringen. Rosenberg stand da und wechselte periodisch sein Standbein. In seiner massigen Gestalt steckte eine Unruhe, die ich sonst nur an ihm bemerkt hatte, wenn er an einem neuen Arbeitsthema saß.

– Willst du einen Kaffee, fragte ich.

– Nein, danke, sagte er, ich bin nur auf einen Sprung hier. Ich habe Bereitschaft im Institut.

– Wieso Bereitschaft, fragte ich und zog die Vorhänge vom Fenster zurück. Draußen zog eine Wolkenfront über den Himmel und färbte die Hauswand gegenüber grau. Wir wohnten damals im vierten Stock, Hinterhaus, Klosett auf dem Hof, eine hundskalte Wohnung im Winter, aber jetzt war es August. Es war unsere erste Wohnung nach der Heirat, ein Zimmer, Küche und drei Außenwände, aber wir waren froh, daß wir überhaupt etwas Eigenes hatten. Im nächsten Winter, als das Kind da war, mußten wir allerdings ausziehen: Es war nicht mehr auszuhalten vor Kälte. Rosenberg selber hatte das in die Hand genommen, wir waren bei zwei Kommissionen, die uns alles andere als Hoffnung machten, zwei, drei Jahre würde es mindestens dauern, Kollegen, bei *der* Wohnungssituation! Wenn ihr wüßtet, was wir für Fälle haben, sagte der Vorsitzende seufzend und sah mich derart strafend an, daß mir mein Fall wie eine Bagatelle vorkam. Ich wollte schon aufstehen, aber Rosenberg drückte mich wieder auf den Stuhl und begann noch einmal alles zu erklären: die Kälte, das Kind, drei Außenwände, unverputzt. Und als das Gesicht des Mannes unbewegt blieb, sagte Rosenberg Genosse zu ihm, Genosse Vorsitzender, und dann noch etwas, das mir gar nicht so bedeutend erschien, aber als wir hinausgingen, hatten wir die Adressen zweier Wohnungen.

– Wieso Bereitschaft, fragte ich Rosenberg.

– Du weißt also noch nichts?

– Nein, sagte ich, was ist denn nur los.

– Die Grenzen sind zu. Heut früh ging's los. Um eins.

Ich ging an Maries Bett und weckte sie. Sie setzte sich auf und war sofort wach.

– Hallo sagte sie und nickte Rosenberg ohne Verwunderung zu.

– Ich wollte eigentlich nur sehen, ob ihr noch da seid, sagte Rosenberg, nicht ohne Ironie.

– Achgott, sagte ich, ich dachte, wir kennen uns besser.

– Ich hab schon Pferde kotzen sehn, sagte er.

– Was ist denn los, fragte Marie endlich.

– Halten Sie sich fest, sagte Rosenberg, die Grenzen sind zu.

Marie sah mich an, und ich hatte das Gefühl, sie war erleichtert. Der Teekessel begann zu pfeifen, ich ging in die Küche und goß Wasser auf den Kaffee, räumte Tassen und Gebäck auf das Tablett und trug es ins Zimmer. Seit Marie schwanger war, machte ich am Wochenende das Frühstück.

Ich deckte den Tisch, bekam plötzlich einen starken Widerwillen, etwas zu essen, goß Kaffee in die Tassen. Rosenberg sagte: Nur einen Schluck, ich muß wirklich weiter.

Ich sagte: Wir kommen auch gleich mit!

Marie stöhnte und sagte: Du, ich fühl mich nicht so, ich hör's mir im Radio an.

Wir tranken die Tassen leer, ich küßte Marie auf die Wange, dann gingen wir hinunter. Die Treppen zitterten unter Rosenbergs schwerem Körper. Er lief vor mir, und ich sah den spärlichen Haarwuchs auf seinem Hinterkopf. Rosenberg war im Mai vierunddreißig geworden. Wir hatten im Institut gefeiert, und jemand hatte mir seine Geschichte erzählt: Halbjude, die letzten zwei Jahre unter Hitler illegal gelebt, dann Polizeidienst, ABF, Biologiestudium und mit zweiunddreißig das Diplom. — Rosenberg war eigentlich der erste, zu dem ich — Martin natürlich ausgenommen — Kontakt bekam im Institut. Es war etwas in seinem Wesen, das diese Distanz, wie sie Doktor Weiß oder der Professor zum technischen Personal hatten, als unnatürlich empfand. In gewissen Momenten hatte er sogar etwas Brüderliches.

Auf dem letzten Treppenabsatz blieb Rosenberg stehen, wandte sich um und sagte: Und dein Freund Martin?

Ich sagte: Der wird zu Hause sein.

— Na, sagte Rosenberg, hoffentlich!

Im Hausflur verabschiedeten wir uns.

— Sehen wir uns noch, fragte er.

— Vielleicht, sagte ich, und gab ihm die Hand.

Er lief durch die Tür, ich nahm die Zeitung aus dem Briefkasten, warf einen Blick auf die Titelseite, las BESCHLUSS DES MINISTERRATES DER DEUTSCHEN DEMOKRATISCHEN REPUBLIK in großen schwarzen Buchstaben, schlug die nächste Seite auf, DEM FEIND KEINEN FUSSBREIT BODEN, faltete die Zeitung zusammen und steckte sie wieder in den Kasten zurück. Dann trat ich auf die Straße.

Ich weiß nicht, ob ich die Stadt jemals wieder so gesehen habe wie an diesem Tag. Dabei hätte ich nicht sagen können, woran es lag; es war ja alles unverändert, diese graue lange Straße, die stummen mächtigen Häuser mit ihren bröckligen Fassaden – alles unverändert und doch auf eine schwer faßbare Weise anders, nicht nur, weil ich, außer an Staatsfeiertagen, noch nie so viele Menschen auf den Straßen gesehen habe, die eilig und meist in Gruppen in Richtung Grenze liefen: Ehepaare, fest untergehakt, als könnten sie sich verlieren, ganze Familien, Großeltern, Eltern, Kinder, in den Gesichtern – ob sie nun Zorn oder Triumph zeigten – etwas Einendes, allen Gemeinsames, ja, es war die gleiche Ungläubigkeit in den Gesichtern der Menschen, die an mir vorbei zur Grenze zogen.

Mein Herz klopfte, und obgleich ich mir sagte, daß ich im Grunde mit der ganzen Sache nichts zu tun hätte, war in mir ein ähnliches Gefühl wie damals, vor drei, vier Jahren, als ich von zu Hause, aus Neustrelitz, hier ankam, mit zwei Koffern in der Hand auf dem Bahnhofsvorplatz stand, vergeblich nach Martin Ausschau hielt, der versprochen hatte, mich abzuholen, und immer wieder den Brief des Professors las, daß meine Bewerbung akzeptiert sei, mir Arbeitsplatz und Wohngenehmigung zur Verfügung stünden und daß er sich persönlich sehr auf meine Mitarbeit freue.

Auch ich freute mich, schon wegen Martin, der ein halbes Jahr vor mir nach Berlin gegangen war und auf dessen Empfehlung sich der Brief des Professors bezog, fühlte mich aber dennoch fremd und unbehaglich, als ich auf dem Bahnhofsvorplatz stand, vor diesen Straßen, vor diesen Häusern, die grau und bedrückend auf mich wirkten, fast feindlich, und dann die Autos, die Straßenbahnen, die Menschen, einfach alles, ein unbehagliches Gefühl, das erst verschwand, als Martin auftauchte, verspätet, wie immer, und mit einem Taxi, aber er stieg so ruhig aus, als käme er lange vor der Zeit.

Ich stieg an der Ecke in die Straßenbahn, fuhr bis Pankow und ging durch baumbestandene Straßen mit Vorgärten und kleinen Häusern, die mich in dieser Stadt noch am ehesten an Neustrelitz erinnerten. Eine halbe Stunde später stand ich vor Martins Wohnungstür. Ich klingelte, aber niemand öffnete, und entdeckte erst dann den kleinen Zettel, der hinter das Namensschild gesteckt war. Mit Mühe konnte ich entziffern, daß Martin in der HÜTTE war.

Ich lief hinunter, traf im Hausflur Frau Erlwein, Martins Nachbarin, eine freundliche alte Frau, die uns manchmal mit Tee oder Zucker aushalf.

– Guten Tag, Frau Erlwein! rief ich, haben Sie meinen Freund gesehen?

Sie blickte mich an, als würde sie mich zum ersten Mal sehen.

– Meinen Freund Martin, wiederholte ich.

– Soldaten, sagte sie flüsternd, überall Soldaten.

– Ich bin Martins Freund, Frau Erlwein, sagte ich.

– 's kommt Krieg, flüsterte sie drohend und wie zu sich selbst, zog die verschlissene Tasche an ihren Körper und ging hinauf, als hätte sie mich gar nicht bemerkt.

Ich fuhr zurück, stieg am Bahnhof Schönhauser aus und lief die paar Schritte bis zur HÜTTE, die nachmittags Kaffeebetrieb und abends Tanz hatte, aber die Jalousien waren herabgelassen, und mir fiel ein, daß sonntags je RUHETAG war und Martins Zettel sich auf den gestrigen Abend bezogen haben mußte.

Gegenüber stand eine Telefonzelle. Ich fragte ein älteres Ehepaar, das an mir vorüberging, ob es ein 50-Pfennig-Stück in Groschen wechseln konnte, aber der Mann schüttelte wortlos den Kopf. Ich suchte noch einmal in meinen Taschen, fand doch noch zwei Zehnpfennigstücke, ging in die Zelle und wählte die Nummer von Manfred Schwager.

Schwager war Filmschauspieler, ich kannte ihn aus der HÜTTE, wo er manchmal auftauchte, meist nach den Dreharbeiten und immer mit ein paar Mädchen am Arm. Zwei- oder dreimal waren Martin und ich nachts mit zu ihm nach Hause gegangen.

– Hallo, sagte eine matte Stimme.

– Frau Schwager, sagte ich, hier ist Gottfried...

– Herr Gottfried, sagte Frau Schwager schnell, gut, daß Sie anrufen. Haben Sie eine Ahnung wo mein Mann ist?

– Ihr Mann? sagte ich verwirrt.

– Ja, sagte sie, er wollte noch nachts zurückkommen vom Drehen, aber bis jetzt hat er sich nicht gemeldet.

– Keine Ahnung, sagte ich, ich bin auch gerade raus aus dem Haus.

– Herr Gottfried, sagte Frau Schwager, ich bitte Sie um eins! Gehen Sie bei Kauffeld vorbei und sehen Sie nach, ob er dort ist.

– Frau Schwager, sagte ich, ich kenne ja keinen Kauffeld.

– Der Regisseur, sagte sie ungläubig, der Regisseur Kauffeld!

– Nein, sagte ich, kenne ich nicht.

Ihre Stimme wurde ganz hoffnungslos.

– Was soll ich denn machen, sagte sie. Ich trau mich ja gar nicht vom Telefon weg.

– Er wird sich schon melden, sagte ich, bestimmt!

Durch den Hörer drang ein merkwürdig fauchendes Geräusch, und ich rief erschrocken: Frau Schwager!, und merkte erst an ihrer erstickten Stimme, daß sie weinte.

– Wenn ihm was passiert ist, sagte sie und schluchzte, mein Gott, die Kinder! Es war klar, was sie befürchtete, und ich war mir nicht sicher, ob sie nicht recht hatte, aber wir irrten uns beide. Ein halbes Jahr später spielte Schwager einen Kampfgruppenmann, der seine Freundin hindert, über die Grenze zu gehen.

– Was soll ihm denn passieren, sagte ich ins Telefon und gab meiner Stimme einen möglichst unbesorgten Klang, vielleicht versucht er gerade jetzt anzurufen.

– Meinen Sie, fragte sie unsicher.

– Bestimmt, sagte ich, aber sie hatte schon aufgelegt.

Ich ging die Schönhauser hinunter, ließ mich, ohne festes Ziel, durch das Menschengewühl treiben, sah in Schaufenster, aber ich sah eigentlich nichts, jemand stieß mich an, ohne Absicht vermutlich, aber ohne Entschuldigung. Ich wechselte unter den Trakt der Hochbahn, die sich grau und fest über die Straße wölbte, eine Art stählerner Schutzschirm,

Straßenbahnen fuhren vorbei, olivgrüne Militärlastwagen, auf denen Uniformierte saßen mit eisernen Mienen. An der Dimitroff sprang mir ein Transparent ins Auge, das Weiß auf Rot ALLE KRAFT ZUR LÖSUNG DER ÖKONOMISCHEN HAUPTAUFGABE forderte, und ich bog rechts ab, die Eberswalder hinunter, vorbei an der Post am Stadion. Überall dasselbe Bild, Sperrketten bewaffneter Kampfgruppen und auf beiden Seiten Menschen.

Ich spürte eine körperliche Sehnsucht nach Marie, schlug die Richtung nach Hause ein, lief instinktiv die Straßen in Grenznähe entlang, Kremmener, Rheinsberger, Anklamer, überall Menschen vor bröckelnden Fassaden, Kopfschütteln und heftige Armbewegungen. An einer Ecke standen Frauen und sahen hinüber auf die andere Seite. Eine rief: Verwandte ersten Grades dürfen immer, Verwandte zweiten Grades nur auf Genehmigung! während eine andere wölfische Blicke um sich warf und gezwungen zu lachen begann.

– Nee, nee, sagte eine Dritte, im Radio habe ich gehört... Sie dämpfte ihre Stimme, als ich vorüberging.

Ich spürte Müdigkeit in den Beinen, wollte schnell zu Marie, lief zur nächsten Straßenbahnhaltestelle und fuhr die drei Stationen bis nach Hause. Als ich um die Ecke ging, griff jemand nach meinem Arm und hielt mich fest. Ich riß ihn aus der Umklammerung, sprang instinktiv zur Seite, als ich sah, daß es Martin war, der neben mir stand.

3

Wir gingen in eine Kneipe gegenüber. Der Raum war überfüllt, es war laut und heiß, Rauch stand über den Köpfen. Wir zwängten uns an einen Tisch, an dem gerade zwei Plätze frei wurden, versuchten lange Zeit vergeblich, die Aufmerksamkeit des Kellners auf uns zu ziehen, hatten dann endlich Bier vor uns stehen und tranken uns zu.

Es war merkwürdig, aber seit ich Martin getroffen hatte, war meine Spannung gleich Null, das Bedürfnis zu reden verschwunden, wie wenn es nichts mehr gab, was problematisch sein konnte, sogar der dumpfe Druck in meinem Kopf hatte nachgelassen, und eine wohltuende Ruhe kehrte in meinen Körper zurück.

– Du warst in der HÜTTE, fragte ich Martin.

Er trank erst, bevor er antwortete.

– Gestern abend. Aber wir sind noch weitergezogen. Ich hab woanders geschlafen, aber frag mich nicht wo.

– Und Grit, fragte ich.

– Schluß, sagte er, seit gestern. Es ging ein halbes Jahr gut, aber jetzt ist es einfach zu Ende.

Er schien eher bedrückt als erleichtert, trank sein Bier aus und winkte abermals nach dem Kellner. Mein Glas war noch halbvoll.

– Wir haben bis mittags geschlafen. Rosenberg kam und hat es uns gesagt. Und du? –

– Hör auf, sagte er und winkte ab, ich hab's im Radio gehört. Ein beschissener Tag!

Er rief wieder nach dem Kellner, und ich lehnte mich für einen Moment zurück, wischte mir den Schweiß von der Stirn, als mir jemand die Hand auf die Schulter legte. Neben mir stand ein älterer hagerer Mann und sah mit Augen, wie sie Betrunkene haben, auf mich herab. Sein Hemd war durchgeschwitzt und hin an seinem Körper herunter.

– Die machen was mit uns, wa? – sagte er mit einer schleppenden, aber kräftigen Stimme.

Mir war nach allem anderen zumute als nach einem Gespräch, schon gar nicht in einer Kneipe und mit einem Angetrunkenen. Ich zog meine Schulter weg, brummte so etwas wie Jaja, du hast schon recht, und drehte mich ein wenig herum. Der Mann zögerte einen Augenblick, drehte sich dann aber auch weg, und ich dachte schon, wir wären ihn los, als er Martin erblickte und leicht schwankend auf ihn zuging.

– Dreiundzwanzig Jahre, sagte der Mann zu ihm, dreiundzwanzig Jahre war ich da. Fritz Lenk, Bauunternehmen, Charlottenburg. Kennste sicher.

Martin schüttelte den Kopf. Ich dachte noch, das war ein Fehler!

– Nein, sagte Martin, kenn ich nicht.

– Polier war ich, sagte der Mann. Das kennste aber? Stunde viersiebzig.

Martin blieb stumm, sah dem Mann aber in die Augen.

– Kongreßhalle, kennste doch, ja? Hab ich gebaut, sagte der Mann und stieß seinen Zeigefinger auf das schweißnasse Hemd.

Martin nickte.

– Ach, sagte der Mann und ließ seinen hageren, sonnengebräunten Arm abwehrend durch die Luft sausen: Ich sag dir, alles Verbrecher...

– Wen meinen Sie denn? fragte Martin.

Ich verstand ihn nicht. Was hatte es für einen Zweck, in einer Kneipe ein Gespräch anzufangen, und dann noch mit einem Angetrunkenen?

– Na, du machst mir Spaß, sagte der Mann und schüttelte verständnislos den Kopf.

– Hör auf! sagte ich zu Martin, das hat doch keinen Zweck. Du kannst doch jetzt keine Diskussion anfangen.

Martin hörte nicht. Er sah aufmerksam auf den Mann. Ich hatte das Gefühl, er nahm ihn ernst.

– Polier war ich, hörst du. Dreiundzwanzig Jahre. Und jetzt zerhaun die die Stadt.

– Hören Sie, sagte Martin, so können Sie das nicht sehen...

Der Mann fiel ihm ins Wort.

– Wo kommste denn her, Mann, wo biste denn her. Bist du denn überhaupt Berliner, du, bist du Berliner!

– Das hat doch nichts mit der Sache zu tun, sagte Martin geduldig, ob ich Berliner bin.

– Doch, schrie der Mann, doch!

– Aber diese Stadt, sagte Martin eindringlich und ernst, war schon seit fünfzehn Jahren geteilt, seit wir diesen beschissenen Krieg verloren haben uns...

– Hör mir auf mit dem Krieg! sagte der Mann laut. Ich hab dich gefragt, ob du Berliner bist.

– Nein, sagte Martin, wenn Sie es genau wissen wollen, ich bin kein Berliner.

– Dann halt deine Fresse, sagte der Mann trocken. Die haben die Stadt zerhaun, die Verbrecher, und wenn du wissen willst, wen ich meine, dann kann ich's dir auch sagen. Das sag ich ganz laut, hörst du, das ist mir scheißegal. Dreiundzwanzig Jahre war ich bei Lenk, hörst du, mir kannst du nischt weismachen.

– Hör uff, Kalle, sagte eine Stimme am Nebentisch. Du redst dir um Kopp und Kragen!

– Quatsch, sagte der Mann, der Kalle hieß, das kann jeder hören. Den Spitzbart meine ich, den Spitzbart!

In der Kneipe war es ganz still. Alle sahen zu uns herüber. Der Mann stand jetzt kerzengerade vor Martin, und ich fand, er sah gar nicht mehr betrunken aus. Schweiß schoß mir ins Gesicht. Ich wünschte, wir kämen so schnell wie möglich aus dieser Kneipe hinaus, aber Martin schien nichts von allem zu bemerken.

– So können Sie die Sache nicht sehen, sagte er. Aber wenn wir uns unterhalten wollen, dann müssen wir schon sachlich bleiben.

Er sagte das, ohne die geringste Spur von Erregung, ja, mit beinahe freundlichem Ton, und der Mann schien zu stutzen, seine Schultern senkten sich unmerklich, und sein Gesicht, das eben noch verkrampft und wie von Haß erfüllt war, nahm einen interessierten Ausdruck an. Wahrscheinlich wäre alles noch gutgegangen, hätte nicht die Stimme am Nebentisch gesagt: Paß uff, Kalle, das is 'n Hundertfuffzichprozentiger!, und der Mann, irritiert durch den Einwurf, plötzlich abwinkte und: Ach, leck mir die Bollen! schrie, und ein anderer, ich weiß nicht wer, Martin, der gerade zum Glas griff, anstieß, so daß das Bier sich breit und gelb über das Tischtuch ergoß und das Glas herabfiel und mit klirrendem Geräusch zersprang. Wir sprangen auf, sahen uns im gleichen Moment umringt, wütende, haßerfüllte Gesichter, die bedrohlich näherrückten, jemand stieß mich von hinten, ich fiel gegen Martin, der sich nur mit Mühe halten konnte, aber dann rief eine Stimme: Hört auf, verdammt! Es war der Wirt, der nun vor uns stand und: Raus hier! sagte, wenn ihr Streit anfangen wollt, dann nicht in meinem Lokal, und jetzt wird gezahlt und dann ab! Ich zog Geld aus der Tasche, reichte es dem Wirt und zog Martin, der nur widerstrebend folgte, zur Tür. Ich wußte, es hatte keinen Zweck, und war im Grunde froh, daß es so glimpflich verlaufen war, und erst auf der Straße sah ich, daß Martin verletzt war.

— Mensch, du blutest ja! sagte ich erschrocken, aber als ich ihm mein Taschentuch hinhielt, lachte er, erstickte fast vor Lachen, aber es war ein unnatürliches, gezwungenes Lachen, so daß ich nicht wußte, ob er weinte, wenngleich ich mir einen weinenden Martin einfach nicht vorstellen konnte. Schließlich nahm er das Taschentuch, das ich noch immer in der Hand hielt, lehnte sich gegen eine Hauswand, seine Schultern zuckten leicht und arhythmisch, und dann drehte er sich herum und war wieder ganz normal.

4

Gegen vier Uhr waren wir am Institut. Das Klinikgelände war von Kampfgruppenleuten bewacht, aber ich kannte einen von der Gewerkschaft, und wir kamen ungehindert durch das Tor. Auf der Treppe kam uns Racholl entgegen. Er hätte es eilig, müsse zur Anleitung, aber wir sollten unbedingt bei ihm vorbeischauen, unbedingt! rief er uns zu. Racholl war mit Martin ganz gut bekannt.

Oben stand Rosenberg; man sah ihm an, er freute sich, daß wir gekommen waren. Es seien außer uns noch drei andere Kollegen gekommen, spontan, sagte er bedeutungsvoll, sah Martin dabei an, entdeckte die Wunde: Was ist denn mit Ihnen los? Martin winkte ab und ging zum Apothekenkasten. Doktor Schnabel kam aus dem Assistentenzimmer, hinter ihm einer der Doktoranden und Messemer, ein blasser aufgeschossener Laborant, der nebenher Gedichte schrieb.

— Was ist denn passiert, fragte Rosenberg noch einmal, und ich erzählte ganz kurz unser Erlebnis und bemerkte dabei Martins verzogenes Gesicht, als Doktor Schnabel die Wunde auswusch.

— Es ist nur ein Hautriß, sagte er.

Ich ging ins Labor. Alles stand so, wie ich es gestern verlassen hatte. Ich weiß noch, daß ich dabei so etwas wie Befriedigung empfand, wie wenn man etwas findet, was sich als un-verrückbarer, absolut sicherer Wert herausstellt. Ich sah aus dem Fenster. Unter mir lag der Park zwischen der Chirurgie und der Neurologie. Der Rasen wirkte verstaubt, die Blätter der Bäume waren gelb an den Spitzen. Auf dem Weg stapfte eine Kolonne Grenzsoldaten in Richtung des S-Bahn-Traktes, der das Klinikgelände westlich abschloß und auch Grenzlinie war. Die Soldaten hatten Marschgepäck, Maschinenpistolen hingen über ihre Schultern. Bei jedem ihrer Schritte wirbelte eine Staubwolke über den Weg.

Ich wischte ein Stäubchen vom Dach der Analysenwaage und ging wieder zu den anderen. Messemer hatte Tee ge-kocht, auch ich nahm mir ein Glas und goß es voll. Rosen-berg, der eine Vorliebe für bedeutungsvolle Sätze hatte, hob sein Glas und sagte: Ich glaube, dieser Tag ist der wichtigste, seit dieser Staat gegründet wurde, ja, vielleicht ist er sogar die wirkliche Geburtsstunde des deutschen sozialistischen Staates.

Niemand widersprach. Wir schwiegen eine Weile, pusteten auf die Gläser, um den Tee abzukühlen; dann begann Doktor Schnabel zu reden. Er war, wie wir, durch die Stadt gelaufen, seit dem frühen Morgen schon, war die ganze Grenze abge-laufen, von Wilhelmsruh bis zum Potsdamer Platz. In Pan-kow hatte er gesehen, daß man vergessen hatte, ein Eckhaus zu besetzen, und die Leute eine ganze Stunde lang durch die Tür auf unserer Seite hinein und durch die andere Tür drüben wieder hinausgegangen sind.

Der Doktorand hatte gehört, daß in der Bernauer, in der die Häuserfront der einen Straßenseite noch zu uns, der Geh-steig davor aber schon zum Westen gehörte, Leute aus dem Fenster gesprungen waren, auf Matratzen und Federbetten, und einer sogar aus dem vierten Stock, allerdings daneben...

— Mein Gott, sagte Doktor Schnabel und griff sich an die Stirn, er hat fünfzehn Jahre Zeit gehabt, über die Straße zu gehen, und hat es nicht getan, und dann springt er aus dem vierten Stock!

— Es ist einfach Panik, sagte ich, sicher ist es Panik.

— Dabei hat man sich an den fünf Fingern abzählen können, daß kurz über lang dicht gemacht wird, sagte Rosenberg. Kein vernünftiger Mensch hat doch geglaubt, daß wir uns das noch lange mitansehen.

– Die letzte Zeit waren es täglich dreitausend, sagte der Doktorand, und die Kurve stieg noch an.

– Ach, sagte Doktor Schnabel, trauen Sie nicht der Propaganda.

– Na, jetzt ist sie jedenfalls auf der Null, sagte Rosenberg trocken. Wir lachten, bis auf Martin und den Laboranten.

– Ich weiß nicht, sagte Messemer leise, wie Sie darüber lachen können. Verstehen Sie, ich bin ja nicht dagegen. Ich meine nur, hinter jedem Menschen, der weggeht oder sogar aus dem Fenster springt, da steckt doch ein Schicksal... Ich meine, jeder ist doch was und hat... na ja... hat gewisse Rechte... ja... über sich und sein Leben, meine ich.

Messemer kam ins Stocken.

– Kommen Sie mir nicht mit diesem bürgerlichen Kram, sagte Rosenberg bestimmt. Freizügigkeit und ähnliche Sachen, wenn ich das höre! Die haben uns systematisch kaputt machen wollen! Das war Klassenkampf, und da hört bei mir der Spaß auf!

Messemer wurde rot im Gesicht und brachte kein Wort mehr heraus.

– Versteh doch, sagte Doktor Schnabel zu Rosenberg, er ist doch im Prinzip dafür, er meint doch nur das Individuelle und das Gesellschaftliche, und daß da ein Widerspruch...

Rosenberg ließ ihn nicht ausreden. Er sah auf Martin, der bisher geschwiegen hatte.

– Was meinen Sie? fragte Rosenberg.

Martin sah ihn an. Sein Gesicht hatte einen merkwürdig traurigen Ausdruck.

– Bitte, sagte Rosenberg, Ihre Meinung interessiert mich sehr.

– Komm, hör doch auf, sagte Schnabel besänftigend, aber Rosenberg reagierte nicht, hielt seine runden blaßblauen Augen weiterhin auf Martin geheftet, als glaubte er, er müsse ihn zwingen zu sprechen, in diesem Moment und in keinem anderen. Ich hatte mich oft gefragt, ob Rosenberg Martin gern mochte. Daß er seine Arbeit schätzte, wußte ich von ihm selbst und konnte es aus der Tatsache schließen, daß weder er noch Doktor Weiß noch der Professor je etwas unternommen hatten, wenn Martin, was nicht selten vorkam, zu spät im Institut erschien oder gar nicht. Martin war die am meisten geschätzte technische Kraft, seine Fertigkeiten in der Antikörper-Fraktionierung wurden von keinem anderen übertroffen, machten ihn in gewisser Weise unentbehrlich und schützten ihn vor allen lästigen Angriffen disziplinarischer Art.

Rosenberg und Martin musterten sich. Martin griff in die Tasche, zog eine Zigarette heraus und zündete sie sich in aller Ruhe an.

– Ich glaube, sagte er zwischen zwei Zügen, es gibt Alternativen, vor die ein Mensch nicht gestellt werden sollte.

Rosenberg sog seinen massigen Körper voll Luft und stieß sie, eher empört als befriedigt, wieder aus.

– Na, und weiter? sagte er.

– Nichts weiter, sagte Martin.

– Das ist ausgesprochen wenig, sagte Rosenberg.

Das Telefon im Gang klingelte. Doktor Schnabel ging hinaus und nahm den Hörer ab, kam wenige Momente später wieder und sagte zu Martin: Herr Racholl hat angerufen, er will jetzt gleich rübergehen.

– Danke, sagte Martin, wir gehen dann auch.

Ich stand auf.

5

Wir gingen hinüber in die Radiologie, die im nordwestlichen Teil des Klinikgeländes lag, unmittelbar an der Grenze. Racholl hatte sein Zimmer im Erdgeschoß, war aber noch nicht dort, und so liefen wir im Flur auf und ab, er mußte ja gleich kommen.

Wir gingen in dem halbdunklen Gang langsam an den leeren, elfenbeinfarbenen Bänken, auf denen an Sprechtagen die Patienten saßen, vorbei, rauchten und schnippten die Asche in die kastenförmigen Behälter, die an der Wand angebracht waren, standen dann im hinteren Teil des Ganges, genau vor der Tür, die auf die Straße führte. Ich drückte auf die Klinke, die hart war und kühl. Ich weiß bis heute nicht, was mich dazu veranlaßte. Jeder wußte doch, die Tür war versperrt. So wie jeder wußte, daß es von dort nur wenige Schritte bis zur Grenze waren. Heute frage ich mich oft, ob ich die Klinke heruntergedrückt hätte, hätte ich gewußt, was folgte. Die Tür war schon immer versperrt gewesen, zumindest so lange, seit ich am Institut war.

Ich drückte also auf die Klinke und öffnete die Tür; Sonnenlicht traf mich so überraschend, daß ich die Augen zusammenkniff. Ich spürte Martins Hand in meinem Rücken, die mich sanft nach vorne schob, trat hinaus, stockte aber schon nach wenigen Schritten, einem unhörbaren Befehl gehorchend, so daß Martin an meine Seite kam, mich überholte, die zwei Stufen, die auf das Straßenpflaster führten, hinabschritt, erst dort stehenblieb, so daß ich ihm zögernd folgte und erst jetzt begriff, in welcher Situation wir uns befanden. Ich sah rechts von uns, vielleicht sechs oder sieben Meter entfernt, die stahlgrauen Uniformen der Kampfgruppenleute, die geschulterten Maschinenpistolen, den LKW, der mit dem schwarzen Schlund seiner Hinterfront uns zugewandt war und von dem einige Männer Gitterzäune abluden und sie quer über die Straße aufzustellen begannen, genau zwischen sich und der Menge schauender Menschen; ich sah links von uns die Brücke, die über den trüben ölschlierigen Kanal führte, sah eine Gruppe grünuniformierter Polizisten, einen französischen Jeep und lässig herumstehende Reporter, denen Fotoapparate vor der Brust und an den Handgelenken baumelten, und vor uns, hoch und grau, die Seitenfront eines Amtsgebäudes, und, gelbgrün und spärlich belaubt, die Bäume davor, und die Menschen hinter dem Gitterzaun, der sich langsam komplettierte, ein frischgelackter Metallzaun, grasgrüner Strich auf steingrauer Straße, und der Geruch nach Staub, Kanalwasser und Spätsommer, der mich so plötzlich traf wie die Ahnung, ich stände an einem Platz, den einzunehmen ich gar nicht in der Lage war, gezwungen, etwas zu tun, nach links zu gehen oder nach rechts, ein Zwang, der sich von selbst ergab und dem nachzukommen es nur weniger Bewegungen des Körpers bedurfte, zehn oder zwölf Schritte vielleicht, nicht mehr. Wir standen dazwischen, standen genau zwischen den stahlgrauen Uniformen der Kampfgruppenleute auf dieser und den grasgrünen Uniformen der Polizisten auf der anderen Seite! Es war ein Platz oder besser, eine Situation, bei der ich instinktiv wußte, sie war so gewaltig für mich, daß ich ihr nicht in gleicher Größe gegenübertreten konnte, ja, ich empfand ein körperliches Gefühl der Kleinheit, und es traf mich mit einer solchen Heftigkeit, daß ich mich sekundenlang nicht bewegen konnte, als der uns nächststehende Kampfgruppenmann den Kopf drehte, uns bemerkte, und, eher erschrocken als drohend, aber mit nichtsdestoweniger scharfer Stimme rief: Treten Sie zurück, Bürger!, wodurch er sofort die Aufmerksamkeit der Menschengruppe links von uns erregte, und ich spürte die Blicke der Grünuniformierten, wache, gespannte, beinahe suggestive Blicke, während die Reporter ihre Kameras vor die Augen rissen, und ich hörte das schnurrende Schnappen der Verschlüsse als periodisch wiederkehrendes, hundertfach verstärktes Maschinengewehrhämmern, und auch rechts von uns starrten drei, vier Dutzend Augenpaare auf uns, ebenso wache, ebenso gespannte, ebenso suggestive.

Ich weiß nicht, wie lange das alles dauerte, sicher nicht länger als ein paar Sekunden, und ich war mir sicher, daß alles gleich zu Ende sein würde, meine Lähmung, dieses merkwürdige Gefühl der Nichtigkeit, sicher war das alles gleich vorbei, dachte ich, und ich konnte schon meine Schultern bewegen, als Martin losging. Er ging einfach los! Erst langsam, als zögere er, dann schneller und entschlossen. Ich stand und begann zu schrumpfen. Alles in mir zog sich zusammen. Etwas Unbekanntes, Fremdes legte sich über meine Haut, zog meinen Kopf leer, schlug auf meinen Magen, riß an den Därmen und zog die Hoden unerträglich schmerzhaft zusammen. Ich stand, schnappte nach Luft und sah Martins Rücken sich entfernen, hatte den Gedanken, daß ich jetzt meine Beine bewegen müßte, ganz mechanisch ihm folgen, wie ich es immer getan hatte, sah plötzlich Marie und ihren berghohen Bauch, hörte Rosenbergs polterndern Triumph und das schnarrende

Schnappen der Objektivverschlüsse wie hundertfach verstärktes Maschinengewehrhämmern; vor mir das Amtsge-
bäude wuchs mitsamt seinen spärlich belaubten Bäumen ins
Riesenhafte, und tatsächlich schien mich niemand zu bemerken, alle standen und starrten auf Martin, die einen auf seinen
Rücken, die anderen auf sein Gesicht, alle auf Martin, als
wäre ich nicht vorhanden, so daß ich, meiner Glieder plötzlich wieder mächtig, vorsichtig mich rückwärts zu bewegen
begann, im Krebsgang schlich ich, hob vorsichtig, als ich den
Widerstand der ersten Stufe an meinem Hacken spürte, erst
das rechte, dann das linke Bein, und weiter zurück, zur zweiten Stufe, ließ meinen Kopf unbewegt, nur meine Augen
schossen nach links und nach rechts, jetzt war ich ganz wach,
und noch immer sah keiner zu mir hin,und als ich die Tür in
meinem Rücken spürte, hinter mich griff und tastend die
Klinke erreichte, wagte ich meinen Kopf nach links zu drehen, sah Martin die Brücke überqueren und sich umdrehen,
suchte seine Augen, aber da war er schon umringt von Repor-
tern und Polizisten und versank in einem Gewühl heftig gesti-
kulierender Menschen, während ich mich unbemerkt durch
die Tür schob, im langen Gang der Klinik stand und wie betäubt und ohne etwas zu bemerken hinauslief.

Wann ich nach Hause kam, weiß ich nicht. Marie schlief
schon. Ich tastete mich vorsichtig durch das Zimmer, zog im
Dunkeln meine Sachen aus und legte mich ins Bett. Ich hörte
Maries regelmäßige Atemzüge und das Ticken der Weckuhr.
Das Licht im Treppenhaus gegenüber warf das Muster unserer Gardine an die Wand. Meine Glieder waren schwer und
steif. Ich streckte die Hand aus, berührte Maries Haare und
hielt den Atem an, als sie sich im Schlaf auf die andere Seite
drehte. Plötzlich sah ich mich wieder in diesem Schulzimmer
sitzen, flankiert von den zwei Wächtern, spürte Martins
Hand auf meiner Schulter, hörte seine Stimme sagen, er
werde auf jeden Fall bezeugen, daß ich in der fraglichen Zeit
bei ihm gewesen wäre, ich brauche mir keine Sorgen zu machen, erinnerte mich des Gefühls der Erleichterung, das mich
im ersten Moment, und jenes der Bestürzung, das mich im
zweiten Moment überfallen hatte, und nun wußte ich auch,

woher die Bestürzung gekommen war, hörte mich reden, ganz laut und gut artikuliert, daß ich doch tatsächlich bei Martin gewesen wäre, und daß es mir unverständlich erscheine, warum er das vor allen Leuten so sage, als würde er mein Alibi aus Freundschaft stützen und nicht, weil es tatsächlich stimme, weil es die Wahrheit sei, DIE WAHRHEIT, hörte ich mich sagen, und das Wort kam, von den Wänden hundertfach gebrochen, auf mich zurück, so daß ich mir vor Schmerz die Ohren zuhalten mußte und die Augen schloß und mich fühlte, als wäre etwas sehr Festes, Dauerhaftes in mir zerrissen. Dann schlief ich ein.

(Erste Fassung, 1973)

Rolf Schneider

Hanna

Das Gras wurde gelb und dürr schon mit dem Frühsommer. Von den Birkenstämmen hob sich in weißen Streifen die Schale. Es roch bitter, beinahe vergoren; doch der Geruch war nicht immer, bloß an heißen Sommertagen. Er entstand in den Kiefernforsten. Der Wind kam dann von Südost.

Gegen diesen Geruch war Hanna empfindlich; die Forsten wären sonst vielleicht eine Abwechslung gewesen. Aber wer so nahe an ihnen wohnte, ging sowieso nicht dorthin. Die Fläche war durch Jagdwege in große Quadrate geteilt: ein Quadrat Schonung, eines Kahlschlag, das meiste war Hochwald. Alles bot sich so gleichförmig an wie die Straßen im Ort.

Wenn die Abende still waren, konnte Hanna durch das geöffnete Fenster die Stadtbahn hören: ein gleichmäßiges Rauschen. Das kam und ging wieder, in unbestimmter Entfernung. Die meisten Abende hier draußen waren still. Die Stadtbahn verließ Berlin, sie fuhr nach Berlin: das war die Stadt, und überhaupt war es das andere. Hanna konnte alle Stadtbahnhöfe zwischen Köpenick und Westkreuz auswendig hersagen, in der richtigen Reihenfolge, da war sie noch nicht fünf Jahre alt. Zwischen den Geräuschen der Stadtbahn, abends, gab es höchstens Hundegebell aus den zahllosen Vorgärten. Die Hunde schlugen regelmäßig an, wenn jemand an den Zäunen vorüberging. Meistens waren die Straßen leer nach dem Dunkelwerden, ausgenommen vielleicht ein paar Wochenenden, wenn die Ausflugskneipen ihre Bierleichen hergaben. Es standen kaum Laternen in den Straßen.

Manchmal, wenn sie lange gelesen hatte, konnte Hanna am Hundegekläff erkennen, daß ihr Vater von der Spätschicht heimkam. Sie klappte dann ihr Buch zusammen. Sie löschte die Lampe. Sie hörte, wie ihr Vater den Schlüssel in das Schloß der Haustür schob. Da war sie aber schon acht oder neun Jahre alt.

Daß er nicht ihr leiblicher Vater war, erfuhr sie noch später. Vater war jemand, der länger ausblieb als andere Väter. Dafür brachte er mehr nach Hause. Ihr Fernsehapparat trug die Firmenaufschrift Nordmende; auf Apparate mit der Aufschrift R-F-T mußte man ein oder zwei Jahre warten. Im Fernsehen lief abends halb sieben das westdeutsche Werbeprogramm; dort wurden Markenschnäpse gezeigt, Schuhe von Leiser am Tauentzien und Zigaretten mit dem verrückten Strichmännchen, das immer in die Luft ging. Vieles davon gab es auch bei ihnen daheim, obwohl hier Osten war, nicht einmal mehr Berlin, sondern, ihr Vater sagte es so: Zone. Sie war auch besser angezogen als andere Mädchen.

Sie hatte einen älteren Bruder: Werner. Er war von einem anderen Vater als sie, und sie selber hatte einen anderen Vater als ihre zwei jüngeren Schwestern. Sie erfuhr davon, als sie vierzehn wurde. Die Nachricht bedeutete ihr nicht viel.

Eine ihrer frühesten Erinnerungen war: sie stand am Zaun des eigenen Gartens. Sie hatte ihre Finger in die rostigen Drahtmaschen gehängt. Sie starrte auf die Straße. Sie wartete auf irgend etwas, das keinen Namen hatte und kein Gesicht. Draußen fuhr bloß ein Lastwagen vorüber und zog aufgewirbelten Sand hinterdrein. Im Haus schrie das jüngste ihrer Geschwister, ein paar Monate alt. Der Rost des Zaunes blieb als dunkelbrauner Grus in ihren Handflächen. Unter dem abgeblühten Fliederbusch lag zusammengerollt die gefleckte Katze und schlief. Aus der geöffneten Haustür drang der Geruch von heißem Speckfett in den Garten.

Ihre Mutter war damals rundlich. Später würde ihr Körper breit und schlaff werden, nach der Geburt von noch einmal fünf Kindern. Sie war Serviererin in einer Ausflugskneipe gewesen. Sie half auch jetzt noch manchmal aus, Himmelfahrt oder Pfingsten: Es war nicht wegen des Geldes. Sie gab nach, wenn man sie lange genug bat. Hanna konnte sich nicht erinnern, jemals von ihrer Mutter geschlagen worden zu sein.

Ihr Bruder Werner sagte: Zum Kotzen das Kaff und überhaupt, sagte er, hier das Leben.

Im Herbst schütteten die Eichen knöchelhohe Lagen von trockenem Laub in alle Straßen und Gärten. Die Kinder zogen raschelnd ihre Schuhe hindurch. Die Anwohner harkten das Laub zusammen und entzündeten es. Tagelang hing hellblauer Rauch zwischen den Häusern: Ebenso war es noch einmal im Frühjahr. Eichenlaub, wußte Hanna, vermodert nicht in einem Winter. Es braucht drei Jahre dazu. Die Asche von abgebranntem Laub, wußte sie, gibt einen brauchbaren Dünger für Blumenbeete.

Als sie lesen konnte, lieh sie sich am liebsten Bücher über Tiere, afrikanisches Großwild oder einheimische Insekten: ihr war es gleichgültig. Jedenfalls las sie keine erfundenen Geschichten.

Sie ging in ein Schulgebäude aus dunkelrotem Backstein. Das Gebäude war alt. Der Schulhof war groß, es standen Kastanien und Linden darin; diesen Schulhof mochte sie. Zwischen den Stämmen verliefen sich die Kinder. Ihr Kreischen verlor sich. Sie aßen ihre Butterbrote. Sie prügelten sich außerhalb des Gesichtsfelds der Lehrer oder sprangen Himmel und Hölle. Sie liefen schreiend auseinander, wenn, viel zu rasch, der Lieferwagen in den Hof hineinfuhr, um die Milch zu bringen. Die Räume in der Schule waren sehr klein, es waren auch zu wenige. Die meisten Dielen waren vom Schwamm befallen.

Ein übergroßer Teil der Einwohner im Ort waren alte Leute. Sie wohnten fast durchweg in kleinen Häusern, das waren eigentlich Bungalows, einfache Holzhütten für den Sommer, aber bewohnbar gemacht für das ganze Jahr durch einen gemauerten Schornstein. Diese Häuser waren häßlich. Die darin wohnten, hatten vor dem Krieg in Berlin gelebt, in Mietwohnungen; die Miethäuser waren zerbombt worden;

seither lebten diese Leute in ihren früheren Sommergärten. Sie wurden darin alt. Sie starben schließlich darin.

Die Gärten waren meistens zu groß für die kleinen Häuser. Am lästigsten wurden in solchen Gärten die Winter, besonders nach ausdauernden Schneefällen: Es mußten dann lange Wege freigeschaufelt werden. Hanna erinnerte sich an einen Winter mit harten Frösten, die wurden über Wochen nicht schwächer. Im Haus ihrer Eltern war ein Wasserrohr eingefroren. Hanna mußte zum Installateur gehen, und der Installateur kam sofort. Er kam immer sofort zu ihnen; ein Teil seiner Rechnung wurde mit westdeutschem Markenkaffee beglichen und mit Zigaretten, die das Werbeprogramm im Fernsehen anpries. Der Installateur hantierte mit Werg und Kombizangen und unterhielt sich dabei mit Hannas Mutter.

Der Installateur erzählte, an alle Reparaturhandwerker des Ortes sei eine Anweisung der Gemeindeverwaltung ergangen. Die Anweisung besagte, man solle auf Häuser achten, deren Schornsteine keinen Rauch mehr abließen. Wenn dieser Zustand an zwei aufeinanderfolgenden Tagen unverändert bleibe, sei augenblicklich die Volkspolizei zu benachrichtigen, es bestehe dann der Verdacht, in einem solchen Haus sei ein alter Mensch unbemerkt verstorben: von der Kälte entkräftet, und dieselbe Kälte sei ihnen nach ihrem Sterben in das Haus gefolgt, habe sie ergriffen, habe das Wasser in ihren toten Leibern zu Eis gemacht, so würde man sie finden, hingestreckt unter Wolldecken oder zusammengesunken an Tischen, wo noch eine Kaffeetasse neben ihnen stand.

Die Anweisung war an die Reparaturhandwerker ergangen, weil sie besonders häufig in den Straßen des Ortes umherfuhren. Der Installateur erzählte das, während er ein zerbrochenes Stück Wasserrohr durch ein anderes ersetzte. Hannas Mutter hörte ihm zu, und hinter ihrer Mutter stand Hanna und hörte es. Sie fürchtete sich bei dieser Erzählung. Sie lief in den nächsten Tagen stundenlang durch die Straßen, um nach Häusern zu sehen, deren Schornsteine keinen Rauch ausstießen. Sie fand solche Häuser nicht. Ein paar Tage später begann das Tauwetter.

Hanna fand frühzeitig, daß sie nicht hübsch sei. Sie war von rachitischer Magerkeit, und ihre Augen waren kurzsichtig. Eigentlich hätte sie schon als Kind eine Brille tragen müssen.

Der Mann, den sie Vater nannte, war Arbeiter bei Siemens in Westberlin. Er mußte drei verschiedene Verkehrsmittel benutzen, um von daheim bis in seine Montagehalle zu gelangen. Die Fahrzeit betrug jedesmal mehr als zwei Stunden für eine Strecke. Das war der Aufpreis für ein Mehr an Einkommen.

Im Ostflügel des Bahnhofs Zoologischer Garten gab es eine Wechselstube. In ihr wurde mit allen großen Währungen der Welt gehandelt, doch meistens geschah der Handel bloß zwischen den Markwährungen aus Ost und West. Der Ostmarkkurs lag bei ungefähr einem Viertel des Westmarkkurses. Die genaue Tagesnotierung zeigten weiße Lettern auf schwarzem Grund, links neben dem Eingang der Wechselstube. Es war häufig Gedränge von Wartenden vor dem Schalter.

Es gab noch andere Wechselstuben, zum Beispiel am Wittenbergplatz, gegenüber dem großen Warenhaus; hier wurde ausschließlich mit den beiden Markwährungen gehandelt. Dieser Raum war kahl; von einer Wand zur anderen war ein langes Ofenrohr gezogen. Hannas Vater erhielt einen Teil seines Lohnes in westdeutscher Währung. Das meiste davon tauschte er gegen ostdeutsche Mark in den Wechselstuben. Hanna war manchmal dabei.

Überhaupt war, wenn sie dorthin fuhr, nach Charlottenburg oder Tegel oder Neukölln, es war dies für sie das andere und das Abenteuer.

Es begann immer geheimnisvoll. Die Straßenbahn verließ den Ort und hielt an der Berliner Stadtgrenze. Männer in Uniformen betraten die haltenden Straßenbahnwagen und nahmen Einblick in die Ausweise der Erwachsenen. Die Straßenbahn fuhr weiter bis zur Endhaltestelle, die befand sich gegenüber dem Stadtbahnhof. Die Stadtbahn fuhr mehr als eine halbe Stunde bis zum Bahnhof Friedrichstraße. Dort gab es wieder Männer in Uniformen; sie betraten die Stadtbahnwagen, sie wollten keine Ausweise einsehen, gingen nur zwischen den Bankreihen hindurch und blickten prüfend in die Gesichter der Fahrgäste, manchmal baten sie einen von ihnen, den Wagen zu verlassen; das waren dann fast immer Leute mit großem Gepäck. Auf dem Bahnsteig draußen sagte die Lautsprecherstimme, dies sei der letzte Bahnhof im demokratischen Berlin. Die Türen des Stadtbahnwagens schlossen sich. Der Zug fuhr an und fuhr über eine Spreebrücke: Da begann das andere.

Es zeigte die notdürftig mit bunten Plakaten kostümierten Wände des Lehrter Bahnhofs her. Es bestand aus den Grünflächen eines Geländes, das Tiergarten hieß. Später waren hinter den Fenstern des fahrenden Stadtbahnwagens Hochhäuser mit bunten Wänden, das hieß, wußte Hanna, das Hansaviertel. Im Gewühl auf dem Bahnhof Zoo konnte geschehen, daß leise murmelnde Männer, Hände in den Manteltaschen, die Worte Ost gegen West unentwegt vor sich hin sagten wie ein Gebet. Auf der Hardenbergstraße stand süßer Abgasgeruch. Aus den Händlerbuden an der Gedächtniskirche quoll der Geruch von heißen Bratwürsten und Ketchup.

Oder Hanna wurde, an der Hand ihrer Mutter, durch einen der Verkaufspaläste gezerrt, den am Wittenbergplatz oder den am Hallischen Tor. Hanna war sehr bald schwindlig darin, das mochte die Luft verursachen, die immer zu trocken und warm war und gesättigt mit den Gerüchen von Seife und Appreturen. Dagegen half auch das phantastische Zucken von Spielzeugen nichts, an denen sie vorübergeführt wurde. Es half nicht der Becher mit Soft Ice dagegen, der sich aus großen weißen Automaten ziehen ließ, nach dem Einwerfen einer Silbermünze. Trotzdem trug sie dann stolz die knisternde Papiertüte, die ihre Mutter erworben hatte: trug sie durch den Ausgang des Warenhauses und bis zu der nächsten Parkbank, wo ihre Mutter den Inhalt der Tüte unter ihrem Mantel verbarg und das Papier zerknüllte, um es in einen Abfallbehälter zu werfen.

Oder Hanna ging mit ihrem Bruder Werner ins Kino. Das war keines der üppig mit Licht und Farben werbenden Filmtheater am Kurfürstendamm. Werner ging in eines der kleinen Kinos nahe der Sektorengrenze, Kochstraße oder Karl-Marx-Straße in Neukölln: Hier waren die Eintrittspreise geringer, dann auch liefen hier die Filme, die Werner bevorzugte. Hanna begriff nicht alles. Manchmal geriet sie in Furcht, wenn die limonadenbunten Helden dort vorn auf der Leinwand aus ihren Revolvern schossen und die Leichen auf der Straße von Dodge City umherlagen wie Abfall. Die Bilder aus diesen Filmen schreckten sie manchmal daheim auf, mitten im Schlaf.

Dennoch ging sie immer wieder in diese Filme, Werner zuliebe und immer, wenn Werner sie fragte. Am Eingang der Kinos standen junge Burschen in glänzenden schwarzen Lederjacken, rissen die Eintrittskarten ein und hantierten mit ihren großen Taschenlampen, als wären das gefährliche Waffen. Zwischen dem Ende der Wochenschauvorführungen und dem Beginn des Wildwestfilmes wurden im Kinosaal nochmals die Lampen hell. Frauen mit Bauchläden gingen an den Sitzen vorüber und verkauften Schokolade, Kaugummi und Lakritze. Die Besucher in ihren Sitzen blinzelten gegen die Helligkeit und griffen nachlässig in die Taschen ihrer Mäntel. Werner kaufte Hanna fast immer einen kleinen Beutel voller Süßigkeiten.

Oder Hanna fuhr mit ihren beiden Eltern und mit allen Geschwistern am Sonntag nach Tegel. Von der U-Bahnstation fuhren sie in einem Doppelstockomnibus bis zum Havelufer. Sie gingen langsam die Havelchaussee hinab. Sie gingen an Villen vorüber mit grünen Gärten. Sie gingen an Männern vorüber, die, hemdsärmelig, Eimer und Schwämme in der Hand, ihre Automobile säuberten. Das Wasser der Havel schillerte ölig. Es schwammen dennoch Menschen darin an warmen Sommertagen. Es gab Segelboote und Motorjollen und erstarrte Angler an den Abenden. Aus den geöffneten Fenstern der Villen quoll Radio-Jazz und wehte bis auf die Straße.

Hannes Vater ging mit ihnen allen zu einem Gartenlokal, wo sie sich auf weißlackierte Stühle setzten und an einen

Tisch, der überschattet wurde von einem farbigen Sonnen-
schirm. Ihr Vater war befreundet mit dem Besitzer des Gartenlokals. Ihr Vater und der Besitzer waren Berufssoldaten
gewesen, Feldwebel, beide in der gleichen militärischen Ein-
heit und in einer Wehrmacht, die es inzwischen nicht mehr
gab. Der Besitzer ließ kostenlos Eisbecher bringen für Hanna
und ihre Geschwister. Ihr Vater, der Besitzer und andere
Männer, die einander kannten, setzten sich bald an einen
eigenen Tisch, sie redeten heftig miteinander, sie tranken aus
Biergläsern, gestikulierten und waren rot im Gesicht und
lachten. Hanna löffelte ihr Eis aus dem Glasbecher, und
danach rutschte sie von ihrem Stuhl und ging bis zum Zaun
des Gartenlokals. Hinter dem Zaun war die Chaussee mit
ihren Passanten. Hinter der Straße war das Ufer des Flusses,
mit Schilf und hölzernem Landesteg. Im Wasser waren die
Schwäne. Im Wasser waren Boote mit Segel und Motor, auch
Ruderkähne. Es war überall Lärm. Am jenseitigen Ufer standen Büsche und Bäume, nicht sehr weit entfernt, es hätte
wenig Mühe gebraucht und nicht viel Zeit, dort hinüber-
zuschwimmen, aber niemand versuchte das, denn über den
Baumkronen stand ein Wachtturm: dort war die Grenze, und
dahinter war das Land, in dem sie, Hanna, wohnte. Völlig
begriff sie das alles nicht, was in den Erwachsenengesprächen
Hier und Drüben hieß. Sie wußte bloß, daß es das gab. Sie
stand am Zaun des Gartenlokals und blickte auf die Havel.
Sie fühlte oft Langeweile. Sie ermüdete auch bald.

Dieter Schubert

Fünf ziemlich phantastische Geschichten

1. Ballistik

Unter meinen weitläufigen Bekannten gab es einen Tennisball, der wollte Zeit seines Lebens lieber ein Fußball sein.

»Diese Popularität bei den Massen«, schwärmte er, wenn wir uns trafen, meistens auf unserm Hof, wo die Kinder mit ihm Abwerfen spielten, Hasenjagd oder so etwas. »Und bedenken Sie«, sagte der Tennisball, der im Flausch schon kahle Stellen hatte, »beim Fußball sind Sie der einzige Ball im Spiel, und niemand kann, weil Sie vielleicht gerade verschlagen worden waren, einen anderen vorziehen. Tja, so ist das Leben, wenn man zu klein geraten ist.«

Eines Sonntagvormittags begegnete ich diesem Tennisball auf dem Sportplatz an der Cantianstraße, und wäre ich von ihm nicht angesprochen worden, hätte ich ihn sicherlich nicht wiedererkannt. Er hatte sich inzwischen aufgeblasen und die Größe eines Fußballs angenommen.

»Sehen Sie?« krähte er, »man muß eben mehr aus sich machen«, und es war wirklich unerträglich mitanzusehen, wie er sich den Halbwüchsigen, die mit ihm spielten, vor die Füße warf, um sich treten zu lassen. Die Fußballer stürmten und paßten, dribbelten und flankten, und sie köpften und schossen gewaltig aufs Tor, aber der Ball flog immer ins Blaue. Sogar ein Elfmeter ging nicht ins Netz sondern in den dritten Stock. Endlich ließen die Jungen den Ball linksaußen liegen und trotteten entmutigt vom Platz. Sie wußten ja nicht, daß ihr Spielgefährte ein Tennisball gewesen war und es sich so schnell nicht angewöhnen konnte, möglichst *ins* Netz zu gehen statt – wie früher – drüberweg. So etwas kann lange dauern.

2. Kurzer Traum

Im Traum hatte ich ein Traum-Auto erfunden und gebaut. Das Ding hatte vor allem zwei Vorzüge: Bei drohenden Unfällen funktionierte es automatisch, fuhr gar nicht erst los, hielt vorher an oder bog im letzten Moment ab, und – was mich besonders stolz machte – aus seinem Auspuff pufffte frische Wald- und Wiesenluft. Daß demgegenüber sein ungewöhnliches, glanzloses Aussehen überhaupt erwähnenswert sein könne, habe ich mir zunächst nicht träumen lassen.

»Wo steht das besagte Auto?« fragte der Vorsitzende der Abnahmekommission, die gerade aus dem Exquisit Unter den Linden gekommen war, und ehe meine Zunge sich zu einer Antwort krümmen konnte, ging die Kommission mit ihrem Vorsitzenden an der Spitze und deswegen keilförmig, ohne meine verzweifelten Rufe und Gesten oder etwa mein Auto zu beachten, zu einer tiefschwarz auf Hochglanz lackierten, chromblitzenden, stromliniengeformten Luxuslimousine, die in der Parklücke neben meinem Vehikel stand.

»Glänzend«, rief der Vorsitzende, der mit einemmal wie mein früherer Klassenlehrer aussah, nur meinte er es nicht, wie jener, ironisch, zum Beispiel, wenn ich ein lateinisches Zitat nicht hatte zitieren können.

»Ja, glänzend«, wiederholte die Kommission, die, Mitglied neben Mitglied, im Kreis um die Limousine und den Vorsitzenden angetreten war.

»Sehr repräsentativ«, sagte der.

»... präsentativ«, zirkulierte es von Mund zu Mund.

»Präsens, Sie Idiot, nicht Futurum!« rief mein Klassenlehrer, und ich wußte, ich träumte.

3. Der Verlierer gewann oder: Der Spezialist

In der Kleinen Melodie geriet ich in eine Schlägerei, als Zuschauer, versteht sich. Es war ein Zweikampf, wenn auch ein ungleicher, denn einer der beiden Gegner, das sah jeder, war Ringer, und der andere nicht einmal Volkssportler, ja, man muß annehmen, daß er noch nie einen Ringkampf gesehen, in seinem Leben noch nichts vom Ringen gehört hatte.

Er wurde gepackt und auf die Schultern gelegt. Die Kapelle setzte die Instrumente an, die Tänzer suchten nach ihrer Partnerin. Da stand der Bursche auf und griff seinen Gegner, für

den der Kampf natürlich längst entschieden war, von neuem
an. Er wurde gepackt und lag schon wieder, lag mit beiden
Schultern – ich hab's genau gesehen – auf der Tanzfläche. Der
Ringer wandte sich ab. Die Kapelle setzte die Instrumente an,
die Tänzer suchten...

Der Kerl rappelte sich auf, haschte nach dem Ringer,
wurde gepackt und geschultert.

Die Kapelle setzte die Instrumente an.

Der Geschulterte kam auf die Beine, stürzte sich auf den
Ringer und wurde...

Die Kapelle...

Der Laie...

Nach seinem siebzehnten Schultersieg sagte der Ringer:
»Ach, macht doch, was ihr wollt«, und verließ eilig das Lokal. Er verstand wohl die Welt nicht mehr recht.

4. Beinahe ein Wunschkind

In der Schönhauser Allee wohnten zwei Eheleute, die waren
vom Sport begeistert (und solche Leute gibt es bekanntlich
nicht nur in der Schönhauser Allee, sondern auch am Hacke-
schen Markt, in der Albrechtstraße und überall in Berlin und
Umgebung bis hinunter nach Suhl und hinauf nach Kap Ar-
kona). Unsere beiden hatten jede Sportart gern, aber besonders liebten sie Basketball, vielleicht, weil sie im Basketball
beim besten Willen nicht hätten aktiv werden können, sie waren zu klein dazu. Er maß genau einsdreiundsechzig und sie
ungefähr einseinundsechzigeinhalb.

Deswegen wünschten sie sich, als die Frau ein Kind erwartete, der Junge möge groß und ein großer Basketballer werden. Zunächst war er natürlich ziemlich klein, sechs Pfund
schwer, aber bei der Pflege mit Muttermilch, Grießbrei und
Mohrrübensaft wuchs er, man konnte beinahe zusehen, wie
der Junge – denn ein Junge war es tatsächlich geworden – an
Länge zunahm, was mit dem Lineal und später am markier-
ten Türrahmen alle zwei Tage nachgemessen wurde. Mit
zwölf war der Bengel schon größer als sein Vater und traf
häufiger als der mit dem Ball in den Eimer, der zu diesem

Zweck auf den Wohnzimmerschrank gestellt worden war. Es ist wohl beinahe überflüssig zu erwähnen, daß es kaum ein Basketballspiel gab, das die Familie ungesehen hätte zu Ende gehen lassen. Sie sahen sich's auf jeden Fall an, sei es (in live) in der Sporthalle oder (als Aufzeichnung) im Fernsehen.

Als der Junge die stattliche Höhe von einmeterzweiundneunzig vorzeigen konnte, gingen die Eheleute mit ihrem Sohn zu einem Sportklub – kann sein, es war der SC Dynamo – und übergaben ihn in der Obhut eines Trainers. Der staunte, was sein neuer Spieler außer der erfreulichen Länge an praktischen und theoretischen Kenntnissen mitbrachte, von Hause aus. Man darf hier wohl sagen, der Junge war der geborene Basketballspieler, und er wußte keinen anderen Sport, der seinen Interessen – wenigstens glaubte er, es seien seine eigenen – in einem solchen Maße entsprochen hätte.

Eines Tages, an einem milden Frühlingstag, machte er mit seiner ersten Freundin zum ersten Mal einen Ausflug, und weil schönes Wetter war und auch das Mädchen viel für den Sport übrig hatte, fuhren die beiden nach Hoppegarten und gingen zum Pferderennen. Hand in Hand, Knie an Knie saßen sie auf dem grünen Rasen, fühlten an Händen und Knien ihre eigene und auf dem Rücken die Wärme der Sonne und ließen die wilden Reiter auf den feurigen Rossen an sich vorüberpreschen. Und wie die kleinen Männer, diese Jockeys, reiten konnten, »wie der Teufel. Reiten sie nicht wie der Teufel?« fragte das Mädchen den Jungen.

»Ja«, antwortete der und hatte auch das genau so empfunden.

Seit dem Tag zweifelte er an manchem, was er vorher als gegeben und gut und richtig empfunden hatte. Und von Spiel zu Spiel warf er weniger Körbe.

5. Das Blaue Wunder

In der Sportgemeinschaft »Brandenburger Tor« (oder so ähnlich) trainierte seit einigen Wochen ein neuer Boxer, und das war natürlich streng geheim. »Das Blaue Wunder« wurde er genannt, »blau« wegen der blauen Kampfkleidung und

»Wunder«, weil er auf dem rechten Auge – oder war es das linke? – schneller sehen konnte als gewöhnliche Menschen. Warum das so war, wußte niemand genau zu sagen, und die Sportärzte und -wissenschaftler, die ihn jeden Tag untersuchten, schwiegen mit vielsagenden Gesichtern.

»Er hat so 'ne Art Fliegenauge – aber anders«, sagte mir der Gerätewart der Sportgemeinschaft.

Bei einer Boxveranstaltung im Pratergarten konnte ich mich von den unglaublichen Fähigkeiten des »Blauen Wunders« überzeugen. Der Bursche roch es geradezu, wenn sein Gegner, ein bekannter Mittelgewichtler, ihm eins versetzen wollte, und weil ihn in den drei Runden kein einziger Schlag traf, er aber den Kopf seines Gegners fünf- oder sechsmal mit leichten Hieben getroffen hatte, erklärte man den Wunderknaben zum Punktsieger. Das sportliche Publikum, das selbstverständlich lieber einen zünftigen K.o. mit einer anständigen Gehirnerschütterung gesehen hätte, äußerte pfeifend sein Mißfallen.

»Er hat keinen Killerinstinkt«, sagte ein Sportjournalist, »ihm fehlt der Mut zum Risiko.«

Etwas Ähnliches mochten die Sportfunktionäre und Trainer zu ihrem Schutzbefohlenen gesagt und sich redliche Mühe gegeben haben, ihm diese fehlenden Eigenschaften anzuerziehen. Außerdem gewöhnten sie ihm, weil er sehr unordentlich war, an, zum Beispiel in seinem Kleiderspind Ordnung zu halten.

Als ich den Wunderboxer ungefähr ein halbes Jahr danach wiederum im Ring erlebte, hatte sein linkes – oder war es das rechte? – Auge seine wunderbare Fähigkeit, schneller als jedes andere menschliche Auge zu sehen, verloren, und der Junge boxte brav und ordentlich und zeigte Draufgängertum und den richtigen Mut zum Risiko. Er teilte mutig aus und steckte ebenso mutig ein. In der letzten Runde wäre er beinahe k.o. gegangen, stellte sich aber auf unsicheren Beinen wieder zum Kampf und gewann noch nach Punkten.

Das war eine Begeisterung unter den Leuten.

Helga Schubert

Heute abend

Ich öffnete das Fenster meines Arbeitsraums, draußen war es schon dunkel. Den ganzen Tag hatte es geregnet, aber nun war die Luft nur noch feucht. Die nassen Blätter lagen wie Schuppen auf dem Bürgersteig.

Der Tag hatte mich sehr müde gemacht.

In einer Sänfte nach Hause getragen werden, zugezogene Samtvorhänge, nichts hören und sehen, zu Hause heißen Tee gereicht bekommen, zurückgelehnt in einen Sessel, nichts sagen müssen.

Oder eingehakt, mit geschlossenen Augen, nach Hause geführt werden, für nichts mehr verantwortlich, sich ganz überlassen. Als Kind hatte ich darum auf meine Mutter gewartet, nach ihrem Dienstschluß, am S-Bahnhof, manchmal eine Stunde. Weil ich so mit ihr gehen konnte.

Oder abgeholt werden, entgegenkommen auf halbem Wege.

Oder zu Hause erwartet werden, die Tür nicht selbst aufschließen müssen.

Ich rief zu Hause an. Wie zu erwarten, noch niemand da.

Ich ließ mir Zeit, heute wollte ich zweiter sein.

Als ich schließlich das Haus verließ und die Haustür, die ab siebzehn Uhr verschlossen zu halten und beim Verlassen des Hauses fest zu schließen sei, fest hinter mir schloß, war die Pförtnerloge schon leer, und der Pförtner winkte mir nicht zu wie sonst und sagte nicht: Sie sind die andere, mit der ich Sie immer verwechsele.

Da begann ich Schritt für Schritt langsam meinen Umweg nach Hause.

Jemand überholte mich, ein Kollege im Wettlauf mit seiner Straßenbahn. Mittags hatte er mir von einem Ehepaar erzählt, das eine lange gesuchte Maus neben der Mausefalle antraf, Männchen machend. Keiner der beiden habe das Tier totschlagen können. Sie zogen sich warm an, trugen es in den Wald und setzten es sicher unter einem Busch aus.

Ich erinnerte mich, wie ich als Kind auf dem Bauernhof und im vorigen Sommer auf dem Zeltplatz lachende Menschen mit Forken und Spaten auf Mäuse einstechen sah, die schon lange tot waren.

Ein Mann in einem weißen Mercedes, altes Modell, mit einer Westberliner Nummer, fuhr langsam an mir vorbei, wendete, besah mich von vorn seitlich, wendete noch einmal und hielt kurz vor mir. Er beugte sich zur Scheibe an meiner Seite, öffnete die Wagentür und sagte: Guten Abend.

Gastarbeiter mit Leihwagen, dachte ich und sagte auch: Guten Abend. Obwohl ich wußte, daß man sich auf der Straße – als Dame – nicht ansprechen läßt. Aber in einer stillen Straße nicht zu antworten, brachte ich nicht übers Herz.

Er fragte nicht, wo die Friedrichstraße ist, sondern gleich, ob ich mit ihm Kaffee trinken möchte.

Er tat mir sehr leid, ein Paar Strumpfhosen und ein Päckchen Kaffee auf dem Rücksitz, in einem fremden Land, das ihm viel zu kalt ist, die monatliche Geldüberweisung nach Hause, am Wochenende der Besuch bei der Freundin, die bestimmt schon ein Kind von ihm hat, mit einer Edeka-Tüte voll Bananen und den Fotos von der Schwester, die grüßen läßt.

Er lächelte freundlich, als ich Nein-danke sagte, und fuhr weiter, ganz anders als der deutsche Mann beim Pressefest, mit dem ich auch nicht Kaffee trinken wollte. Der nannte mich nämlich, Sie Gartenzwerg, Sie.

Ich ging die Straße weiter von Laterne zu Laterne. Vorbei am Gemüsegeschäft mit der freundlichen Verkäuferin, bei der man noch überlegen darf, wenn man schon dran ist. So wie gestern, als ich alles vergaß. Denn gerade, als ich an der Reihe war, kam ein Mann in das Geschäft, zeigte seinen Ausweis als Kriminalbeamter und ein Foto. Darauf sah man nur das Gesicht einer weißhaarigen Frau, mit Holzbrettern im Hintergrund, Fußdielen vermutete ich, als er uns fragte, ob die Bürgerin hier bekannt sei, ob sie hier eingekauft hätte. Ein Kunde hatte sie manchmal auf dem Friedhof sitzen sehen. Der Beamte ging wieder, und eine Frau sagte: Die hat es eben satt gehabt. Daran hatte ich nicht gedacht, und ich sah die alte Frau plötzlich vor mir, wie sie sich einen Strick ansieht, eine

Schlinge knüpft und aus der Kammer den Tritt holt, um an das Fensterkreuz reichen zu können. Eine Krankheit, eine Kränkung, ein Verlust oder etwas, das sie als Gefahr ansah, muß sie so entschlossen gemacht haben.

Die anderen im Laden unterhielten sich wieder über Zensuren und Fernsehkrimis. Ich entnahm dem geduldigen Gesichtsausdruck der Verkäuferin, daß sie mich schon gefragt hatte, was ich wollte. Heute ging ich vorbei.

Als ich zum S-Bahnhof kam, liefen die Menschen noch schneller als sonst zu ihren Zügen, sprangen aus den Straßenbahnen und nahmen zwei Stufen auf einmal. Aber auch die aus den Zügen stiegen, sprangen zwei Stufen auf einmal herab, um ihre Straßenbahn zu bekommen. Die Bahn zu ihrem Fernsehapparat.

Für mich aber war es heute noch zu früh, und ich nahm den weiteren Weg nach Hause, durch die Markthalle.

Gleich am Eingang ließ ich mich wiegen, mit dicker Jacke und Stiefeln. Der Mann, der sich mit Wiegen ernährte, verschob die kleinen Gewichte, bis er mit der Zunge an der Waage zufrieden war, Berufsehre. Ich habe das Ergebnis vergessen.

Am Kristallstand gab es weiße geblümte Keramiksparschweine, die nicht lange halten, weil sie aus der Hand fallen, glatt, oder gestohlen werden, inhaltsversprechend wie sie aussehen. Beim Kristall standen auch Gartenzwerge für Amerikaner. Am Schuhstand waren die Schuhe entweder Import oder Neuheit oder aus Naturkork.

Ich stellte mich zur Fischverkostung. Dort kostete ich Makrele in Tomate, in Zitrone und in Kaperntunke, jeweils aus einer geöffneten Büchse in einem Plastikbecher mit einem neuen Plastiklöffel und einem Stück Weißbrot. Die Verkäuferin war mir dankbar, daß ich zuhörte, und steigerte sich so, daß noch zwei kleine Mädchen dazutraten. Die Fischkonservenwerberin erklärte ihnen, wie sie abends die Mutti überraschen könnten. Nämlich mit einer geöffneten Konservenbüchse und einer zerschnittenen Tomate. Ich stellte mir die Mutter vor.

Bei Tomate fiel mir Zwiebel ein, und ich ging zu der Verkäuferin, die immer So-chen sagt, wenn sie einem etwas ins Netz legt. Heute fragte ich sie, ob sie auch aus dem ehemaligen Hinterpommern stammt, so wie meine Tante, die auch So-chen sagt. Nun will mir die Verkäuferin abends manchmal was Schönes aufheben.

Immer mehr Stände waren schon geschlossen, schließlich rief jemand: Feierabend. Ich ging zum entgegengesetzten Ausgang, von dem ich unser Haus sehen konnte. Ich zählte die Stockwerke und die Fenster bis zu unserem dunklen. Ich wählte den weiteren Weg über die Kreuzung. So konnte ich mir noch die Schaufenster ansehen. Es gab Würstchen in Büchsen, Feuchtigkeitscreme, 170-Liter-Kühlschränke, blaue Konfektschalen aus Glas und Gelee-Bananen. Im Haus der Ungarischen Kultur schloß gerade ein Herr im schwarzen Anzug von innen die Tür, eine Gesellschaft war hinter den Glasscheiben versammelt. Da ich langsam ging und ihm zusah, schloß er wieder auf und ließ mich hinein. Neben dem Eingang stand ein Tablett mit Sektgläsern. Eine Ausstellungseröffnung.

Ein Ungar erklärte die Bilder auf ungarisch, ich sah seinem Schnurrbart zu. Er hatte, wie sich bei der Übersetzung herausstellte, auf die Ähnlichkeit der Bilder mit Kindermalerei hingewiesen.

Ich dachte darüber nach, daß es Menschen gibt, die diese Feststellung in Gegenwart anderer treffen, von denen sie wissen, daß sie diese Feststellung erwarten, weil sie sie bei solchen Ausstellungen immer hören. Ich überlegte, ob ich diesen Vergleich über meine Lippen gebracht hätte, ob man wirklich Bekanntes immer wieder ernst aussprechen muß. Dann sah ich mir die Bilder an, diese Malerin hatte erst siebzigjährig mit dem Malen angefangen, als ihre Kinder aus dem Haus und ihr Mann tot war. So konnte er es ihr nicht verbieten.

Neben mir stand eine alte Frau mit einem gestickten georgischen Käppchen, weißen Haaren, hängenden Augenlidern, roch nach Knoblauch, ihr Gesicht kannte ich von einem Foto: eine Malerin.

Wir bekamen alle ein Glas Sekt, ich trank es in einem Zug. Die Malerin unterhielt sich mit einer jüngeren Frau und versuchte angestrengt, sich an ihre neue Telefonnummer zu erinnern, um sie der jungen Frau mitzuteilen. Sie gehe gar nicht mehr gern aus dem Haus, seitdem sie das Telefon hat. Weil sie so gern Anrufe erhalte. Die junge Frau könne ja mal versuchen, ob die Nummer stimme. Im Telefonbuch steht sie noch nicht.

Es sind jedenfalls sieben Nummern, hörte ich die alte Frau noch sagen.

Als ich vor der Tür des Kulturhauses stand, zählte ich wieder die Stockwerke und die Fenster in unserem Haus. Da sah ich, daß Licht hinter unseren Scheiben brannte.

Ich lief über die Kreuzung, vorbei am Brunnen, an den Bänken und Stühlen, an der Bühne vor unserem Haus, an den Bockwurst- und Brauseverkäufern, Betrunkenen, Touristen, haltenden Bussen, durch die Haustür mit zerschlagenen Scheiben, vorbei an der Sprechanlage mit hundert numerierten Klingelknöpfen, öffnete die nächste Tür zum Fahrstuhlraum mit zerschnittener Notrufanlage, vorbei an hundert Briefkästen mit abgerissenen Schildern und stellte mich zu den anderen Wartenden. Wir hörten Rufe und auch Faustschläge aus dem Fahrstuhlschacht, dort waren welche hängengeblieben. Einer der Wartenden rief, daß der Hausmeister schon benachrichtigt sei. Da wurde es ruhig.

Als unser Fahrstuhl kam, verstummten wir alle, fuhren schweigend, verabschiedeten uns nur, die Kinder kicherten leise und verlegen. Im letzten Stockwerk stieg ich aus,
lief durch die Korridore,
öffnete und schloß verglaste Türen,
vorbei an numerierten Kammern,
die Treppe herauf,
um den Treppenschacht herum,
ein offener Schacht, neun Stockwerke tief ins Schwarze.
Auf dem obersten Treppenpodest war ich am Ziel,
ich brauchte nicht zu klingeln, denn
er hatte meinen Schritt erkannt.

Martin Stade

Von einem, der alles doppelt sah

Da war ein Mann, der, nachdem er sich zwanzig Jahre hindurch redlich abgemüht hatte, einen wünschenswerten Arbeitsplatz zu erkämpfen, plötzlich feststellte, daß ihn seltsame Erscheinungen verfolgten. Eines Tages sah er den Kopf seiner Sekretärin doppelt. Sie war zum Diktat ins Zimmer gekommen und saß in Erwartung seiner Worte still und geduldig am Konferenztisch. Er stand ihr gegenüber und dachte nach. Neben ihm befand sich sein Schreibtisch, ein ungeheures Stück Möbel, sozusagen eine Einzelanfertigung für besondere Ansprüche, hinter dem ihm in letzter Zeit sonderbare Gedanken gekommen waren. Er hatte nämlich manchmal die Vorstellung, daß ihn der halbrunde Schreibtisch völlig einschlösse, daß er gewissermaßen um ihn herumwüchse. Vor Wochen noch hatte er vom Schreibtisch aus diktiert, jetzt schien es ihm, als hätte der Schreibtisch Wurzeln geschlagen und beziehe von irgendwoher geheimnisvolle Kräfte, die ein Wachstum bewirkten. Aber obwohl er wußte, daß dies ganz unsinnige Gedanken waren, gelang es ihm nicht, sie zu verdrängen. Er ging der Sache aus dem Weg, indem er den Schreibtisch verließ, wobei es ihm jedesmal vorkam, als müsse er sich aus ihm herauszwängen.

Er stand da und wollte mit dem Diktat beginnen, sah auf den Kopf der Sekretärin, und da auf einmal befand sich dieser Kopf zweimal vor seinen Augen. Er hatte sich urplötzlich geteilt und war zweimal vorhanden. Die zwei Gesichter des Mädchens waren noch dazu ganz verschieden. Das eine war teilnahmslos und gelangweilt, das andere aufmerksam und diensteifrig.

Das Ganze dauerte nur eine Sekunde, doch er konnte nicht diktieren, er stand und überlegte, sah unsicher auf die beiden Köpfe und sagte schließlich, daß er das Diktat auf später verschieben wolle.

Sie ging hinaus, und er sah ihr hinterher. Er sah ihr übrigens immer hinterher, wenn sie hinausging. Sie hatte einen außerordentlich graziösen Gang und noch dazu entzückende Beine. Also sah er auch jetzt hinterher, und zu seinem Entsetzen gewahrte er vier Beine, die zur Tür liefen, und fast schien es ihm, als liefen diese Beine durch zwei Türen. Er schloß die Augen und stand eine Zeitlang still und reglos, tastete nach der Lehne eines Stuhles, umklammerte sie, öffnete die Augen, riß sie förmlich auseinander und starrte durch das riesige Bürofenster, an den Blattgewächsen vorüber auf die Stadt, die nach wie vor lebte und atmete und nichts davon wußte, daß er über ihr stand, im siebzehnten Stock eines Bürohochhauses und von der Vorstellung erfaßt, er müsse in Zukunft alles doppelt sehen.

Er stellte sich vor, die Endzahlen aus den statistischen Erhebungen eines einzigen Monats würden ihm doppelt vor Augen stehen, gewisse Endzahlen, die ihm auf diesen Schreibtisch gelegt wurden. Wenn tausend Selbstmorde in diesem Land geschahen, so würde er denken, daß es zweitausend waren. Er würde vielleicht zu der Auffassung kommen, daß nicht drei, sondern sechs Millionen Zuschauer diesen oder jenen Fernsehfilm gesehen hatten. Die Folgen wären nicht auszudenken. Er würde unter Umständen mit Zahlen operieren, die seine Mitarbeiter und Vorgesetzten geradezu erschrecken könnten.

Was war zu tun?

Er trat ein paar Schritte zurück, ging in die äußerste Ecke des Zimmers und sah von da aus auf die Gegenstände, die sich vor seinen Augen befanden. Da war ihm auf einmal, als befänden sie sich ganz zufällig in diesem Raum und wären sonderbar verschoben und regellos verteilt. Es war alles irgendwie versetzt und gebrochen. Der lange Konferenztisch stand etwa von der Mitte an einen halben Meter höher. Er sah zum Schreibtisch. Auch er schien in der Mitte einen Absatz zu haben.

Er schloß das linke Auge und stellte erleichtert fest, daß er mit dem rechten alles normal sah. Dann schloß er mühevoll das rechte, und wieder war alles ganz normal. Er riß beide Augen auf, und erneut sah er ein erschreckendes Durcheinander. Doch plötzlich verschob sich alles, ordnete sich, und die Gegenstände im Zimmer standen ihm vor Augen wie bisher, geradlinig und in der rechten Ordnung.

Er ging zum Schreibtisch, setzte sich vorsichtig, als fürchte er die gewohnte Ordnung zu zerstören, und sein Blick wanderte unsicher über die Stühle, über die ledergepolsterte Tür, zum Fenster, das die ganze linke Wand ausfüllte, und er sah wieder an den Blattgewächsen vorbei, diesmal in den blauweißen, dunstigen Himmel, unter dem die Stadt lag und Rauchwolken ausspie.

Er fühlte einen Augenblick lang, wie allein und einsam er war, wie wenig er von den anderen wußte, und wie wenig auch umgekehrt die anderen von ihm wußten. Ja, er hatte die Vorstellung, ganz allein in diesem Hochhaus über der Stadt zu sitzen, und es war ihm, als würde er, getrennt von den Menschen, sinnlose Handlungen vollziehen, die nichts mit dem Leben dieser Stadt zu tun hatten.

Er konnte nicht sagen, daß er die Stadt haßte, aber er liebte sie auch nicht. Manchmal glaubte er stolz zu sein auf die neuen Häuser, auf den Fernsehturm und auf eine gewisse Modernität, von der er meinte, sie beginne sich nun auszubreiten, doch gleichzeitig wußte er, daß dies zu wenig war. Irgend jemand hatte ihm gesagt, daß da, wo der Palast gebaut wurde, ehemals ein Schloß gestanden hatte, und er kam dahinter, daß die Stadt mitsamt ihren Straßen und Plätzen und Menschen eine Geschichte besaß, zu der er keinen Zugang fand. Er war aus der Provinz gekommen und wohnte hier seit Jahren, wenn auch im Randgebiet, aber mit den Menschen dieser Stadt wußte er nichts anzufangen. Ja, er glaubte fest, daß sie ihn nicht interessierten, und daß er sogar Angst vor ihnen empfand.

Sein Blick glitt vom Horizont zurück ins Zimmer. Er überlegte, ob alles nur eine Halluzination war. Seine Augen waren gut. Er hatte nie eine Brille gebraucht, obwohl er viel gelesen und in den Jahren des Studiums nächtelang über den Büchern gehockt hatte.

Er war sechsundvierzig Jahre alt, achtete auf sein Gewicht und war kerngesund. Des Morgens, auf der Fahrt zur Dienststelle, hielt sein Fahrer genau Viertel vor sieben vor dem Hallenschwimmbad, und er ging hinein und schwamm eine Viertelstunde mit ruhigen, gleichmäßigen Bewegungen. Das Ganze dauerte niemals länger als eine halbe Stunde. Pünktlich um acht Uhr saß er an diesem Schreibtisch, frisch und munter und der Schrecken all jener, die sich verspäteten.

Aber mit eben diesem Schreibtisch hatte es angefangen. Er hatte, wie gesagt, manchmal die Vorstellung, als beginne dieses Möbel zu leben und würde ihn bedrohen. Er fragte sich, ob diese Vorstellung mit der Halluzination zusammenhing. Auch hier veränderte sich der Schreibtisch und nahm sozusagen andere Formen an, als er bisher besessen hatte.

Er entsann sich, bei irgendeinem Franzosen die bemerkenswerte Feststellung gefunden zu haben, daß die Vorstellung von den Dingen durchaus nicht übereinzustimmen brauche mit den Dingen selbst. Der Mensch sei abhängig von seinem Zustand, von seinen Stimmungen, von seiner Phantasie, und er sähe durch die Brille seines Bewußtseins auf die vorhandene Realität, so daß sie, die Realität, jedem Menschen anders erscheine. Die Menschen könnten demnach verschiedener, ja sogar entgegengesetzter Meinung sein, was ein und denselben Gegenstand beträfe.

Demnach müßte der Schreibtisch noch immer ein normaler Schreibtisch sein, ebenso wie die Sekretärin noch immer eine ganz gewöhnliche Sekretärin war. Was er gesehen hatte, hatte nur er gesehen, es lag an seinen Augen oder an seinem Kopf. Sein Bewußtsein war nicht in Ordnung. Bewußtseinsstörung. Verrückt.

Er fuhr von seinem Stuhl hoch, kniff die Augen zusammen und riß sie wieder auseinander. Alles normal. Da waren die Karos auf der lederbezogenen Tür, da war die Täfelung der Wände und die feine Maserung des Holzes. Er hatte gute Augen. Auf einer Jagd im vorigen Herbst hatte er kurz hintereinander zwei Böcke geschossen. Millimetergenau aufs Blatt. Als er abdrückte, fielen sie um, von einer Sekunde auf die andere. Ihr Leben war weg in Blitzesschnelle, so gut konnte er zielen. Und wie war er gefeiert worden, als er seine Sektrunden schmiß und am Ende über achthundert Mark bezahlte.

Sogar der Minister hatte ihm auf die Schulter geklopft und seine Schießkünste bewundert. Seine Augen waren hervorragend. Das stand fest.

Er setzte sich und wurde ruhiger, nahm die Unterschriftenmappe, die die Sekretärin hereingebracht hatte, und bemerkte mit Befriedigung, daß eine jede Zeile an ihrem Platz stand, nichts war verschoben, alles hatte seine Ordnung.

Tage später geschah es, daß er in einer Sitzung, auf der er Bericht erstatten mußte, seinen Vorgesetzten doppelt sah. Sie saßen zu viert vor ihm, er war gerade am Ende und sah ihn forschend an, um seine Reaktion zu ergründen. Plötzlich fuhr das Gesicht seines Vorgesetzten auseinander, und er sah es zweimal, an zwei Schreibtischen, wobei das rechte sich über einem Schreibtisch befand, der etwa einen halben Meter höher stand.

Er zuckte zusammen, als hätte er einen elektrischen Schlag erhalten, er sah acht Köpfe, und es war ihm, als wendeten sie sich ihm alle zu, vier Köpfe mit gelangweilten Gesichtern, während die anderen vier ihren bisherigen gespannten Ausdruck beibehielten. Sein eigenes Gesicht, so glaubte er, war plötzlich uralt und verfallen.

Er schloß hastig das linke Auge, das heißt, er kniff es ein wenig zusammen, so daß er mit dem rechten Auge auf die Runde blickte und alles ganz normal sah. Er hörte jetzt auch, wie sein Vorgesetzter sprach, als sei nichts geschehen. Die Welt drehte sich weiter, es schien nichts passiert zu sein. Er öffnete das linke Auge, ganz vorsichtig und voller Hoffnung, aber seine Hoffnung erfüllte sich nicht, alles verdoppelte sich, und er senkte den Kopf, als wäre er sich einer Schuld bewußt. Die Verwirrung, die ihn erfüllte, bewirkte eine derartige Schlaffheit seiner Glieder, daß er reglos dasaß, auf den Tisch starrte und sich ausgeschlossen fühlte.

Er war krank. Er mußte etwas tun. Er mußte irgend etwas tun, um wieder der alte zu werden. Das hieße, zum Arzt gehen. Wenn er sagte, er sähe alles doppelt, so würde man annehmen, es liege an seinen Augen. Aber es ging nicht nur darum, daß er alles doppelt sah. Das eine Gesicht war gelangweilt, vielleicht sogar voller Verachtung, und das andere war so, wie er es bisher immer gesehen hatte. Das konnte nur mit seinem Gehirn zusammenhängen. Und weshalb diese Vorstellung, er wäre alt und verbraucht und unfähig? Was würde dann mit seinem Arbeitsplatz? Er hatte eine Familie, er hatte Kinder, er bewohnte eine Villa, er erhielt ein hohes Gehalt und er fuhr in einem Dienstwagen. Man fragte ihn, was mit seinem linken Auge wäre, warum er es ständig zusammenziehe? Er antwortete, daß es ein wenig schmerze, er müsse zum Augenarzt. Das sagte er ganz ruhig, fast fröhlich, als sei dies eine Kleinigkeit, über die sich nicht zu sprechen lohne.

Aber er ging nicht zum Arzt. Er begann vielmehr Literatur zu wälzen, in der es um das menschliche Auge ging. Da fand sich manches Bemerkenswerte. In einem achtzig Jahre alten Lexikon fand er die Feststellung, daß »die außerordentlich hohen und mit dem Fortschreiten der Kultur stets wachsenden Ansprüche an die Arbeit der Augen die mannigfaltigsten Störungen hervorrufen. Man sei der Ansicht«, so hieß es da, »daß gewisse Krankheiten des Gesamtorganismus sich mit Vorliebe am Auge gleichsam lokalisieren.« Er erfuhr, daß bei einem gewissen Blutandrang im Gehirn sich dieser Umstand auf die Sehnerven zum Beispiel so auswirke, daß Halluzinationen, Illusionen und Visionen die Folge seien. Dies führe zu falschen Wahrnehmungen und zur Verzerrung von Gegenständen. Zum ersten Mal brachte er auch in Erfahrung, daß es die Erscheinung der »fliegenden Mücken« gebe, eine Umschreibung für den Umstand, daß eine Verzerrung der gesehenen Gegenstände durch abnorme Gestaltung der Krümmungsflächen der brechenden Medien und so weiter und so fort auftreten könne. Das Ergebnis seiner Studien, die er vollzog, indem er das linke Auge geschlossen hielt und das rechte ständig weit aufriß, bestand nun nicht etwa darin, daß er wußte, worauf seine Krankheit zurückzuführen war, sondern daß ihn ein großes Erstaunen erfüllte, was die Menge von Dingen betraf, die nichts mit dem zu tun hatten, womit er sich bisher beschäftigt hatte.

Im übrigen fand er allmählich Vergnügen daran, die Leute, mit denen er zu tun hatte, auf seine besondere Art zu sehen. Die gelangweilten Gesichter, die ihn zu verspotten schienen, betrachtete er mit wachsendem Interesse. Er fragte sich, ob sie die wirklichen und ob die anderen, die diensteifrigen, die unwirklichen waren. Aber das Vergnügen, das sich bei ihm einstellte, war nicht frei von der Sorge, sich zu verraten.

Eines Tages, nachdem sein Stellvertreter vorm Schreibtisch gesessen hatte und hinausgegangen war, riß er sich mühevoll von diesem Möbel los, das er bereits zu verfluchen begann, und ging zum Wandschrank, hinter dessen Türen Waschbecken und Spiegel verborgen waren. Er stand vor dem Spiegel und betrachtete sich mit aufgerissenen Augen, was immer schwieriger wurde, da sich das Schließen des linken Auges bereits zu einer Gewohnheit entwickelt hatte. Er öffnete es unter Mühen und starrte sich an, sah sein verzerrtes Gesicht zweimal gespiegelt und erschrak. Die beiden Köpfe vor ihm waren ebenso grundverschieden wie die Köpfe der anderen, wie die Köpfe seines Stellvertreters etwa oder wie jene seiner Sekretärin. Er ging soweit, zu überlegen, wer er war, welches dieser Gesichter ihm gehörte. Es sah aus, als ob er sich selbst zutiefst verachtete. Und sein Stellvertreter? Was war das für ein Mensch? Hatte er nicht vor wenigen Minuten den Eindruck gehabt, er würde ebenso wie er fast unmerklich sein linkes Auge zusammenkneifen?

Entsetzen erfüllte ihn, er schloß hastig die Schranktüren, wandte sich zum Fenster und sah hinaus, mit beiden Augen sah er auf den Dunst der Stadt, die noch immer lebte, trotz der weißen oder gerade wegen der weißen Mauer, auf diese Stadt, vom Stacheldraht zerrissen, auf diese Stadt, die zweifach unter ihm und vor ihm lag und lebte und ihm jetzt so unwichtig war, als existiere sie nicht.

Er faßte sich und ging kurzerhand zu Fuß zu einem Brillenmacher, an dessen Laden er jeden Tag mit dem Dienstwagen vorüberfuhr. Zum ersten Mal seit langer Zeit lief er allein ein Stück durch die Stadt und hatte Muße, die Menschen und das Geschehen auf den Straßen zu beobachten. Sah er mit beiden Augen, fuhren die Autos zweistöckig, sie fuhren nahezu übereinander, auf zwei Straßen, und er hatte die Vorstellung, eine Vervielfältigung aller Dinge zu erleben.

Menschen, Autos, Straßen und Häuser erfuhren plötzlich

eine groteske Erweiterung. Es war, als türme sich alles unablässig aufeinander, als gebäre diese Stadt fortwährend neue Städte mit allem, was dazugehörte, in bizarren Linien und Flächen und Zacken schob sie sich in unendlichen Wiederholungen in den Himmel, als wüchse sie jetzt schon in eine entsetzliche, ungewisse Zukunft. Und zum ersten Mal wuchsen auch die Geräusche ins Unermeßliche, der Straßenlärm wurde zum Inferno, zu einem wahnwitzigen, unablässigen Brausen und Dröhnen, das in hohe, nicht mehr unterscheidbare Töne mündete.

Er blieb stehen und stand verwirrt und verzweifelt am Rand der Straße, zwischen den wütenden Autos und den glotzenden, übereinandergestülpten Hochhäusern, deren hundert und aber hundert Augen auf ihn und gleichzeitig in die Ferne stierten, und er entsann sich eines Bildes von Pieter Breughel, einer Darstellung des Turmbaus zu Babel, auf der sich der Turm in den Wolken verlor und auf der, wie ihm plötzlich klarwurde, die Sinnlosigkeit menschlicher Anmaßung zum Ausdruck kam. Er hatte damals, vor dem Bild, schon das vage Gefühl gehabt, daß sich hier etwas Ungeheures vollzog, doch er hatte nicht gewußt, was es war. Beklemmung hatte ihn erfaßt, Unsicherheit und Furcht und vielleicht auch ein wenig Scham, er wußte nicht mehr wodurch und weshalb, aber jetzt, mitten in der lärmenden Stadt, die über sich selbst hinauswuchs und zusammenzustürzen schien, jetzt sah er einen Zipfel der Wirklichkeit, und jetzt empfand er die Realität dieses Bildes.

Und zugleich empfand er Furcht vor dieser Realität. Er schloß schnell das linke Auge und spürte, wie sich alles zu provinzhaften Bewegungen, Ausmaßen und Geräuschen reduzierte. Zwischen den Häusern und der Straße spielten Kinder, eingezwängt auf Rasen und Sandflächen, auf zehn jämmerliche Meter, und er riß das linke Auge auf und sah, wie sie von steinernen Elefanten in den gelben Sand stürzten, er sah sie immerfort rutschen und stürzen, als gäbe es nichts anderes für sie, und er sah sie in stählernen Gerüsten klettern, mit affenartiger Behendigkeit und in doppelter Gestalt, aber ihre Gesichter waren nicht verschieden wie jene der Erwachsenen, er stellte es mit Erstaunen fest. Auf ihren Gesichtern war nur Freude und Begeisterung, ein immerwährendes Vergnügen, selbst wenn sie sich verprügelten und beschimpften.

Und wie er so lief und fortwährend das linke Auge öffnete und zusammenkniff, wie er eine Verwandlung der Dinge erlebte, die offenbar nur ihm gewahr wurde, kam ihm zu Bewußtsein, daß er damit eine Sonderstellung einnahm. Er war krank, gewiß, aber er war krank auf eine besondere Art, auf eine Art, die ihm gestattete, mehr zu sehen als andere, die ihm ein besonderes Wissen und einen ungeheuren Reichtum an Eindrücken verschaffte, auf den er nicht verzichten durfte.

Er gelangte zu dem Laden und las den Spruch über dem Schaufenster:

> Willst du eine gute Brille,
> geh zum Fachmann,
> er heißt Grille.

Er ging befriedigt hinein, und zwar mit geschlossenem linken Auge, um die Stufen nicht zu verfehlen, das das Geschäft hochparterre lag.

Der Laden war still, leer und hell. In beleuchteten Glasvitrinen, von gelbfarbenem Holz gerahmt, blitzten Brillengläser und glänzten goldfarbene Gestelle. Uralte, silberne Lorgnons schimmerten matt und verheißend. Hinter einem Vorhang, von ganz weit her, summte ein Motor.

Er hustete und wartete. Endlich erklangen tappende Schritte, der Vorhang wurde beiseite gezogen und ein Kopf tauchte auf, ein jungenhaftes Gesicht vor dem Dunkel des Hintergrunds, bleich, müde und ohne Neugier. Der Brillenmacher trat durch den Vorhang und ging hinter den Ladentisch, er war ein kleines Männchen, ein schüchterner Buckel verunstaltete seinen Rücken, so daß es aussah, als verbeuge er sich unablässig. Er stand hinter dem Tisch und wartete, neigte den Kopf und horchte, noch immer müde und ohne Neugier.

Er hustete noch einmal und begann leise und zaghaft zu sprechen, als verrate er ein Geheimnis. Er sagte, daß er eine besondere Krankheit habe, er sähe alles doppelt, ob es da Hilfe gäbe? Das Männchen hörte geduldig zu, ohne Regung in dem bleichen Gesicht, und am Ende seiner Worte sah er ihm ins Gesicht und seufzte. Er bedeutete ihm sich zu setzen und meinte, daß er nicht der einzige sei, er irre sich, wenn er glaube, dies sei eine besondere Krankheit. Es kämen immer mehr Menschen, die unter dem Siegel der Verschwiegenheit behaupteten, sie sähen alles doppelt. Er lächelte jetzt, kam hinter dem Ladentisch hervor und sah ihm noch immer ins Gesicht. »Dies scheint eine Zeit zu sein«, bemerkte er nicht ohne Witz, »in der es den Leuten nicht mehr genügt, einfach zu sehen.«

Er setzte sich ihm gegenüber und begann mit Hilfe irgendwelcher Instrumente seine Augen zu untersuchen, hob die linke Hand, streckte einen Finger hoch, sagte, er solle auf den Finger sehen, und sah ihm unterdessen ins Auge. Ein Lichtstrahl fuhr über sein Gesicht. Rundum war es still. Er hielt den Atem an und hörte, wie der Brillenmacher plötzlich erstaunte Ausrufe vernehmen ließ. »Oi, oi, oi«, rief er, und nachdem er ins andere Auge geblickt hatte, erscholl es erneut: »Oi, oi, oi.«

Hastig sprang er auf und sah ihn an, mit entsetztem und zugleich mitleidigem Blick, gleichzeitig aber so erstaunt und interessiert auf einmal, als sei er soeben einer weltumwälzenden Entdeckung auf die Spur gekommen. »Ihre Krankheit ist tatsächlich erstaunlich weit fortgeschritten. Diese Augen«, sagte er hastig, »sind gewissermaßen Ausdruck Ihrer inneren Verfassung. Ganz offenbar haben wir es mit einer Lähmung der Pupillen zu tun, die ihrerseits durch eine Schwächung der Augenmuskeln hervorgerufen wird.« Das Männchen ging bei seinen Worten auf und ab und geriet mit der Zeit in einen dozierenden Tonfall, wobei sein Buckel mit jedem Schritt seltsam hüpfende Bewegungen vollführte.

»Man kann auch sagen«, bemerkte er und hob dabei seine Stimme, »daß eine Form von Gesichtsschwindel vorliegt, wobei durch eben diese Muskellähmung eine Scheinbewegung der umgebenden Objekte hervorgerufen wird. Sie glauben, Ihre Augen in normaler Weise bewegen zu können, obgleich diese Bewegung durchaus nicht vorhanden ist. Aus diesem Grunde nun entsteht eine schwindelerregende Unsicherheit über den Ort der eigenen Person und der sie umgebenden Objekte. Zum anderen«, er hob die rechte Hand und streckte den Zeigefinger hoch, »zum anderen haben Sie ohne Zweifel hin und wieder den Eindruck, daß Sie beim Sitzen in der fahrenden S-Bahn glauben, die Bahn stünde still, während draußen sich alles bewegt.«

Es fiel ihm ein, daß er tatsächlich beim Fahren mit dem Dienstwagen manchmal den Eindruck hatte, er säße wie festgenagelt in den Polstern, und draußen flögen die Menschen und Häuser vorüber, als wären sie es, die sich unablässig bewegten, und als wäre er geradezu ein überflüssiges Stück Fleisch, das irgendwo ruhig verharrte. Die S-Bahn hatte er fünf oder sechs Jahre lang nicht mehr benutzt.

»Wie kommt es aber«, fragte er, »daß ich mit einem Auge normal sehen kann?«

»Das«, sagte der Brillenmacher, »das liegt an der gestörten Konvergenz, mein Herr, an der gestörten Konvergenz. Sehen Sie«, er lächelte milde, hob erneut die rechte Hand und streckte den Zeigefinger zur Decke, »auf der Netzhaut beider Augen wird ein Bild des gesehenen Gegenstandes entworfen. Es entstehen also zwei Bilder, die dennoch zu einem einzigen vereinigt werden. Wie geschieht das? Es geschieht durch den Umstand, daß die beiden Bilder auf jeweils dem gleichen Punkt der Netzhaut erzeugt werden. Dies sind die sogenannten korrespondierenden oder identischen Punkte. Unser Bewußtsein hat gelernt, die Empfindungen an beiden Punkten zu einem einzigen Punkt zu vereinigen. Ganz offenbar sind nun sowohl Ihr Bewußtsein als auch die muskulären Vorgänge erheblich gestört und bewirken somit eine unterbrochene Konvergenz.«

Er saß verstört auf seinem Stuhl und starrte mit aufgerissenen Augen auf die vier Hände des Optikers, die unentwegt auf und nieder fuhren.

»Können Sie mir helfen, Herr Grille? Sie als Fachmann sollten mir doch helfen können?« Er fragte mit nahezu schmeichelhafter Stimme, in der eine gewisse Hochachtung vor den

Kenntnissen des Brillenmachers mitschwang. Der neigte seinen Kopf, ein mildes, wissendes Lächeln überflog sein Gesicht, und sein Buckel schien ein wenig anzuschwellen.

Dann ging er auf und ab, versank in Gedanken, murmelte nur hin und wieder oi, oi, oi, und ja, was machen wir denn da und sah in Abständen scharf auf seine Augen, von oben herab, während er noch immer reglos dasaß, die Augen aufriß und zwei auf- und abgehende Brillenmacher verfolgte.

»Was Sie brauchen«, dozierte er nun wieder, »ist eine besondere Brille, zu deren Herstellung wir allerdings eine gewisse Zeit benötigen. Bei der Labilität Ihrer Augenmuskeln kann nur eine Brille mit prismatischen Gläsern in Frage kommen, und Ihr linkes Augenlid heben wir durch eine Ptosisstütze.«

»Ptosisstütze?« fragte er entsetzt.

»Keine Angst«, beruhigte ihn der Optiker, »das ist ein Lidheber, ein einfacher Metallbügel, der dafür sorgt, daß Ihr Augenlid immer nach oben gezogen wird. So etwa.« Er beugte sich zu ihm hinab und stieß mit dem rechten Zeigefinger gegen sein linkes oberes Augenlid. Er hatte es für einen Moment geschlossen. Jetzt aber, durch den Druck des Zeigefingers, wurde es nach oben gezogen. Das Männchen richtete sich triumphierend auf, reckte den Buckel in die Höhe und sagte: »So müssen wir das machen.« Und dann, ohne jeden Übergang: »Sie arbeiten wohl im Büro, müssen wohl viel lesen, wenn ich nicht irre? In diesem Fall«, sprach er weiter, ohne eine Antwort abzuwarten, »ist es angebracht, ein wenig auszuspannen. Es ist erforderlich«, dozierte er, »dem Augapfel, der durch das beständige scharfe Sehen einer fortwährenden Zerrung unterliegt, ein wenig Ruhe zu verschaffen. Kommen Sie doch morgen vormittag zu einer gründlichen Untersuchung.«

Sie gingen zusammen zur Ladentür, der Bucklige öffnete sie höflich und reichte ihm die Hand, die er irritiert entgegennahm, da sie zweimal vorhanden war, und da er zuerst in die leere Luft gegriffen hatte. Er schloß blitzschnell das linke Auge und erhaschte sie endlich, bedankte sich und stieg unbeholfen die Stufen hinab auf die Straße.

Er atmete auf. Alles schien gut zu werden. Er würde seine prismatische Brille bekommen und wieder sehen können wie bisher. Er würde der alte sein, in spätestens zwei, drei Wochen würde er der alte sein. Ein wenig kurz treten würde er, vielleicht eine Kur machen und ansonsten kurz treten, dem Augapfel Ruhe verschaffen, wie es der Bucklige gesagt hatte. Und er könnte, so dachte er noch, wenn es ihm beliebte, auch der neue sein, nämlich dann, wenn er die prismatische Brille abnahm.

Er ging zum S-Bahnhof und erinnerte sich der Worte des Brillenmachers. Mal sehen, dachte er, wer sich bewegt, er oder die Stadt. Er ließ sich von der Rolltreppe hochtragen, mit geschlossenem linken Auge, auf dem Bahnsteig fand er sich nicht gleich zurecht, doch dann sah er, wie seine S-Bahn einfuhr, er riß das linke Auge auf, um zu sehen, wie es wäre, wenn zwei S-Bahnen zu gleicher Zeit einfahren, und er trat vor, fühlte im gleichen Augenblick, daß er ins Leere trat, daß er stürzte, er stürzte unablässig und hörte Schreie auf dem Bahnsteig, schlug mit dem Kopf auf das stählerne Gleis und sah mit aufgerissenen Augen auf das gewölbte, zweifache Dach der Bahnhofshalle, das plötzlich kreischend zerriß und den Himmel freigab, einen Himmel, der blau und weit und ungeheuer still war.

Joachim Walther

Entlassungsgesuch

... stets haben wir recht behalten ...
Idiom

1. *Krise*

Hiermit möchte ich der hochgeschätzten Kommission als auch der übrigen Welt außerhalb der geschlossenen Station ebenso kunstvoll wie wahrhaftig davon Kenntnis geben, was die Stimme der Erinnerung mir ins Ohr geflüstert, obgleich dieses angestrengte Lauschen meine andauernden Anfälle grenzenloser Heiterkeit nicht eben erleichtern, jener gehobenen Stimmung, welche mir Gelegenheit gibt, Gast dieses noblen Hauses zu sein, und die ausschließlich von Leuten, die meine Geschichte nicht kennen, höchst ungenau als manisches Syndrom oder schizophrene Symptomatik gedeutet wird. So will ich denn ohne weiteren Verzug und bar jeder Polemik gegen die überaus freundlichen Psychiater meine Gedanken laut werden lassen, die, so hoffe ich, eindrucksvoll belegen werden, wie hochgradig paradox es ist, mich *nach* der Überwindung meiner Krise zwangsweise zu einem psychiatrischen Fall zu machen, da doch weit eher Anlaß bestünde, statt meiner Innenwelt die Außenwelt zu diagnostizieren, was diese mit aller gebotenen Sorgfalt zu schreibende und sogleich folgende Anamnese anregen soll.

Es begann vor einer Buchhandlung, einer renommierten, wie ich versichern darf, die sowohl die bedeutendsten Werke der Alten in vorzüglichen Reprints als auch die zwischen zwei Buchdeckel gebundenen neuesten Erkenntnisse und Überlegungen gefällig bereithielt. In deren weitläufigen Räumen nun sah ich meinen verehrten Lehrer, den weltbekannten Professor N., zwischen den prallgefüllten Regalen und hochgestapelten Auslagen umherirren, ohne daß er sich für ein Buch hätte entscheiden können. Ich sah, selbst ungesehen, wie er dieses und jenes zur Hand nahm, interessiert zuerst, nahezu gierig, wie er im Klappentext oder Vorwort las und sie allesamt mit einer müden Bewegung, die immer häufiger so etwas wie Abscheu verriet, zurücklegte. Also auch er! dachte ich. Auch er, den ich, ohne zu übertreiben, meinen geistigen Vater nennen durfte, er, der das Wissen unserer Epoche wie kein zweiter in seinem Hirn fokussierte und als spektralfarbenes Feuerwerk wieder von sich gab, er, der Unvergleichliche, der sich niemals, wie viele andere, mindere Hirne, den Anschein gegeben hatte, dieses sich explosiv vermehrende Wissen, diese entfesselten und wild wuchernden Zähler in einem gemeinsamen Nenner gebündelt zu haben, er, der sein gigantisches Wissen stets dazu nutzte, neue Fragen zu stellen, und nebenbei, mit spielerischer Leichtigkeit, die elenden Vereinfacher ironisierte, er befand sich offenbar in der gleichen Krise wie ich, sein Schüler. Sein liebster, wie ich vielleicht mit aller gebührenden Bescheidenheit anfügen darf, in den nicht nur er die schönsten Hoffnungen setzte. Doch je mehr ich an Wissen in mich einließ, je öfter ich kühne Querverbindungen zog, desto weniger erstrebenswert schien mir das alles. Ich ertappte mich wiederholt dabei, wie ich widerwillig die Bücher beiseite schob und statt dessen stundenlang aus dem Fenster starrte, so angestrengt und auf einen imaginären Punkt, daß es mich körperlich erschöpfte und mein ansonsten durchaus intaktes Nervenkostüm angriff. Die Folge war eine gewisse Mißstimmung, eine Unleidlichkeit, die meine Frau Gesine, von gewöhnlich ausgeglichenem und ausgleichendem Wesen, zu unverhohlenem Murren veranlaßte, welches darin gipfelte, daß sie mich schrill auf sexuelle Pflichten hinwies, die ich früher jederzeit als willkommene Kür zum Zwecke des Ausgleichs begrüßt hatte. Um zumindest mit einem, wenn auch kleinem Blitzlicht die inhaltliche Seite dieser Krise zu erhellen, sei hier erwähnt, daß ich verblüffend ausdauernd darüber nachsinnen konnte, wie wohl die erste Sekunde nach dem Tode beschaffen sei. Nie, als in dieser Zeit, ist mir deutlicher geworden, daß ich lediglich mehr *wußte* als ein sogenannt Ungebildeter, aber eben keineswegs alles, endgültig, absolut, und daß sich durch meine fleißig betriebene Anreicherung mit Teilwissen wohl kaum je die letzte Sicherheit, die letzte Einsicht und damit Abgeklärtheit und Handlungsfreiheit ergeben würde, die ich – auch das eine Erkenntnis jener Zeit – unterbewußt zeitlebens ersehnt hatte.

Ich sah, wie mein so über alles geliebter Lehrer sich anschickte, die Buchhandlung zu verlassen, natürlich, was Wunder, ohne ein Buch erstanden zu haben. Er ging zielstrebig, wie mir von vornherein schien, auf etwas zu, stieg hinunter in die Metro oder U-Bahn oder Subway, wobei ich ihm unauffällig folgte, stieg auf, bog ortskundig um Ecken und in Straßen, eilte zu etwas hin, fast bin ich versucht zu sagen: manisch einem geheimnisvollen Sog nachgebend und dabei immer heftiger mit seiner linken Schulter zuckend – ein mir nur allzugut bekanntes Leiden, welches sich bei mir dadurch äußerte, daß meine rechte Braue seit kurzem konvulsivisch auf- und niederhüpfte. Was aber, so fragte ich mich, zog diesen so universell Gelehrten und kühnen Denker mit einer derart leidenschaftlichen Wucht an? Ich sollte es erkennen, als mein unendlich bewunderter Lehrer plötzlich den Schritt verlangsamte, als er fast mühsam weiterging, sichtlich gegen einen unsichtbaren, weil inneren Widerstand sich stemmend, als er mit den Händen um sich zu schlagen begann und mich siedendheiß die schreckliche Erleuchtung überkam: des Meisters Laden!

Natürlich kannte ich ihn, hatten wir doch schon als Schüler unsere Witze gerissen, welche mit der vornehmen Distanz unserer Lehrer, wenn auch auf unterschiedlichem intellektuellen Niveau, durchaus korrespondierte. Von des Meisters Buch der Bücher, wie es allgemein genannt wurde, wußten wir nur so viel, daß es vorgab, die ganze Wahrheit und ein für allemal zu enthalten, und obwohl wir nicht einen Satz daraus kannten und sich unsere Lehrer kein Zitat entlocken ließen, genügte uns allein der, wie wir es damals auszudrücken beliebten, wahnwitzige Anspruch des Buches der Bücher, um es dem grimmigsten Spott anheimfallen zu lassen.

Jetzt also verhielt ich wenige Meter entfernt von diesem Laden, indes mein gewaltiger Lehrer bereits direkt vor ihm stand. Ein unscheinbares Lädchen auf den ersten Blick, flankiert von einem Fleischerladen und einem Bestattungsinstitut, grau und mickrig die Außenansicht, wie überhaupt keinerlei Schild oder Zeichen auf die Besonderheit des Ladens hinwies, sondern er seine magische Anziehungskraft allein auf den Artikel zu gründen schien, eben jenes Buch der Bücher, welches hier ausschließlich verkauft wurde und in mustergültiger, ja nachgerade militärischer Ordnung Schaufenster und Regale füllte, wodurch ein starker Eindruck von Schlichtheit und Strenge entstand. Es blieb mir weiter keine Zeit, über den merkwürdigen Widersinn nachzudenken, daß mich ausgerechnet der Mann hierher geführt hatte, der zweifelsohne als einer der schärfsten Gegner des Buches der Bücher gelten durfte, denn er sah sich eigenartig jäh und gehetzt um, so daß ich genötigt war, mich eilig in den Schatten einer Platane oder Palme oder, gleichviel, Zeder zu begeben. Er legte eine Hand auf die Klinke, zuckte jedoch zurück, als führe sie Strom, zitterte wie eine Staumauer unter einem katastrophalen Überdruck, dem sie nicht standzuhalten vermochte und dem nun auch mein Professor erlag, denn er ließ sich, nunmehr widerstandslos, in den Laden hineinspülen. Ich eilte aus meinem Versteck und stellte mich, scheinbar absichtslos, neben die Tür, setzte eine gespielt gleichgültige Miene auf, indes ich meinen Gehörsinn auf feinste Schwingungen einpegelte. Die Sittenlosigkeit dieses Belauschens war angesichts seiner Bedeutsamkeit so gering, daß ich mich heute dafür nicht mehr zu entschuldigen brauche, denn der nun folgende Dialog hat mein Leben von Grund auf verändert, weshalb ich ihn auch so ausführlich zitiere. Die Stimmen waren auf denkbar einfache Weise auseinanderzuhalten, denn mein Lehrer sprach mit einer vorher nie gekannten Unsicherheit, ja, fast möchte ich schreiben, kindlichen Unterwürfigkeit in der Stimme, während der andere, unzweifelhaft der allmächtige Meister, leidenschaftslos und unmelodisch (denn damals bediente ich mich noch der negativen Beschreibung, heute würde ich schreiben: selbstsicher und überlegen) antwortete.

Entschuldigen Sie…, ich…, hörte ich den Professor stammeln.

Aber, aber, erwiderte die Stimme des Meisters, wir brauchen uns doch nicht zu entschuldigen!

Woher wissen Sie…, um Gottes willen?

Ich weiß alles.

Finden Sie nicht merkwürdig, daß ich..., einer Ihrer unversöhnlichsten Kontrahenten, gerade ich, ich... hier?

Nicht die Spur, mein Bester, wir sind da, das genügt.

Sie wissen...?

Auch das, Professor, auch das. Wir sind gekommen, um das...

Nein! Nein! Nein!

Doch, doch, wir beide wissen es doch längst.

Ich nicht, ich, ich weiß nicht, weshalb...

Geben wir's doch zu: Wir wollen das Buch.

Nein, bitte, nein...

Wozu der Widerstand, mein Lieber? Wir sind krank, wir brauchen es. Da, jetzt haben wir es schon in der Hand, Arme und Beine sind ganz schwer, der ganze Körper ist schwer und warm, das Herz schlägt ganz ruhig und kräftig, die Atmung ist ganz ruhig, das Sonnengeflecht ist strömend warm, die Stirn ist ein wenig kühl, wir gehen jetzt fein nach Hause, wir weinen nicht, wir sind sehr tapfer, wir sind geheilt.

Obwohl ich mir die optischen Begleitumstände dieses Gesprächs hinzudenken mußte, spürte ich deutlich von Anfang an, daß der Kampf mit höchst ungleichen Mitteln geführt wurde: Hier mein ehemaliger Lehrer in der Verteidigung, der nicht zu wissen schien, ob und was er eigentlich verteidigen sollte, viel zu sehr mit sich selbst im Streit, um wenigstens eine, wenngleich von vornherein unnütze Geste der Abwehr zu tun, dort der Meister, ein Fels in der schwachen Brandung, ehern in der ruhigen Selbstgewißheit seines unverrückbaren Standpunktes, so daß für mich kein Zweifel daran bestehen konnte, daß der Professor und mit ihm die ganze Geisteshaltung, die er repräsentierte, kläglich daran zerschäumen mußte. Das letzte Nein des Professors sank denn auch zu einem hilflosen Stammeln, das Wort war schon nicht mehr ernst gemeint, es wehte zu mir heraus wie ein Echo aus vergangenen Zeiten. Der väterliche Ton des Meisters dagegen traf mich wie ein zärtlicher Peitschenhieb.

Dann wurde die Tür so heftig aufgerissen, daß mir keine Gelegenheit blieb, mich zu entfernen, und mein früher so verehrter Lehrer taumelte heraus, an mir vorbei, ohne mich zu bemerken, wobei er das Buch der Bücher behutsam, fast zärtlich unter seinem Mantel barg. Wenn ich schon während des belauschten Dialogs die Entfernung zu meinem einst bewunderten Lehrer wachsen spürte, so traf mich seine gebrochene Erscheinung tief ins Herz, und doch fühlte ich neben dem Schmerz, wie gleichsam ein zweites Ich in mir zu raunen begann, wie sich ein neuer Sinn in meinem Kopf Raum schaffte, wie die Krise verebbte und sich alles in mir zu ihm hinsehnte, zu ihm, dem Meister, meinem neuen Lehrer.

Ich trat ein.

2. Gesundung

Mit gleicher Wahrhaftigkeit, wie ich sie der Beschreibung meiner Krise angedeihen ließ, soll nun auch meine Genesung behandelt werden, wobei wir ja nur zu gut wissen, wie fließend die Grenzen zwischen gesund und krank, normal und unnormal, typisch und untypisch sind, wie vieles sich der schriftlichen Fixierung entzieht und der Imagination des Lesers überlassen bleibt.

Ich trat also, wie schon geschrieben, ein, warf mich sofort vor des Meisters Füße und bat ihn inständig, mich mitleidlos auszupeitschen, da ich in meiner Verworfenheit hoffte, durch eine so harte Buße gewissermaßen auf einen Streich von der gröblichen Eitelkeit meines bisherigen Strebens befreit zu werden. Der Meister jedoch hieß mich in seiner knappen und wunderbar eindeutigen Sprache umgehend aufstehen, was ich sogleich und mit größtem Beschämen tat, hatte er mich doch ohne Belehrung gelehrt, daß Dienen niemals in Fordern, und sei es nach Züchtigung, bestehen könne, sondern nur in der lebenslänglichen Ungewißheit der Vergebung und der bedingungslosen Selbstaufgabe.

Bei so viel unendlicher Weisheit verwunderte es mich nicht im geringsten, daß er, noch bevor ich ihn bitten konnte, in seine Dienste treten zu dürfen, daß er mir erlaubte, die ausliegenden Exemplare des Buches der Bücher vom Staub zu befreien. Wie glücklich machten mich diese Worte! Und sogleich widmete ich mich dankbar der Arbeit, bei der ich in anschaulicher Weise begriff, daß das Grundübel meiner bisherigen Existenz darin bestanden hatte, ständig und mit frevelhafter Ungeduld zu fragen, statt gehorsam auszuführen, was angeordnet wurde, in diesem Falle also unbedenklich, mit heiligem Ernst und ohne aufsässige Fragen nach dem Sinn Staub zu wischen, wo nicht ein einziges Stäubchen lag.

Mein Pflichtenkreis erweiterte sich im Verlauf des Tages durch kleine Handreichungen für den Meister, wie: das Bereiten der Mahlzeiten, Säuberung der Wohn- und Verkaufsräume, Einkauf von Lebensmitteln, Fußwaschungen mit anschließendem Sohlenkitzeln, Beseitigen von Mitessern, Auflecken des Speichels und, nicht zu vergessen, den ununterbrochenen Nachschub des Buches der Bücher aus dem Magazin in den Laden, vor allem jedoch das aufmerksame Befolgen, ja Erahnen der Wünsche des Meisters. Doch vergeude ich hier Zeit und Papier für meine so lächerlich nichtigen Dienste, statt meine gezierte Feder jenen Freuden zu leihen, die mir allein durch die Gnade, in der Nähe des Meisters weilen zu dürfen, zuteil wurden. Ich ging im Hintergrund still meinen Verrichtungen nach, während der Meister, der, ich vergaß es bisher anzumerken, rein äußerlich ein alter und hinfälliger Mensch mit Bronchialasthma war, vorn die Kunden bediente, und konnte so jede seiner Gesten und jedes seiner Worte mit glühender Andacht verfolgen.

Kurze Zeit nach meinem Eintritt erschien eine Mutter mit einem Kleinkind im Laden, und die nun folgende Szene ist wohl hervorragend geeignet, das ruhmreiche Wirken des Meisters zu verdeutlichen, der in diesem Falle ohne den Einsatz eines einzigen sprachlichen Mittels agierte – denn er bemächtigte sich gegen die, man muß es schon so nennen, hysterischen Proteste jener Mutter des Kindes, gab mir den Auftrag, schleunigst die schon bereitliegende Nummer eines bekannten Pressefotografen zu wählen und ihn herbeizurufen, trat vor die Tür, überquerte die Straße, tauchte das Kleinkind mehrere Male in den dort fließenden Abwasserkanal, benetzte sich selbst mit einigen Spritzern dieser übel riechenden Flüssigkeit, barg das laut greinende Kind väterlich an seiner Brust und erwartete in dieser innigen Pose die Ankunft des Fotografen. Das Foto erschien noch am selben Tag in der regionalen Abendpresse und ließ das Klima schlagartig freundlicher werden, denn wenige Minuten nach Erscheinen des Abendblattes wälzte sich ein schier endloser Zug enthusiasmierter Mütter am Laden vorbei, welche, die noch druckfeuchten Zeitungen als Winkelemente nutzend, mit dieser Kundgebung spontan dem Meister huldigten. In Anbetracht der Zahl von Müttern auf Erden kann diese Aktion nicht hoch genug eingeschätzt werden, doch reichte der Einfluß des Meisters ohnehin weiter, als die meisten wähnten, was glaubhaft ich zu versichern in der Lage bin, da das gewissenhafte Abhaken der Auftragslisten einen Sektor meines Pflichtenkreises bildete.

So befand sich unter der Tagespost, deren Vorsortierung gleichfalls mir oblag, auch ein Schmuckblatt-Telegramm des Professors, an den ich übrigens nur noch blasse Erinnerungen knüpfte, in welchem er eine tiefe Verbeugung vor der Autorität des Meisters tat und mitteilte, daß er alle seine früheren Irrtümer in Wort und Schrift öffentlich widerrufen habe. Die übrigen Zuschriften enthielten keine einzige Reklamation, meist handelte es sich um Huldigungsschreiben, mitunter in freien oder gebundenen Rhythmen verfaßt, denn auch so mancher Literat gehörte zur treuergebenen Jüngerschaft des Meisters.

Noch während ich die Post ordnete, wurde mit einer unverschämten Plötzlichkeit die Tür aufgerissen, und ein Mann stürmte in den Laden, das Buch der Bücher in der Hand schwenkend und in offensichtlich affektiver Enthemmung eine solche Menge unflätiger Worte aus seinem Munde kübelnd, daß ich nur das mehrmals wiederholte Wort *Betrug* herauszuhören vermochte. Der Meister indes blieb völlig ruhig und befahl mir, im Magazin weitere Anweisungen abzuwarten, weshalb ich den ersten Teil des sich entspinnenden Gesprächs nicht wiedergeben kann.

Mein Bester, hörte ich den Meister schließlich sagen, wollen wir gemeinsam überlegen: Was bleibt uns, wenn wir den schönen Schein zerstören?

Weshalb, brüllte der Erregte, weshalb wagt keiner, aber kein einziger, den Kaiser nackt zu nennen? Weshalb?

Bedenken wir, sagte der Meister, erinnern wir uns: Dies geschah nur einmal – im Märchen. Wir wissen es doch längst, weshalb kämen wir, du kleines Dummerchen, sonst zu mir?

Der Mann ließ ein wildes Aufschluchzen hören, einen fast tierischen Urlaut, in dem sich Ohnmacht, Verzweiflung, Revolte und Niederlage in schneller Folge ablösten.

Wodurch, schrie er, wodurch hast du diese Macht?

Mein Lieber, sagte der Meister, weil wir sie wollen, weil wir sie brauchen. Und nun gehen wir ruhig nach Hause, ganz ruhig, wir sind klein, unser Herz ist rein, darin soll wohnen der Glaube allein.

Ich hörte, wie sich der Mann auf leisen Sohlen aus dem Laden schlich, hörte gleich darauf den Meister etwas ins Telefon sagen, wovon ich aber nur zwei Worte, die da lauteten *Stufe vier*, verstand. Etwas später, ich hatte den Zwischenfall bereits vergessen, heulte ein Krankenwagen heran, und ich sah durch die Schaufensterscheibe, wie er einen arg Zugerichteten in sich aufnahm, der trotz seiner augenscheinlichen Bewußtlosigkeit ein Exemplar des Buches der Bücher fest in beide Hände krampfte, und wie er unter den stumpfen Blicken der Gaffer davonfuhr. Wenn mir damals auch der Zusammenhang dieser Ereignisse verschlossen blieb, so hinterließen sie doch einen bleibenden Eindruck in meiner Seele.

Nachgerade eine Offenbarung für mich war die Technik der Beschreibung negativer Sachverhalte, die bei der abendlichen Bilanzierung des Verkaufs ihren schönsten Ausdruck fand. Der Meister hatte an diesem Tag 100 Exemplare weniger als am Vortag verkauft, was mit platten Worten, deren sich ausschließlich phantasielose Pragmatiker und notorische Querulanten zu bedienen pflegen, bei der Vorgabe von 200 als Rückgang um 50 Prozent bezeichnet worden wäre, vom Meister jedoch als ein außerordentlich prächtiges Ergebnis gewürdigt wurde, da es, wenn dieses Tempo nur vier Tage durchgehalten werden würde, woran er keinen Zweifel ließ, dann eine Steigerung auf 400 Exemplare und damit eine stolze Verdoppelung bedeutete. Daß neben dem strikten Vermeiden negativer Formulierungen auch das Verbot jeglichen Lachens zu den ungeschriebenen Gesetzen in des Meisters Laden gehörte, weil dies, wie er trefflich sagte, gesundheitschädlich und zersetzend sei, lernte ich mühelos. Weit schwieriger dagegen war die Anwendung von Präsensformen für den Ausdruck von Zukünftigem, wodurch etwas, zu dem aufgefordert wird, als bereits vollzogen erscheint, so etwa, wenn der Meister den Satz, der vielleicht als sein zentraler Bannerspruch gelten durfte, verlauten ließ: Alle lesen das Buch der Bücher. Was zwar nicht gänzlich stimmte, gab es doch außerhalb des Ladens vereinzelt, hin und wieder, gewissermaßen Vorbehalte, aber perspektivisch gesehen mehr als richtig war, da diese sprachliche Form den renitenten Nichtkäufer zwingend auf ein Fehlverhalten aufmerksam machte, ihn auf die unumgängliche Gesetzmäßigkeit des Kaufes verwies und somit stimulierte, was das subsummierende Wörtchen *alle*, welches, wie könnte es anders sein, nicht zufällig am Anfang des Satzes steht, zudem noch unterstreicht, da es dem einzelnen verdeutlicht, daß er der einzige ist, der sich anmaßt, die allgemeine Norm zu negieren. Daß der Meister die 1. Person des Plural verwandte, wenn er mit jemandem sprach, durfte ich bereits angelegentlich der zwei aufgezeichneten Gespräche vorführen ...

Wenn Sie, hochgeschätzte Kommission, sich an dieser Stelle fragen, weshalb ich, der ich doch meine endgültige Ausdrucksweise und letztlich auch meine Selbstverwirklichung im ungehemmten Gelächter gefunden habe, dem Wortgebrauch solch auffällige Sorgfalt zuwende, so muß ich, der Möglichkeit unverzeihlicher Taktlosigkeit so direkten Fingerzeigs eingedenk, auf die stilistischen Eigenheiten dieser Zeilen ausdrücklich verweisen, die weder die meinen sind noch waren, was Sie, bitte, meinen mißlungenen Etüden der Vorzeit entnehmen wollen, noch jemals sein werden, die, nun sei es offen gesagt, durch diese permanenten Archaismen in der Manier großbürgerlicher Stilblähungen auf die Problematik jeglichen Wortgebrauchs deuten soll, weiterhin auf den Umstand, daß ich durchaus in der Lage, nur nicht willens bin, mich von mir selbst zu distanzieren, und keineswegs pathologisch fixiert auf meine so beredt sprachlose, neue Ausdrucksweise, die heitere Erregung, und daß dies, Einsicht und Vermächtnis zugleich, ein solch befreiendes Glücksgefühl ist, welches ich nach Abschluß dieses Gesuchs, das hurtig voranzutreiben ich hier feierlich verspreche, sogleich fortzusetzen gedenke.

Nun, aufgrund meines prallen Pflichtenbündels blieb am ersten Tag keine Zeit zur Lektüre des Buches der Bücher, auch war es mir kein tiefinneres Bedürfnis, konnte ich doch sattsam in den Gesichtern der Käufer lesen, die sich extrem von denen der Ignoranten unterschieden, wie tief und ewig die Wahrheit des Buches der Bücher sein mußte, denn sie strahlten Ruhe und Zufriedenheit aus, einen Gehorsam, der sich beschied, der auf Fragen verzichtete und schließlich insgesamt auf das, was sie wohl früher so anmaßend *eigenständiges Denken* genannt haben dürften. Auch mich hatte diese stille Sicherheit überkommen, dieser selige Verzicht auf alles, was mich noch am Vortag gemartert hatte. Als äußerliches Symptom erwähne ich, daß meine rechte Braue ihre Konvulsionen einstellte und ich mich wieder im Vollbesitz jener Säfte fühlte, mit denen ich Gesine, meine Frau, so dies der Meister gestatten würde, zum nächsten Urlaub zu beglücken gedachte. So verfloß der erste Tag meiner neu gewonnenen Freiheit in wunschlosem Glück, innerer Selbstgenügsamkeit und unbedingtem Gehorsam, dieser Tag meiner Gesundung, dessen krönender Abschluß die wie nebenbei hingeworfene Äußerung des Meisters bildete, daß ich bleiben dürfe und mich bei Sonnenaufgang in den Verkaufsräumen zur Morgengymnastik einzufinden habe.

Wie erstaunt war ich deshalb, als ich zur befohlenen Stunde den Meister im Laden vermißte, ihn in seinem Bett liegend fand und wohl sah, daß es mit ihm zu Ende ging. Ich lieh mein Ohr seinen leisen Lippen und vernahm, daß er von mir aus dem Buch der Bücher vorgelesen haben wolle, welchem Wunsch ich, so ungewöhnlich er mir auch erschien, beflissen nachkam, dieserhalb in den Laden eilte und ein Exemplar holte, es unter seinen Augen aufschlug – und zu meinem nicht zu schildernden Entsetzen feststellen mußte, daß es sich offenbar um einen Blindband handelte, denn seine Seiten waren von vorn bis hinten unbedruckt. Ich entschuldigte meinen Fehlgriff vor dem Meister, den dies jedoch seltsamerweise zu erheitern schien, denn als ich zurück in den Laden sprang, um ein solider gefertigtes Stück zu beschaffen, hörte ich hinter mir ein leises Kichern, das sich unversehens steigerte, als ich das nächste Exemplar ebenfalls leer fand und nun in einer Art Ekstase des Nichtbegreifens sämtliche erreichbaren Bücher an irgendeiner Stelle aufschlug und in hilfloser Enttäuschung von mir schleuderte. Das Kichern steigerte sich dabei zu einem so heftigen Ausbruch, einem derart kosmischen Gelächter, einem solch höllischen Gebrüll, daß sich der Meister, da sein dem Lachen gänzlich entwöhnter Organismus wie insbesondere seine asthmatischen Bronchien einer solchen Lach-Orgie nicht gewachsen waren, wortwörtlich daran totlachte.

Zugleich erfaßte mich, im gleichen Maße, wie sich meine Enttäuschung über die inhaltliche Leere des Buches der Bücher verlor, eine unwiderstehliche Heiterkeit, daß ich, als der Meister die lange Serie seines gigantischen Gelächters geendet hatte, den letzten Ton übergangslos aufgriff und fortsetzte und auch nicht aufhörte, als nach geraumer Weile ein Notarzt und zwei kräftige Gestalten in weißen Kitteln erschienen, mich auf eine sinnreiche Trage schnallten, mit mir davonfuhren und mich auf diese geschlossene Station brachten, die zwar meine Bewegungsfreiheit, aber keineswegs meine allumfassende Heiterkeit einzuschränken vermag.

Und so bitte ich denn in Anbetracht der Tatsache, daß bereits die Hälfte des Pflegepersonals von meinem Gelächter angesteckt ist und selbst der Chef dieses so überaus einvernehmenden Etablissements diesem nur dadurch entgeht, indem er bei meinem Erscheinen seine Zähne fest in die hölzerne Kante seines Schreibtisches schlägt, um meine sofortige Entlassung, die mir, ich hege daran nicht den mindesten Zweifel, die hochgeschätzte Kommission auch gewähren wird, da gegen den Ausbruch der weltweiten Heiterkeit ohnehin kein Kraut gewachsen ist.

Die Dokumente

Ulrich Plenzdorf   Klaus Schlesinger   Martin Stade
                                                  Berlin, 20. 1. 74

Sehr geehrte(r) ...

wir möchten Sie zu einer Anthologie einladen, die den Arbeitstitel
trägt »Berliner Geschichten«. Dabei wollen wir uns nicht unbedingt
auf das Genre festlegen; Sie können etwas Autobiographisches
schreiben oder auch etwas Fiktives, nur sollte der Zeitraum der
Handlung begrenzt sein – sagen wir: vom Kriegsende bis zur Gegenwart oder ein bißchen darüber hinaus – und die politische Geogra-
phie – also: Berlin – Hauptstadt der DDR, eingeschlossen jener Probleme, die sich aus der besonderen politischen Situation der Stadt
ergeben ...
    Herausgeber der Anthologie sollen *alle* Beteiligten sein. Das heißt,
daß jeder Autor das Recht hat auf Kenntnis aller Beiträge. Danach
kann er Einspruch gegen andere Texte erheben. Danach kann er
auch entscheiden, ob er seinen Text zurückziehen möchte. Erst wenn
der Band von allen Beteiligten akzeptiert worden ist, wird er einem
Verlag angeboten. Das finanzielle Risiko tragen alle Autoren; der
Gewinn wird nach quantitativen Maßstäben verteilt. Alle Entschei-
dungen werden durch Mehrheitsbeschluß gefällt.
    Der Band soll 250 bis 350 Seiten stark werden. Wir rechnen mit 15
bis 20 Autoren. Das heißt, daß die Texte zwischen 10 und 20 Seiten
lang sein können. Sie sollen bis Ende dieses Jahres fertiggestellt und
(per Einschreiben) geliefert werden (Adresse s. u.). Danach werden
die Texte vervielfältigt und jedem Autor zugeschickt. Im Januar oder
Februar 1975 wollen wir uns dann treffen und über die Texte entscheiden.
    Bis zu diesem Zeitpunkt bleibt die Koordination des Bandes in den
Händen von Plenzdorf, Schlesinger und Stade. In unserer ersten gemeinsamen Zusammenkunft werden dann zwei, drei Leute gewählt,
die die Autoren nach außen hin (gegenüber Verlagen usw.) vertreten.
Die vorher entstehenden Kosten (Abschreiben der Manuskripte,
Vervielfältigung u. a.) werden von uns erst einmal ausgelegt.
    Bisher haben folgende Autoren ihr Interesse an einer Mitarbeit
bekundet: Günter de Bruyn, Stephan Hermlin, Stefan Heym, Ulrich
Plenzdorf, Klaus Schlesinger, Martin Stade, Christa Wolf. – Wir
wollen noch einladen: Fritz Rudolf Fries, Irmtraud Morgner, Franz

Fühmann, Helga Schütz, Rolf Schneider, Karl-Heinz Jakobs und Uwe Kant. – Im Gespräch war, ob wir nicht noch junge, talentierte und wenig oder gar nicht veröffentlichte Autoren einladen sollten. Wir bitten Sie, falls Sie einen Autor kennen, dessen Mitarbeit Sie für wichtig halten, uns ihn zu nennen.

Bitte, teilen Sie uns Ihr endgültiges Einverständnis (oder Nichteinverständnis) bald mit.

Mit kollegialen Grüßen

Verwaltung für Staatssicherheit   Berlin, 29. 3. 75
Groß-Berlin   Wi/lüc
Abteilung XX/7

Information

Schriftstellergruppe Schlesinger–Plenzdorf–Stade

Beim Treff am 25. 03. 1975 berichtete der IMF »Andre« folgendes:
Wie St. anläßlich eines Telefonats dem IM angekündigt hatte, erschien er am 15. 3. 75 bei dem IM in der Wohnung. Stade hielt sich etwa 2-3 Stunden bei dem IM auf und wollte anschließend zu Schlesinger. In dieser Zeit erzählte St. dem IM von dem bereits im Telefongespräch angekündigten Vorhaben, einen sogenannten Autorenverlag zu bilden. Dieses Vorhaben soll in keiner Weise ein von Staat und Partei offiziell genehmigtes Unternehmen werden. Es gänge bei dieser Überlegung lediglich darum, Autoren, die entsprechend ihrer ideologischen Position gegenüber der Kulturpolitik der SED Schwierigkeiten bei der Veröffentlichung ihrer schriftstellerischen Werke hätten, organisatorisch irgendwie zusammenzufassen, um sich einerseits gegenseitig materiell zu unterstützen und um auf primitivem Wege deren Literatur zu vervielfältigen und unter die Masse zu bringen. Vorerst soll die Praxis übernommen werden, die sich aus dem seinerzeitigen Auftrittsverbot Biermanns abgeleitet hat. Diese Praxis habe ja so ausgesehen, daß viele junge Menschen sich die Werke Biermanns aus westlichen Druckerzeugnissen abgeschrieben hätten und auf diese Weise Verbreitung gefunden haben. Diese spontane Reaktion vieler junger Menschen sei eine Form, die man jetzt in eine orga-

nisierte Form umwandeln will. Dazu bedarf es jedoch einer gewissen Organisationsform und jene Organisationsform soll dieser sogenannte Autorenverlag darstellen. Initiatoren dieser Überlegung sind vor allem die Berliner Schriftsteller Schlesinger und Plenzdorf und so wie sich St. äußert, ständen hinter dieser Idee auch noch einige andere namhafte Schriftsteller aus der Hauptstadt.

Das Problem der Organisierung eines solchen Verlages »sei der Grund«, weshalb er sich, d. h. [...], in Berlin aufhalte. In Schlesingers Wohnung würden in nächster Zeit zu diesem Vorhaben mehrere Gespräche stattfinden. St. fühlte bei dem IM in direkter Weise vor, ob er sich nicht an diesem Vorhaben beteiligen wolle. Der IM erklärte nicht sofort sein Einverständnis, sondern bat sich hierzu Bedenkzeit aus, denn man müsse sich ja darüber im klaren sein, daß man sich mit dieser Art der Bildung einer gewissen Opposition auch in eine Gefahr begibt, durch staatl. Maßnahmen in eine absolute literarische Isolation getrieben zu werden. St. erklärte hierzu, daß man sich über diese Gefahr im klaren wäre, aber dennoch keinen anderen Ausweg sehe, um der »Parteizensur« auszuweichen, zumindest für eine gewisse Zeit.

Verwaltung für Staatssicherheit   Berlin, den 19. 4. 1975
Groß-Berlin
Abteilung XX/7

Operative Information Nr.

Freischaffende Schriftsteller Plenzdorf, Stade und Schlesinger

Auftragsgemäß berichtete der IMF »Andrè« beim Treff am 16. 4. 75 über diese drei Schriftsteller folgendes:

Der IM hatte in der ersten Aprilhälfte mehrfach Gelegenheit, Gespräche mit dem Schriftsteller Martin Stade zu führen. Bei diesen Gesprächen spielte vor allem die seinerzeit von Stade geäußerte Absicht, einen sogenannten Autorenverlag zu gründen, eine Rolle.

Stade erklärte, daß diese Absicht nach wie vor bestehe. Vor Plensdorf's Abreise in die USA zu einem Studienaufenthalt habe noch eine Unterredung zwischen Schlesinger, Plenzdorf und Stade in der Wohnung von Schlesinger stattgefunden, wo man jedoch zu der Auffassung geraten sei, keine organisatorischen Aktivitäten zur Gründung eines solchen Verlages durchzuführen. Die Partei und der Staatsapparat hätten sie im Moment zu stark »im Visier« und bestimmt habe auch »die Stasi« ihre Leute um sie herum postiert. In dieser Situation sei es unklug, es auf eine »offene Konfrontation« ankommen zu lassen. »Aufgeschoben« sei aber nicht »aufgehoben« war dazu Stades Auffassung. Man habe sich lediglich dahingehend mit Plensdorf verabredet, daß man während seines Aufenthaltes in den USA »weitere Gesinnungsgenossen« für diese Idee gewinnen will. In diesem Zusammenhang erneuerte Stade seine Frage an den IM, wie er zur Mitarbeit in einem solchen Verlag stehe. Man wäre an seiner Mitarbeit stark interessiert, da er ja nicht nur Autor sei, sondern auch über umfangreiche Lektorenerfahrung verfüge.

Der IM konnte dieses Mal die Frage nicht offenlassen und hat erklärt, daß er zur gegebenen Zeit zur Mitarbeit bereit ist unter der Bedingung, daß die formale Rechtslage dieses Unternehmens keinen Vorwurf der Illegalität zuließe. Stade war mit dieser Antwort zufriedengestellt.

Im Zusammenhang mit Plensdorf's USA-Studienreise erzählte Stade dem IM, daß diese Reise nur dadurch möglich geworden sei, weil es einen langfristigen Vertrag zwischen dem Schriftstellerverband der DDR und einem germanistischen Institut einer New Yorker Universität gäbe, der bereits vor Jahren unterzeichnet worden sei. In diesem Vertrag sei Plensdorfs Reise für 1975 festgelegt und die USA-Seite habe energisch darauf bestanden, daß der Vertrag inhaltlich und terminlich auch in Bezug auf die Person Plenzdorf eingehalten werde.

Wild
Major

Verwaltung für Staatssicherheit   Berlin, den 03. 09. 1975
Groß-Berlin   Ho
Abteilung XX/7

operative Information 1299/75

Vorhaben eines sogenannten »Autorenverlags«
der Schriftsteller Plenzdorf, Ullrich,
Schlesinger, Klaus und Stade, Martin

Inoffiziell konnte in Erfahrung gebracht werden, daß die Schriftsteller   Plenzdorf, Ullrich
            Schlesinger, Klaus
  und   Stade, Martin
augenblicklich damit beschäftigt sind, eine Anthologie unter dem
Titel
»Altberliner Geschichten«
fertigzustellen.

    An der Anthologie sind insgesamt 18 Schriftsteller der DDR betei-
ligt. Namentlich konnten außer den bereits genannten noch die
Schriftsteller   Kant, Hermann,
               Kant, Uwe,
               Heym, Stefan,
               Wolf, Christa,
               Bruyn, Günter de
  und Fries, Fritz-Rudolf
in Erfahrung gebracht werden. Für die Herausgabe dieser Anthologie sollen neue Methoden in Anwendung kommen, die nach Auffassung des Stade, Martin ein demokratischeres Mitspracherecht aller
Autoren gewährleistet, als bisher bei der üblichen Herausgabe in
einem Verlag möglich war. Es ist damit begonnen worden, die eingereichten Beiträge aller Autoren für den Druck zu bearbeiten und
für jeden Beteiligten ein vollständiges Manuskript aller Beiträge zu
fertigen, daß den Autoren zugestellt wird. Über dieses Manuskript
soll auf einer sogenannten »Autorenkonferenz« am 10. oder 18. September beraten werden. Außerdem besteht die Absicht, auf dieser
Konferenz eine gemeinsame Entschließung aller Autoren anzunehmen, mit der man sich an einen Verlag der DDR wenden will, um
eine Druckgenehmigung und alle weiteren verlagstechnischen Leistungen für die Anthologie zu erhalten, sowie das gesamte Vorhaben

zu legalisieren. Dabei will man sich aber energischst jegliche lektoratsmäßige Arbeit am Manuskript verbieten, daß ohne die geringste Änderung gedruckt und vertrieben werden soll. Von seiten der drei og. Initiatoren dieses Vorhabens sind folgende Verlage als Vorschläge gedacht: Aufbau-Verlag, Berlin

Hinstorff-Verlag, Rostock

Buchverlag Der Morgen, Berlin

Reclam, Leipzig.

Die bisherige Arbeit an der Anthologie hat nach Aussagen von Plenzdorf und Schlesinger bisher Ausgaben von 1750,– M bis 2000,– M verlangt, die von den Initiatoren bei Angebot an einem Verlag über die normalen Honorarsätze eingefordert werden sollen, da sie sich nach ihren Auffassungen mit den sonst aufgewandten Kosten für die Lektorenarbeit im Einklang befänden. In Anbetracht des experimentiellen Charakters der Anthologie sollen die beteiligten Autoren auf der Autorenkonferenz auch darum gebeten werden, auf übermäßige Honorarforderungen zu verzichten.

Dem IM unserer Diensteinheit war es bisher leider nicht möglich, den genauen Termin und Ort der geplanten Autorenkonferenz in Erfahrung zu bringen. Er konnte lediglich zu diesem Problem von dem Arzt von Schnitzler, Stefan, der Kenntnis von dem Vorhaben besitzt, ohne direkt in die Arbeit daran mit einbezogen zu sein, in Erfahrung bringen, daß sich der Schriftsteller Stade dahingehend geäußert habe, daß sich auf alle Fälle ein westlicher Verlag für die Übernahme der Rechte unter den gestellten Bedingungen finden würde, wenn ein DDR-Verlag nicht auf das Angebot der »Autorenkonferenz« eingehen sollte. Ob in dieser Hinsicht schon Vorbereitungen getroffen sind, konnte nicht festgestellt werden.

Quelle: IMV »Büchner«   Holm

Ltn.

Am 10. 9. 75 hat das erste Treffen der Beteiligten an der Autorenanthologie »Berliner Geschichten« stattgefunden.

Von den 18 eingeladenen Autoren waren anwesend: Elke Erb,
Gert und Heide Härtel, Hans Ulrich Klingler, Paul Gratzig, Günter
Kunert, Jürgen Leskien, Ulrich Plenzdorf, Klaus Schlesinger und
Martin Stade.

Fünf Autoren hatten sich entschuldigt.

Die zehn anwesenden Autoren faßten folgende Beschlüsse:

1. Das vorliegende Manuskript (Nr. 1) keinem Verlag anzubieten;

2. Die Diskussion um einzelne Beiträge aufzuschieben;

3. Weitere Autoren einzuladen: F. Berger, V. Braun, T. Brasch, G.
Branstner, H. Czechowski, Michael Franz, K. H. Jakobs, S. u. R.
Kirsch, W. Kirsten, W. Kohlhaase, E. Krumbholtz, K. Mickel, Hei-
ner Müller, G. Rücker, J. Renner, Doris Paschilla, J. Seyppel, W.
Trampe, Chr. u. G. Wolf, J. Walther.

Weiter wurde beschlossen:

4. Den neuen Autoren als Liefertermin den 31. 12. 75 zu nennen;

5. Den neuen Autoren bei zustimmender Antwort das Manuskript Nr. 1 zur Einsicht zu geben;

6. Die nächste Zusammenkunft aller Autoren auf den 5. 3. 76
festzulegen;

7. Eine Presseerklärung zu formulieren und sie den »Verbands-
mitteilungen« zur Veröffentlichung anzubieten (Vorausgesetzt ist
die Zustimmung der am 10. 9. nicht anwesenden Autoren. Der
Text liegt diesem Brief bei. Bitte, äußern Sie sich eindeutig mit Ja,
Nein oder Stimmenthaltung per Adresse Schlesinger. Bis jetzt liegen neun Ja-Stimmen vor);

8. Drei Autoren zu wählen, die die Organisationsarbeit für das
Manuskript Nr. 2 übernehmen. Gewählt wurden Klingler, de
Bruyn und Kunert. De Bruyn und Kunert haben noch nicht zuge-
stimmt.

Sollte von ihnen keine Zustimmung kommen, werden Plenzdorf,
Schlesinger und Stade die Arbeit weitermachen.

Daraus ergibt sich:

9. Das Manuskript Nr. 1 muß an die Adresse Schlesinger (1054

Berlin, Brunnenstr. 5) zurückgeschickt werden, damit es den
neuen Autoren leihweise zur Verfügung gestellt werden kann; es
bleibt selbstverständlich Eigentum der bisher an der Anthologie
Beteiligten;

10. Die Kosten für das Manuskript Nr. 1 betrugen bisher 1250
Mark (Abschreiben, Porto, Raummiete etc.) und wurden von
Schlesinger, Plenzdorf und Stade verauslagt. Auf jeden Beteiligten
entfallen also rund 70 Mark. Wir bitten Sie, diese Summe auf das
Konto 12656, Postscheckamt Berlin, Klaus Schlesinger, 1054
Bln., Brunnenstr. 5, einzuzahlen.

25. 9. 75   gez. Plenzdorf, Schlesinger, Stade

Ministerium für Staatssicherheit   Berlin, den 10. Nov. 1975
Streng geheim!
Um Rückgabe wird gebeten!
Nr. 788/75

Information über die Vorbereitung
einer Anthologie von Erzählungen
durch mehrere Schriftsteller der DDR
unter Ausschaltung der Verlagslektoren

Dem MfS wurde intern bekannt, daß sich mehrere Schriftsteller der
DDR zielgerichtet mit der Absicht zusammengefunden haben, eine
Anthologie von Erzählungen unter dem Titel »Berliner Geschichten«
zusammenzustellen und sie einem Verlag in der DDR zur nichtkorrigierten Veröffentlichung anzubieten. Nach Meinung der Beteiligten
soll ein druckfertiges Manuskript entstehen, das einem Verlag in der
DDR – welchem, wurde bisher nicht entschieden – ultimativ lediglich
zur drucktechnischen Herstellung und Auslieferung übergeben wird.

Änderungen und Korrekturen am Inhalt der Erzählungen seitens
der Hauptverwaltung Verlage und Buchhandel im Rahmen des
Druckgenehmigungsverfahrens oder durch den mit dem Druck zu
beauftragenden Verlag sollen die beteiligten Autoren übereinstimmend ablehnen und nicht akzeptieren. Damit beabsichtigen sie, die
Funktion der Verlagslektoren »als Zensoren« auszuschalten. Nach
Meinung einiger der beteiligten Schriftsteller solle damit ein Exem-

pel der Eigenverantwortlichkeit der Autoren, der Nichtanerkennung der »Zensur«, geschaffen werden.

Von einigen Autoren wurde individuell geäußert, zunächst solle die Möglichkeit, die Anthologie im Falle einer Ablehnung seitens der DDR-Verlage in der BRD verlegen zu lassen, bewußt offen gelassen, aber keinesfalls von der Hand gewiesen werden.

Als Initiatoren und Organisatoren des Vorhabens wurden die Schriftsteller Klaus Schlesinger, Ulrich Plenzdorf und Martin Stade bekannt.

Sie bemühen sich seit 1974 um die Mitarbeit solcher Autoren, von denen sie annehmen, daß diese sich mit einem derartigen Vorhaben – das der jahrelangen Praxis des DDR-Verlagswesens vollkommen entgegenläuft – einverstanden erklären. Gegenüber solchen Schriftstellern, von denen sie annehmen, daß sie ihrem Vorhaben nicht zustimmen würden, schirmten sie sich ab und setzten diese nicht in Kenntnis.

Von den Initiatoren angesprochen wurden folgende Autoren, die ihre Mitarbeit an der Anthologie bei den vorgegebenen und von ihnen akzeptierten Bedingungen hinsichtlich der Ausschaltung von »Zensoren« zusagten und Beiträge zur Verfügung stellten:

Günter de Bruyn	»Freiheitsberaubung«
Elke Erb	»Ein Siedlungshaus in Berlin-Hohenschönhausen«
Fritz-Rudolf Fries	»Ich wollte eine Stadt erobern«
Uwe Grüning	»Novemberschelf«
Gert Härtl	»Vom Bowling«
Heide Härtl	»Besuch«
Stefan Heym	»Mein Richard«
Uwe Kant	»Monopoly«
Hans Ulrich Klinger	»Am Montag fiel der Hammer«
Paul Gratzig	»Transportpaule in Berlin«
Günter Kunert	»Die Druse«
Jürgen Leskien	»Gründonnerstag«
Ulrich Plenzdorf	»kein runter kein fern«
Klaus Schlesinger	»Am Ende der Jugend«
Rolf Schneider	»Hanna«
Dieter Schubert	»Fünf ziemlich phantastische Geschichten«
Helga Schubert	»Heute abend«
Martin Stade	»Von einem, der alles doppelt sah«

Zur Mitarbeit an dieser Anthologie wurden von den Initiatoren auch Stephan Hermlin, Franz Fühmann und Christa Wolf aufgefordert. Während Hermlin und Fühmann eine Beteiligung sofort ablehnten, wich Christa Wolf mit der Begründung aus, nicht rechtzeitig einen Beitrag fertigstellen zu können.

Dem MfS ist intern bekannt, daß ein etwa 200 Seiten umfassendes Manuskript »Berliner Geschichten« mit den oben erwähnten Beiträgen von den Organisatoren zusammengefügt und allen beteiligten Autoren zum Begutachten übergeben wurde. Seitens der Organisatoren ist vorgesehen, in einer bisher terminlich nicht bestimmten Zusammenkunft aller beteiligten Autoren über das Manuskript zu beraten bzw. Änderungen vorzunehmen. Als mögliche Verlage, denen das druckfertige Manuskript angeboten werden soll, wurden von den Organisatoren bisher der Buchverlag »Der Morgen«, der Hinstorff Verlag Rostock, Aufbau Verlag Berlin und Weimar genannt, wobei in letzter Zeit der Verlag »Der Morgen« in die engere Wahl gezogen wurde.

Nach ersten Einschätzungen des Manuskriptes durch Fachexperten ist eine undifferenzierte Drucklegung in der DDR keinesfalls möglich, da es sich in verschiedenen Beiträgen um eine offen feindliche, den Sozialismus diffamierende Darstellung handelt.

Die 18 Beiträge des Manuskriptes werden nach Einschätzung von Fachexperten durch den Titel »Berliner Geschichten« leitmotivisch-thematisch zu einer Grundidee zusammengefaßt. Berlin, die Hauptstadt der DDR, wird im Sinne der Autoren erzählerisch als fruchtbarer Brennpunkt von individuellen Schicksalen, Erlebnissen, Erfahrungen und Enttäuschungen sowie als Prüfstein für den sozialistischen Staat *und* seine Institutionen geschildert. Dabei ist ein ausgesprochen kritischer Grundtenor vorherrschend, der in einzelnen Beiträgen bis zur antisozialistischen Aussage reicht.

Die Reihenfolge der Texte ist in dem Manuskript alphabetisch geordnet, doch die einzelnen Beiträge ‒ ob Erzählungen, Romanauszug, Impressionsskizze ‒ sind unverkennbar um den von Stefan Heym gelagert, der offensichtlich auch das Zentrum der politisch-ideologischen, kritisch-negativen Aussage bildet. Verschiedene Beiträge wirken in diesem Sinne sogar noch als verstärkende erzählerische Kommentare, so z.B. die von Günter de Bruyn, Gert Härtl, Hans-Ulrich Klingler, Ulrich Plenzdorf.

Das Manuskript deutet darauf hin, daß die einzelnen Beiträge nicht zufällig zusammengestellt worden sind. Eine konzeptionelle

Beratung und Leitung des Vorhabens dürfte außer Zweifel stehen. Offensichtlich haben sich die Organisatoren davon leiten lassen, das Kritische zum eigentlichen Wesen des sozialistischen Realismus zu erheben bzw. überhaupt einen »kritischen Realismus« innerhalb des Sozialismus zu begründen.

In den einzelnen Beiträgen werden nach Einschätzung von Fachexperten besonders folgende Thesen vertreten:

— Staat und Staatsapparat (Justiz, Sicherheitsorgane) der DDR würden von dogmatischer, herzloser Enge geleitet. Eine durchlässige Staatsgrenze wäre der beste Prüfstein für wirkliche oder erzwungene Treue zum Sozialismus.

(Sinngehalt von Stefan Heyms Beitrag »Mein Richard«. Diese Erzählung wurde bereits durch die Hauptverwaltung Verlage und Buchhandel beim Ministerium für Kultur aus dem im Buchverlag »Der Morgen« in Vorbereitung befindlichen Erzählband Heyms gestrichen.)

— Das Gesellschaftssystem des Sozialismus in der DDR sei für den einzelnen nicht durchschaubar. Der einzelne sei entfremdet, manipuliert. Es existiere Terror, aber – in der Konsequenz des Entfremdungsprozesses – sei er »nicht gegenständlich«, nicht konkret faßbar und benennbar. Einzelne »Märtyrer« versuchten, durch ihre »Bemühungen« den Terror zu provozieren, so daß er offen ans Licht treten müsse, jedoch hätten solche Versuche keine reale Aussicht. (Sinngehalt von Gert Härtls Beitrag »Vom Bowling«.)

Offensichtlich ist dieser Text von einer persönlichen intellektuellen Überheblichkeit geprägt, doch seinem objektiven Platz im Gesamtmanuskript nach ist er die eigentliche theoretische Begründung des beabsichtigten Bandes, während Heym das erzählerische Zentrum liefert.

— Der Sozialismus in der DDR sei von Privilegien geprägt. Bestimmte Bevölkerungsgruppen nehmen nicht oder sehr verspätet an den Erfolgen teil. Es gäbe Unehrlichkeit von Leitern und Funktionären. (Sinngehalt von de Bruyns Beitrag »Freiheitsberaubung«.)

In mehreren Beiträgen, ausgeprägt bei de Bruyn und Kunert, geht es auch um die Wohn- und Wohnungsproblematik. Die Autoren machen sich dabei zu Anwälten des eigentlichen, proletarischen Berlins gegen das privilegierte, moderne, zugereiste Berlin.

— In der DDR gäbe es nur eine Art »Ausstellungs-Freiheit« für die Dauer eines Festivals. Die Wirklichkeit sei repressive Kleinlichkeit, Willkür, Zwang.

(Sinngehalt von Hans Ulrich Klinglers Beitrag »Am Montag fiel der Hammer«.)

In diesem Beitrag ist gleichzeitig ein gehässig-aggressiver Ton vorherrschend. Er richtet sich vor allem gegen die Volkspolizei und in aggressiver Pietätlosigkeit gegen verstorbene Funktionäre.

— Es existiere ein klaffender Widerspruch zwischen der verbalen Schönfärberei der offiziellen Propaganda und der realistischen Seh- und Erlebnisweise etwa des unterprivilegierten Jugendlichen.

(Sinngehalt von Plenzdorfs Beitrag »kein runter kein fern«.)

— Die Sicherung der Staatsgrenze 1961 sei ein typischer Vorgang für die Gesellschaft in der DDR im allgemeinen Sinne wie auch im subjektiv-persönlichen.

(Sinngehalt von Klaus Schlesingers Beitrag »Am Ende der Jugend«.)

— Der Funktionär sei zwangsläufig bedroht, seinen Realitätssinn zu verlieren.

(Sinngehalt des Beitrages von Martin Stade »Von einem, der alles doppelt sah«.)

Die Beiträge von Erb, Fries, Grüning, Heide Härtl, Uwe Kant, Paul Gratzig, Günter Kunert, Jürgen Leskien, Rolf Schneider, Dieter Schubert, Helga Schubert sind unterschiedlich akzeptabel, nicht direkt vordergründig negativ. Der Beitrag Rolf Schneiders ist als objektivistisch, ohne jede Parteinahme einzuschätzen. Der Beitrag Leskiens erscheint sogar als gut.

Einzelne Beiträge, z. B. auch der von Martin Stade, könnten in einem anderen, positiven Kontext, durchaus ihren Platz haben, gewinnen aber in dem z. Z. bestehenden Manuskript-Zusammenhang objektiv negativen Stellenwert.

(Dem MfS liegt ein Manuskript der Anthologie »Berliner Geschichten« vor, das bei Bedarf eingesehen werden kann.)

Aus internen Hinweisen ist dem Mfs bekannt, daß sich vor allem junge an der Anthologie beteiligte Autoren erhoffen, durch Veröffentlichung in »Berliner Geschichten« auf sich aufmerksam zu machen und in der Öffentlichkeit anerkannt zu werden. Einige rechnen sogar auf Grund »Berliner Geschichten« mit einer kulturpolitischen Auseinandersetzung, in deren Ergebnis Druckgenehmigungen und »Zensuren« abgebaut werden sollten.

(In diesem Zusammenhang wird auf die Mitgliederversammlung des Bezirksverbandes Berlin des Schriftstellerverbandes der DDR am 13. 11. 1974 verwiesen – Information des MfS 887/74 vom 2. 12.

1974 –, auf der insbesondere die Schriftsteller Stefan Heym, Klaus Schlesinger und Joachim Seyppel mit sozialismusfeindlichen Diskussionen und lautstarken Forderungen nach »Abschaffung der Zensur in der DDR« auftraten.)

Zwei an der Anthologie beteiligte Autoren äußerten intern unabhängig voneinander, sie seien sicher, das Vorhaben schließe »Gefahren der Konfrontation und Verärgerung« ein. Dies sei jedoch beabsichtigt, da die Anthologie als »Testballon« zu verstehen sei; sie solle »Prüfstein« sein, ob Tabus wirklich abgebaut werden.

Einige der beteiligten jungen Autoren äußerten intern, sie hielten es für ihre Pflicht, die Wirklichkeit der DDR aus ihrer subjektiven Sicht widerzuspiegeln und einem breiten Publikum in der DDR zugänglich zu machen.

Auseinandersetzungen mit den staatlichen Organen werden dabei zwar einkalkuliert; die Zusammensetzung des Autorenkreises der Anthologie scheine jedoch als Garantie dafür auszureichen, daß man ihnen »wenig anhaben könne«.

Dem MfS wurde bekannt, daß der Schriftsteller Jürgen Leskien Anfang Oktober 1975 gesprächsweise den Sekretär für den Schriftstellerverband, Genn. Erika Büttner, von den Vorbereitungen der Anthologie »Berliner Geschichten« in Kenntnis setzte.

Durch das MfS wurden geeignete Maßnahmen eingeleitet, um das weitere Vorgehen der Initiatoren und Autoren der Anthologie unter Kontrolle zu halten.

Vom MfS wird vorgeschlagen, durch differenzierte Maßnahmen dieses Gesamtprojekt zu unterbinden. Es sollte erwogen werden, geeignete Beiträge in anderen Publikationsorganen der DDR zu veröffentlichen, um damit die negativ-feindlichen Kräfte zu isolieren.

Die Information ist wegen Quellengefährdung nur zur persönlichen Kenntnisnahme bestimmt.

Zentralkomitee der SED   20. November 1975
Abteilung Kultur
Genossen Prof. Dr. Heldt
102 Berlin
Marx-Engels-Platz

Sehr geehrter Genosse Professor Heldt!

Als Anlage übermittle ich eine Notiz über das Vorhaben »Berliner Geschichten«.

Mit sozialistischem Gruß

Gerhard Henninger
1. Sekretär

Schriftstellerverband der Deutschen Demokratischen Republik

Notiz

1. Als Anlage übermittle ich ein Schreiben, das Ulrich Plenzdorf, Klaus Schlesinger und Martin Stade am 1. 10. 1975 an eine Reihe Schriftsteller geschickt haben.
   Wolfgang Kohlhaase, der diesen Brief ebenfalls empfangen hat, legte ihn am 13. 11. 1975 in der Parteileitung des Berliner Verbandes vor.

2. Wie Genosse Leskien erklärte, war von den Herausgebern ursprünglich beabsichtigt, die Anthologie im Selbstverlag vorzubereiten und herauszugeben. In der in dem Brief vom 1. 10. genannten Zusammenkunft der Beteiligten am 10. 9. 75 im Berliner Club der Kulturschaffenden hatten Genosse Günter Kunert und Genosse Leskien ihre weitere Teilnahme davon abhängig gemacht, daß die Anthologie an einen Verlag gebunden wird und daß über den Berliner Verband allen Autoren die Absicht kundgetan wird, um jedem, der interessiert ist, die Teilnahme zu ermöglichen.
   Was die 1. Forderung betrifft, ist es offensichtlich zu einem Kompromiß gekommen. Ein Verlag soll nach Fertigstellung der An-

thologie gesucht werden. Was die 2. Forderung betrifft, ist von den Verfassern des Briefes bis heute der Berliner Verband nicht informiert worden.

3. In der Sitzung der Berliner Parteileitung vom 13.11.1975 gab es noch folgende Bemerkungen und Positionen:

a) Genosse Kohlhaase erklärte, daß er sich an dem Unternehmen nicht beteiligen werde. Er halte es für legitim, daß ein oder mehrere Autoren sich zusammenfinden, um eine Anthologie herauszugeben, allerdings sei er sich der Problematik dieser Anthologie, die sich aus den Personen der Einladenden und den im Brief bereits als Mitwirkende genannten ergeben, voll bewußt.

b) Genossin Ruth Werner sagte, daß sie gegen ein solches Unternehmen sei. Hier würde offensichtlich Stefan Heym dahinterstehen, der dieses Vorhaben unter Umständen benützen könnte, um einen Vorwand für regelmäßige Treffen einer bestimmten Schriftstellergruppe zu haben, außerhalb des Verbandes und außerhalb von Verlagen. Genosse Paul Herbert Freyer sprach sich ebenfalls gegen eine solche Verfahrensweise aus.

c) Genosse Henniger verwies auf die in dem Brief dargelegte Form des Zustandekommens der Anthologie (Abstimmungen, regelmäßige Zusammenkünfte, Angebot an einen Verlag erst nach Abschluß und Beschluß durch die Autoren), so daß dem Verlag nur noch übrig bliebe »ja« oder »nein« zu sagen und als technisches Unternehmen zu fungieren. Eine solche Methode, die sich offensichtlich an der »Autorenedition« in der BRD orientiere, gebärde sich zwar sehr demokratisch, könne aber sehr schnell zu Verärgerungen bei einzelnen Autoren führen (wo ihnen nur das Recht des Rücktritts bleibt) und Konfliktstoff zwischen Autoren und Verlagen schaffen.

d) Genosse Karl-Heinz Jakobs schloß sich dieser Meinung an und erklärte, daß er vor einem Jahr bereits einen solchen Brief erhalten habe. Er habe ursprünglich die Absicht gehabt, daran teilzunehmen, hatte jedoch den damals von Klaus Schlesinger genannten Abgabetermin (31.12.1974) nicht halten können. Er hat angenommen, daß die Sache längst abgeschlossen sei und staune darüber, daß jetzt weitere Autoren eingeladen würden. Offensichtlich würde die vorgesehene Verfahrensweise das Projekt mehr in die Länge ziehen. Er halte aber ein solches Vorhaben – auch außerhalb des Verbandes – für legitim, denn in der Regel sei es so, daß Herausgeber einer Anthologie sich mit denen zusammensetzen, die sie zur Mitarbeit gewinnen möchten. Was allerdings das Verhältnis zu den Verlagen betrifft, habe er sich damals, als er die Einladung bekam, bereits ähnliche Gedanken gemacht, wie sie Genosse Henniger vorgetragen hat.

e) Genosse Cwojdrak sagte nichts.

f) Genosse Küchler schlug abschließend vor, diese Frage zu durchdenken und in der nächsten Sitzung weiter zu behandeln.

Berlin, den 18. November 1975   Gerhard Henniger
                                         – 1. Sekretär –

Verwaltung für Staatssicherheit   Berlin, den 22. 11. 1975
Groß-Berlin
Abteilung XX/7   Bestätigt:
                                       Stellv. Operativ
                                       Hähnel
                                       Oberstleutnant

Maßnahmeplan

Vorgangsmäßige Bearbeitung des
politisch-operativen Schwerpunktes »Selbstverlag«

Ergänzend zu bereits vorliegenden Operativplänen zur operativen Bearbeitung und Kontrolle des betreffenden Personenkreises werden folgende Maßnahmen festgelegt:

1. Zur Person Schlesinger, Klaus
1.1 Die politisch-operative Verfolgung seiner Aktivitäten im Rahmen des Schwerpunktes »Selbstverlag« erfolgt auch weiterhin in der bereits seit Beginn des Jahres 1975 existierenden VAO XV/759/75. (»Schreiberling«) Der im August 1975 hierzu bestätigte Operativplan behält seine volle Gültigkeit.
    Verantwortlich für die Bearbeitung dieser VAO sind die Genossen Major Wild und Leutnant Holm.
1.2 Ausgehend von den neuesten Erkenntnissen zum Schwerpunkt »Selbstverlag« erhalten die IMV »Büchner«, IMF »Andrè« und

IMS »Karl« die Orientierung, ihren bereits geschaffenen persönlichen Kontakt zu Schlesinger auszubauen, um zu erreichen, daß sie in nächster Zukunft noch mehr als bisher durch Schlesinger ins Vertrauen gezogen werden.

Der IMV »Büchner« nutzt hierzu vor allem seine Tätigkeit als Lektor und seine freundschaftlichen Beziehungen zur Ehefrau von Schlesinger, Bettina Wegner. Beide Faktoren ermöglichen es ihm, sich noch etwas stärker für das literarische Schaffen Schlesingers zu interessieren und in diesem Zusammenhang auch weitere operativ bedeutsame Informationen über die Initiatorenrolle Schlesingers sowie den Stellenwert Plenzdorfs und Heyms im Zusammenhang mit »Selbstverlag« zu erarbeiten.

Der IMF »Andrè« hält den Kontakt in erster Linie zu dem Mitinitiator Martin Stade und wird sich vor allem über ihn bemühen, das Vertrauensverhältnis zu Schlesinger zu festigen. Dabei wird er verstärkt seine Erfahrungen und Beziehungen als Lektor und Autor, sowie z. T. auch als Verlagsgutachter deutlich machen, um bei Schlesinger ein stärkeres Interesse an ihm zu wecken. Der IMS »Karl« wird vor allem seine familiären Kontakte zur Familie Schlesinger-Wegner ausbauen, um bedeutsame und aktuelle Informationen über deren Reaktion auf Maßnahmen der Partei, des Staatsapparates, des Schriftstellerverbandes und unseres Organs erarbeiten zu können.

Termin der Auftragserteilung und Instruierung: 5. 12. 75
Verantw.: Major Wild   Kontrolle: Major Bronder

1.3 Die IME »Vera«, IMF »Pergamon« und IMV »Steinhopf« werden orientiert unter Ausnutzung ihrer persönlich und beruflich bedingten Beziehungen zur Frau des Schlesinger, Bettina Wegner, dieselbe über die Pläne und Absichten des Schlesinger abzuschöpfen und gegebenenfalls zu ihm selbst Kontakt zu finden. Dabei ist unbedingt darauf zu achten, daß die Bettina selbst als Initiatorin zur Erweiterung der Beziehungen auf ihren Ehemann in Erscheinung tritt.

Alle drei IM sind aufgrund ihrer beruflichen Betätigung, ihres bisherigen politisch-ideologischen Auftretens in der Öffentlichkeit und ihrer privaten Beziehungen und Bedingungen geeignet, das Interesse Schlesingers auf sich zu lenken.

Termin der Auftragserteilung und Instruierung: 5. 12. 75
Verantw.: Major Wild
                              Kontrolle: Major Bronder

Beratung bei Gen. General Weinberg   21.11.75

„Ehrenwort u. Selbstvertrag" – unter gp. Schwerpunkt (zentraler)

· erste Form Anthologie „Arbeiter u. Geschichten"
· Ziel: Umgehung des staatlichen Anspruch und der Einflüsse der Partei.
· Organisatoren: Hagen, Schleiunge, Plangebiet, Skade
· angesprochene Beiträge.
· „Herkaff" und „Der Morgen"
· Teilnehmer: bekannte und unbekannte Autoren, semifig. eingestellte, schwankende und loyale Schriftsteller. (18)
· Informationen nicht nach außen, auch nicht Partei. (Parteiinformationen wegen erfolgt auf Ministerebene
· Weitere Personen wurden angesprochen, Blocktab.
· Organisatoren verschicken Briefe
· Nächste Beratung 16.3.76
· Einsendetermin: 1.1.76 an Adresse von Schlesinger
· Verwendung legaler Formen (Zusammenkünfte im Club u. Kulturinstitutionen)
· Herausgabe soll vor dem Parteitag erfolgen.
· Pfeife bei der Verlesung, Veranstaltung zu verhindern und ggf. hat Personen unter Kontrolle zu halten.
· Bearbeitungsbereich:
  1. Feststellung der Meinungen und Absichten und Verhalten (Reaktionen) auf staatliche Maßnahmen
  2. Feststellung und Aufklärung der Kontakte

- Bei Reisen aus KA Kontrolle über HVA sichern.

- Bei Auswahl so Hr nicht auf XX beschränken (über Stellv. Op. Hilfe aus anderen DE veranlassen)

(1.) · Maßnahmeplan bzw. Ergänzungsmaßnahmeplan durch Stell. Op. bestätigen lassen und an Leiter XX übersenden.

T. | T. 10. 11. 75
Kontrolle durch Leiter XX

- Zwischeneinschätzung über Ergebnis der eingeleiteten Maßnahmen bis 1. 12. 75
T. | an Leiter HA XX

- bessere Einschätzung, so Wirkung unserer Maßnahme und so es Partei bis Ende Dezember.

- Nächste Beratung ~~der~~ Mitte Dezember

Klinger - nicht mehr in Potsdam, geschieden, in Berlin wohnhaft, hier Freundin über KD klären. Erfaßt für Abt. II Potsdam

- Einfluß so KA - Journalisten beachten, insbesondere BRD - Vertretung

- Einsatz zuverlässige offizieller Kontakte prüfen.

Faksimile der handschriftlichen Notizen von Major Wild

1.4 Mit Hilfe der IMV »Büchner« und IMS »Karl« und durch Nutzung offizieller Dokumente sind aktuelle Hand- und Maschineschriften des Schlesinger und seiner Frau zu beschaffen, um sie einem Schriftenvergleich zu unterziehen und in die Schriftenfahndungskarteien der Verwaltung Groß-Berlin und des MfS einzuspeichern.
Termin: 15.12.1975
Verantw.: Leutnant Holm   Kontrolle: Major Wild

1.5 Die im Operativplan vorgesehene Maßnahme der Abteilung 26 ist beschleunigt und mit Nachdruck durchzusetzen. Der bereits mehrfach vorgelegte Antrag auf Auftrag A ist zu erneuern.
Termin: 5.12.1975
Verantw.: Major Wild   Kontrolle: Major Bronder

1.6 Über den GMS »Helga« ist nochmals gründlich zu prüfen, wie der Dienstreiseantrag des Schriftstellerverbandes und seine Bestätigung durch das MfK für Schlesingers mehrfachen Aufenthalt in Westberlin mit der offiziellen Begründung »Materialsammlung für Berliner Geschichten« zustande gekommen ist. Diese Überprüfung soll Aufschluß darüber geben, ob Schlesinger politische Blindheit und Gutgläubigkeit gesellschaftlicher und staatlicher Funktionäre ausgenutzt hat oder bewußte Förderung und Unterstützuung für seine feindlichen Pläne findet.
Termin: 20.12.1975
Verantw.: Leutnant Holm   Kontrolle: Major Wild

1.7 Um Zielsetzung, Motiv und Verfahrensweg des Erwerbes eines Wochenendgrundstückes in Altrosental, Kreis Seelow im Bezirk Frankfurt/Oder durch Schlesinger, Plensdorf und Stade in Erfahrung zu bringen, werden die IM »Büchner«, »Karl« und »Andrè« orientiert, in ihren generellen Auftrag zur Festigung der Vertrauensbeziehungen zur Familie Schlesinger/Wegner den möglichst öfteren Besuch dieser Grundstücke einzubeziehen.
Die in diesem Zusammenhang mit der KD Seelow koordinierten Maßnahmen sind schnellstens zu realisieren.
Termin der Orientierung der IM: 5.12.1975
          der Realisierung der Koordinierungsvereinbarungen mit der KD Seelow: 30.12.1975
Verantw.: Leutnant Holm   Kontrolle: Major Wild

2. Zur Person Schubert, Hansdieter

2.1 Die Bearbeitung erfolgt vorgangsmäßig im Rahmen der bereits existierenden IM-Vorlaufakte. Verantwortlich für die Bearbeitung ist der Genosse Leutnant Holm. Das Ziel der weiteren Bearbeitung besteht darin, die Aufklärungsarbeiten zur Person abzuschließen und die begonnene operative Kombination zur Erarbeitung einer zwingenden Legende für die Gewinnung zur inoffiziellen Zusammenarbeit schnellstmöglich zu Ende zu führen.
Termin für erstes Kontaktgespräch: 15.1.1975
Verantw.: Leutnant Holm   Kontrolle: Major Wild

2.2 Zur Kontrolle der literarischen Aktivitäten und seiner weiteren politisch-ideologischen Entwicklung wird der IME »Jäger« eingesetzt, der bereits auftragsgemäß einen vor Jahren bestandenen engen persönlichen Kontakt zu Schubert wieder aufgenommen hat.
Sein offizielles Auftreten im Schriftstellerverband wird mit Hilfe der IMF »Andrè«, IMV »Walter« und GMS »Helga« beobachtet.
Ziel des IM-Einsatzes besteht darin, Faktoren festzustellen, die einen Differenzierungsprozeß zwischen Schubert und Schlesinger auf politisch-operativem Wege ermöglichen.
Termin für die Instruierung der IM: 5.12.1975
Verantw.: Leutnant Holm   Kontrolle: Major Wild

2.3 Zur Unterstützung der Vorbereitung der Werbung, insbesondere zur Überprüfung und Kontrolle, ist bei der Abt. 26 die Realisierung eines Auftrages A zu erwirken.
Termin: 15.12.1975
Verantw.: Leutnant Holm   Kontrolle: Major Wild

3. Zur Person Erb, Elke

3.1 Gegen die Erb ist in Form einer OPK die vorgangsmäßige Bearbeitung zu beginnen. Ziel der operativen Personenkontrolle muß darin bestehen, ein operativ aussagefähiges Bild darüber zu erarbeiten, ob die E. unter dem Einfluß von Schlesinger bereits eine verfestigte ideologisch negative Haltung einnimmt, ideologisch schwankend in Erscheinung tritt oder als loyal eingeschätzt werden kann.
Termin: für Anlage einer OPK in Verbindung mit einem gesonderten Maßnahmeplan: 15.12.1975
Verantw.: Leutnant Holm   Kontrolle: Major Wild

3.2 Noch vor der Erarbeitung des gesonderten Maßnahmeplanes zur OPK sind alle vorhandenen Speicher im MfS und bei der VP abzufordern, eine Wohnunggebietsermittlung einzuleiten sowie eine Übersicht über ihre bisherigen literarischen Arbeiten zu beschaffen sowie festzustellen, für welche Verlage sie bisher gearbeitet hat.

Termin: 10. 12. 1975

Verantw.: Leutnant Holm   Kontrolle: Major Wild

3.3 In Koordinierung mit der HA XX/7, für die der Ehemann der Erb erfaßt ist, wird überprüft, welche Möglichkeiten der Kontrolle der E. über den Weg der Bearbeitung des Ehemannes vorhanden sind.

Termin: 10. 12. 1975

Verantw.: Leutnant Holm   Kontrolle: Major Wild

3.4 Über den GMS »Helga« sind Hand- und Schreibmaschinenschriften der E. zu beschaffen, ein Schriftenvergleich über XX/2 zu veranlassen sowie die Schriftdokumente in die Schriftenfahndungskarteien der Verw. f. Staatssicherheit Groß-Berlin und des MfS einzuspeichern.

Termin: 10. 12. 1975

Verantw.: Leutnant Holm   Kontrolle: Major Wild

4. Zur Person Schubert, Helga

4.1 Gegen die Schubert ist in Form einer OPK die vorgangsmäßige Bearbeitung zu beginnen. Ziel der operativen Personenkontrolle besteht darin, ein operativ aussagefähiges Bild darüber zu erarbeiten, ob die Sch. bereits eine gefestigte ideologisch negative Haltung einnimmt, ideologisch schwankend in Erscheinung tritt oder als loyal einzuschätzen ist.

Termin für Anlage der OPK in Verbindung mit einem gesonderten Maßnahmeplan: 15. 12. 1975

Verantw.: Leutnant Holm   Kontrolle: Major Wild

4.2 Vor Erarbeitung des gesonderten Maßnahmeplanes zur OPK sind alle vorhandenen Speicher im MfS und bei der VP abzufordern, eine Wohngebietsermittlung einzuleiten sowie eine Übersicht über ihre bisherige literarische Betätigung zu beschaffen.

Termin: 10. 12. 1975

Verantw.: Leutnant Holm   Kontrolle: Major Wild

4.3 Über den GMS »Helga« sind Hand- und Schreibmaschineschriften der Sch. zu beschaffen. Diese Schriften sind einer Vergleichsarbeit zu unterziehen und in die Schriftenfahndungskarteien der Verw. f. Staatssicherheit, Gr. Bln. und des MfS einzulegen.

Termin: 10. 12. 1975

Verantw.: Leutnant Holm   Kontrolle: Major Wild

5. Zur Person des IMS »Roman«, Reg. Nr. XV/3230/73

5.1 Durch entsprechenden Ausbau der Werbungslegende ist die weitere Zusammenarbeit dahingehend zu gestalten, daß der IM von sich heraus moralisch verpflichtet wird, über seine Kontakte in Schriftstellerkreisen, insbesondere zu Plenzdorf und Schlesinger zu berichten. Das Ziel der weiteren Zusammenarbeit muß unter anderem darin bestehen, dem IM seine ideologische Blindheit gegenüber dem Projekt »Selbstverlag« klarzumachen und ihn zu einer ablehnenden Position gegenüber der politischen Zielstellung der Inspiratoren dieses Projektes zu bewegen.

Ist dieses Erziehungsziel erreicht, wird entschieden, in welcher Form der IM in die offensive Bearbeitung des VAO »Schreiberling« und des operativen Schwerpunktes »Selbstverlag« einbezogen werden kann.

Termin: 15. 1. 1975

Verantw.: Leutnant Grubitz   Kontrolle: Major Wild

5.2 Zur Überprüfung des Grades der Zuverlässigkeit und des Wirkens der politisch-ideologischen Erziehungsarbeit mit dem IM wird die Durchführung des Auftrag A bei der Abt. 26 veranlaßt.

6. Führungsmaßnahmen

6.1 Gesamtverantwortlich für die Realisierung der durchzuführenden Maßnahmen zum operativen Schwerpunkt »Selbstverlag« ist der Leiter des Referates XX/7, Major Wild. Die Kontrolle wird durch den stellv. Leiter der Abt. XX, Major Bronder, wahrgenommen.

6.2 Für die erforderlichen Koordinierungsmaßnahmen mit anderen Diensteinheiten bleibt Major Wild verantwortlich.

6.3 Zum Zusammenführen aller Bearbeitungsergebnisse zum Schwerpunkt »Selbstverlag« wird eine Koordinierungsakte angelegt.

Für das ordnungsgemäße Führen dieser Unterlage wird Leutnant Holm verantwortlich gemacht.

6.4 Über den Stellvertreter Operativ wird in den DE II, XV, Mitte, Prenzlauer Berg geprüft, welche Möglichkeiten der Einbeziehung zuverlässiger IM dieser DE in die Bearbeitung des operativen Schwerpunktes »Selbstverlag« vorhanden sind.

Leiter der Abteilung XX   Leiter des Referates XX/7

        Häbler   Wild
    Oberstleutnant   Major

Hauptabteilung XX/7   Berlin, den 25. 11. 1975
                                       Pö/Ko

Treffbericht

Treff mit IMS »Hermann«
am: 25. 11. 1975, 10.30-12.15 Uhr
MA / Hptm. Pönig
in der IMK »Casino«

Verlauf des Treffs
Der IM erschien pünktlich zum vereinbarten Treff in der IMK. Er zeigte sich offen und aufgeschlossen.

Berichterstattung:
Zum operativen Schwerpunkt »Selbstverlag« berichtete der IM, daß Anfang der vergangenen Woche ein Gespräch zwischen dem Parteisekretär des Schriftstellerverbandes, Genossen Küchler, dem Sekretär der Bez.Leitung der SED, Gen. Sepp Müller, und dem IM stattfand. In diesem Gespräch berie[t] Genosse Müller mit Genossen Küchler und dem IM über die Darlegungen des Gen. Wolfgang Kohlhaase vor der Parteileitung des Schriftstellerverbandes zu dem Projekt »Berliner Geschichten« von Klaus Schlesinger, Plenzdorf und Martin Stade.

   (über die Darlegungen des Gen. Kohlhaase vor der Parteileitung wurde eine gesonderte Information gefertigt).

   Genosse Müller orientierte darauf, daß es darauf ankomme, keine Aktion gegen dieses Vorhaben zu entfalten, sondern es komme darauf an, sehr differenziert vorzugehen, um das Projekt möglichst von Innen her zu sprengen. Es wäre kein Grund zur Aufregung gegeben, man soll Ruhe bewahren und die Dinge an sich herankommen lassen. Gespräche zu dieser Sache sollten nur mit solchen Leuten geführt werden, bei denen mit hoher Wahrscheinlichkeit anzunehmen ist, daß sie sich von der Anthologie distanzieren.

Bei dem Führen der Gespräche sollte man auch berücksichtigen, wer der geeignete Partner ist.

Auf Grund dieser Ratschläge kam der IM zur Überzeugung, daß das Mitglied des Vorstandes des Berliner Schriftstellerverbandes Eberhard Panitz der geeignete Partner ist, um den Schriftsteller Uwe Kant aus der Anthologie herauszulösen. Aus diesem Grunde vereinbarte der IM mit Panitz ein Gespräch für den 20. 11. 1975 um diesen entsprechend zu instruieren. Als der IM bei Panitz erschien, war der stellv. des Ministers für Kultur, Gen. Klaus Höpcke, ebenfalls anwesend und hatte das gleiche Anliegen.

Von wem Genosse Höpcke den Auftrag für das Gespräch mit Panitz hatte, konnte der IM nicht feststellen. Eberhard Panitz erklärte sich sofort bereit auf Grund seines guten persönlichen Kontaktes zu Uwe Kant mit diesem zu sprechen.

Am 22. 11. 1975 führte Panitz mit Uwe Kant das vorgenannte Gespräch. Dabei stellte Panitz fest:

Uwe Kant war durch die Schriftsteller Ulrich Plenzdorf und Klaus Schlesinger angesprochen worden. Beide hatten ihm erklärt, daß diese eine Anthologie herausgeben wollen, mit dem Titel »Berliner Geschichten«. Da Uwe Kant bereits in vielen Anthologien erschienen ist, und es eine legitime Sache ist, daß sich mehrere Autoren (2-3 Autoren) als Herausgeber zusammen tun, sah er dabei nichts Hintergründiges.

Er sei erst stutzig geworden, als ihm das Manuskript der Gesamtanthologie bekannt wurde und ihm beim Lesen bewußt wurde, daß nach seiner Einschätzung mindestens 3-4 Beiträge auf Grund ihrer negativen Aussage in der DDR nicht zu veröffentlichen seien, und sich sicherlich kein DDR-Verlag zu einer Veröffentlichung bereiterklären wird.

Ihm sei auch bereits der Gedanke gekommen, sich von diesem Vorhaben zurückzuziehen. Panitz hat die Richtigkeit dieser Gedanken von Uwe Kant noch damit untermauert, indem er ihm vorgehalten hat, daß er doch als Mitglied des Vorstandes des Berliner Schriftstellerverbandes mit beschlossen hat, sich an einer Anthologie des Berliner Schriftstellerverbandes, die zu Ehren des IX. Parteitages erscheinen soll, zu beteiligen. Er könne doch da nicht im gleichen Atemzug sich an einer Sache beteiligen, die bereits nach seiner eigenen Einschätzung negativ sei und sicherlich nicht im Interesse des IX. Parteitages ist, das wäre doch doppelbödig.

Panitz berichtete dem IM, daß Kant sehr nachdenklich wurde und sicherlich nicht mehr viel fehlt, daß er Plenzdorf und Schlesinger den Rücken kehrt.

Er hat aber mit Absicht nicht stärker auf Uwe Kant eingewirkt, damit sein Gespräch den persönlichen Charakter behält und nicht nach einer Aktion gegen dieses Unternehmen riecht. Er hat auch Uwe Kant noch empfohlen, sich in dieser Angelegenheit mit dem IM zu beraten. Kant versprach Panitz sich die Sache zu überlegen und von seinem Angebot bzw. Hinweis, sich mit dem IM zu beraten, Gebrauch zu machen.

(...)

Dem IM ist bekannt, daß sich Leskien an den Sekretär des Schriftstellerverbandes Genn. Erika Büttner in Bezug der Herausgabe des Projektes »Berliner Geschichten« durch Schlesinger, Plenzdorf und Stade wandte.

Dies wird der IM als Grund nehmen, um mit Leskien über seine Bedenken und Probleme zu dem Projekt ein ausführliches Gespräch zu führen. Bei diesem Gespräch will der IM versuchen folgendes herauszuarbeiten:

Wie und unter welchen Bedingungen wurde Leskien für die Mitarbeit an der Anthologie gewonnen.

Welche Differenzen politischer, literarischer, künstlerisch-ästhetischer Art gibt es unter den Beteiligten der Anthologie.

Wer ist der Inspirator dieser Anthologie.

Der IM wird versuchen im Gespräch sich von Leskien die Versicherung geben zu lassen, daß er sich zum gegebenen Zeitpunkt über den er vom IM informiert wird, aus der Anthologie zurückzieht.

(...)

Pönig
Hauptmann

Bericht zum Kontaktversuch
mit Schlesinger, Klaus – Schriftsteller in Berlin

Der IM hat auftragsgemäß an Schlesinger geschrieben, um die Verbindung nicht abreißen zu lassen. Der IM hat das Angebot an der Anthologie, über die beim letzten Treff berichtet wurde, mitzuarbeiten abgelehnt. Schlesinger antwortete darauf, daß er traurig über die Entscheidung unseres IM sei, denn seine Befürchtungen, daß er unter den an der Anthologie beteiligten berühmteren Autoren untergeht, seien unbegründet. Er sei doch auch gut. Allerdings müsse er das Argument der kurzen Zeitspanne (bis Dezember) akzeptieren.

Der IM berichtete, daß er trotz der Absage an Schlesinger, eine kurze Erzählung geschrieben habe. Am 02. 12. 75, wo er Schlesinger zu einem Autorentreff des Hinstorff-Verlages sicherlich treffen wird, wird er ihm aber noch nichts sagen. Er schickt ihm das Manuskript erst kurz vor Weihnachten.

Bei der Geschichte handelt es sich um eine skurrille, traumhafte, phantastisch-mystische Erzählung. Da die anderen Autoren (soweit sie dem IM bekannt sind – s. vorigen Bericht) »harte« Realisten sind, fällt die Erzählung etwas aus dem Rahmen der Anthologie. Demzufolge muß sich Schl. oder auch der Autorenkreis bei der Zusammenkunft im März mit dem IM auseinandersetzen.

Ergänzendes zu den bisherigen berichteten Fakten zitierte der IM aus dem Brief Schlesingers, in dem dieser auf das Ziel der Anthologie eingeht. Schl. schreibt zum Problem »kollektiver Herausgeber« »Wir wollen endlich den desolaten (traurigen) Zustand überwinden, in denen keiner etwas vom anderen weiß (Autoren der Anthologie) und der Herausgeber machen kann, was er will.«

(...)

Lieback
Leutnant

Zwischenbericht

Ergebnisse der bisher eingeleiteten Maßnahmen zur Bearbeitung des
politisch-operativen Schwerpunktes »Selbstverlag«
Die bisher eingeleiteten operativen Maßnahmen konzentrierten sich
im wesentlichen auf die Person Schlesinger, Klaus und Schubert,
Hansdieter.

Schlesinger wird seit Februar 1975 im Vorgang »Schreiberling«
bearbeitet. Die Vorgangsbearbeitung erfolgt auf der Grundlage des
im August 1975 bestätigten Operativplanes.

Die Bearbeitung des Schubert vollzieht sich in Form eines IM-Vor-
laufes.

1. Ergebnis des IM-Einsatzes
Im Verlauf der Bearbeitung des Vorganges »Schreiberling« konnten
mehrere IM in den engeren Bekannten- und Freundeskreis des Schlesinger und seiner Frau Bettina Wegner eingeschleust werden. Dabei
war es besonders den IM »Büchner«, »Karl« und »Andrè« möglich,
eine Vertrauensbasis zu Schlesinger in persönlicher und ideologischer Hinsicht herzustellen.

Durch diese IM wurden bisher folgende operativ interessante Informationen über den Schwerpunkt »Selbstverlag« erarbeitet:
(...)
– Mitte September wurde inoffiziell bekannt, daß Schlesinger
Kenntnis davon hatte von einer Unterredung zwischen dem Sekretär der BL der SED Berlin, Gen. Roland Bauer und Mitgliedern
des Vorstandes des Berliner Schriftstellerverbandes, in der auch
über das Anthologie-Projekt »Berliner Geschichten« gesprochen
wurde. Schlesinger hat daraufhin durch Martin Stade im engeren
Bekanntenkreis der Gruppe Schlesinger-Stade-Plenzdorf Überprüfungen durchführen lassen, um die Quelle der BL festzustellen.
Seit diesem Zeitpunkt ist Schlesinger neuen Kontakten gegenüber
besonders mißtrauisch und selbst die Atmosphäre zwischen ihm,
Plenzdorf und Stade war durch ein unausgesprochenes Mißtrauen
untereinander gekennzeichnet. Erst, als man sich gelegentlich
einer Zusammenkunft in Schlesingers Wohnung Anfang Oktober

darüber ausgesprochen hatte, und sich gegenseitig nochmals des absoluten Vertrauens versicherte, änderte sich dieser zeitweilige Zustand wieder. Dennoch hatte sich etwas Pessimismus in Bezug auf das Gelingen ihres Vorhabens seit der Kenntnis über den Inhalt des Gespräches in der BL. zwischen Gen. Roland Bauer und drei Mitgliedern des Berliner Vorstandes ausgebreitet und auch bis zum Zeitpunkt des Erscheinens der Nr. 5 der Zeitschrift »Sinn und Form« im Oktober erhalten. Die Veröffentlichung der Erzählung »Die unvollständige Geschichte« von Volker Braun in diesem Heft Nr. 5 hat unter den Organisatoren des Projektes »Berliner Geschichten« starke Impulse für neue Aktivitäten ausgelöst. Brauns »Unvollendete Geschichte« wurde im Kreis Schlesinger-Plenzdorf-Stade als »Signal« und »Maßstab« für eine »wirkungsvolle systemkritische Literatur« in der DDR aufgenommen. Schlesinger wertete Brauns Erzählung als »das Wirkungsvollste, was an systemkritischer Literatur« bisher in der DDR erschienen sei. Obwohl diese Erzählung nur wenige Seiten umfasse, würde sie das »systemkritische Gesamtwerk« Stefan Heyms in den Schatten stellen. Heym selbst würde das neidlos anerkennen und sei von Brauns »Mut« hell begeistert.

Der zum Vertrautenkreis Schlesingers gehörende Lektor vom Buchverlag »Der Morgen«, Joachim Walther, äußerte in diesem Zusammenhang die Ansicht, daß Braun »die Grenze des Erlaubten bis auf den hundertstel Millimeter genau ausgelotet« habe und für »sie« den jetzt möglichen Maßstab gesetzt hat.

- Speziell zur Rolle Stefan Heyms innerhalb der Autorengruppe konnte festgestellt werden, daß er an den Beratungen im engeren Kreis, die vorwiegend in der Wohnung von Schlesinger oder zum Teil in Altrosenthal auf einem der Grundstücke Schlesingers, Plenzdorfs oder Stades stattfanden, nie persönlich teilgenommen hat. Es war aber stets die Rede davon, daß eine gedankliche Abstimmung mit ihm erfolgt sei. Besonders Schlesinger beruft sich in seinen Meinungsäußerungen oft auf Stefan Heym.

2. Ergebnis der Überprüfungen in den Speichern des MfS, der VP und des Zolls

Durch SRT-, H- und Zollüberprüfungen konnten folgende Kontakte Schlesingers nach Westberlin und in die BRD festgestellt werden:

Dröder, Dieter, Westberlin, ehemaliger DDR-Bürger, wurde unmittelbar nach dem 13. August 1961 flüchtig, engster Freund Schlesingers. Diese Freundschaft ist die literarische Legende für Schlesingers Erzählung »Am Ende der Jugend«, die er für die Anthologie »Berliner Geschichten« geschrieben hat. Bei den bereits beschriebenen genehmigten Dienstfahrten Schlesingers nach Westberlin zum Zwecke der Materialsammlung ist Sch. mit Dröder zusammengetroffen. Es muß sogar eingeschätzt werden, daß diese Westberlinaufenthalte ausschließlich dem Zusammentreffen mit Dröder dienten. Die Tatsache seines Treffens mit Dröder in Westberlin wurde durch IM festgestellt.

– Ein weiterer Kontakt besteht zu einem N., Lothar, Westberlin, Leiter einer Filiale eines BRD-Verlages in Westberlin, der jedoch noch nicht identifiziert werden konnte. N. besucht Schlesinger in dessen Wohnung in der Brunnenstr. 5. Schlesinger bezeichnet N. als seinen Freund. Der genaue Charakter dieses Kontaktes muß noch festgestellt werden.

Schlesinger unterhält Verbindung zu der Mitarbeiterin des Benzinger-Verlages in Zürich/Schweiz, Frau Dr. Renate Nagel. Dieser Kontakt hat sowohl dienstlichen, als auch privaten Charakter. Der Dr. N. hat Sch. bereits im Februar 1974 von der Existenz seiner Erzählung »Am Ende der Jugend« berichtet und das Angebot unterbreitet, dieselbe im Benzinger-Verlag herauszubringen. Allerdings hatte er ihr seinerzeit erklärt, daß er noch etwas an dieser Geschichte arbeiten müsse. Es ist also offensichtlich, daß sich Schlesinger bereits seit längerer Zeit mit dem Stoff seiner Erzählung »Am Ende der Jugend« beschäftigt.

Vermittelt durch Stefan Heym hat Schlesinger im Mai 1974 zum Bertelsmann-Verlag in München/BRD Kontakt aufgenommen. Heym hat seinerzeit bei Bertelsmann eine Anthologie mit dem Titel »Auskunft – Neue Prosa aus der DDR« angeboten, in die er die Erzählung von Schlesinger mit dem Titel »Neun« einbezogen hat. Diese Anthologie ist im Herbst 1974 vom Bertelsmann-Verlag herausgegeben worden. Auf diese Weise ist Schlesinger zu einem Autorenvertrag mit dem Bertelsmann-Verlag gekommen.

– Die Überprüfung in den Speichern der VP hat folgendes Ergebnis: Schlesinger war am 25.1.1958 bei der VPI Weißensee wegen Staatsverleumdung gem. § 185 StGB aufgefallen, indem er ihren Dienst versehende Volkspolizisten als »Nazis, die faschistische Methoden anwenden« beschimpft hatte.

(...)

Wild
Major

Verwaltung für Staatssicherheit   Berlin, den 11. 12. 1975
Groß-Berlin   Ho
Abt. XX/7
                           Vermerk

Üb. eine Inform. der HA XX/7 zu einer Vorstandssitzung
des Berliner Schriftstellerverbandes am 10. 12. 1975

Auf der og. Sitzung trat der Schriftsteller Ulrich Plenzdorf mit provo-
kativen Äußerungen in bezug auf die Kulturpolitik der Partei auf. So
äußerte er unter anderem, daß in der Praxis der Kulturpolitik die
Beschlüsse des VIII. Parteitages zurückgenommen werden. Das Hin
und Her der Kulturpolitik nach dem VIII. Parteitag könne er an den
Vorgängen um seine eigene Person nachweisen.

Der Schriftsteller Jurek Becker stimmte dem zu und griff dabei in
sehr persönlicher Art und Weise das Mitglied des Politbüros, Gen.
Paul Verner auf Grund einer »dogmatischen« Haltung in Fragen der
Kulturpolitik an.

Trotz Diskussionen der anderen Vorstandsmitglieder, insbesondere der Schriftsteller Rudi Strahl, Peter Edel und Gisela Steineckert,
konnten Plenzdorf und Becker nicht zur Zurücknahme ihrer provo-
kativen Äußerungen veranlaßt werden.

                                                   Holm/Ltn.

Hauptabteilung XX/7   Berlin, den 15. 12. 1975
                                                   Pö/Ko

                           Treffbericht

Treff mit IMS »Martin«
am: 12. 12. 1975, 20.00 Uhr bis 21.15 Uhr
durchgeführt: Hptm. Pönig

Verlauf des Treffs
Während des Treffs gab es keine besonderen Vorkommnisse. Der IM
machte einen offenen und aufgeschlossenen Eindruck.

Unverändert leidet der IM an starken Schmerzen, so daß er starke
schmerzlindernde Medikamente einnehmen muß.

Berichterstattung

Im Zusammenhang eines Auftrages zum operativen Schwerpunkt Selbstverlag berichtete der IM über das Auftreten und die Verhaltensweisen der operativ angefallenen Schriftsteller während der Wahlberichtsversammlung der Parteigrundorganisation des Berliner Schriftstellerverbandes. Darüber wird ein gesonderter Bericht gefertigt. Der Bericht stimmte mit dem Bericht des IMS Hermann überein.

Zu Uwe Kant berichtete der IM, daß er mit diesem über die Anthologie »Berliner Geschichten« gesprochen hat. Im persönlichen Gespräch hat er Uwe Kant die politische Hinterhältigkeit und den feindlichen Charakter dargelegt. Uwe Kant äusserte in diesem Gespräch, daß er auch schon Bedenken bekommen hat. Die Ursache für seine Bedenken liegen insbesondere in der Kenntnis des Inhaltes der einzelnen Beiträge. Uwe Kant äusserte gegenüber dem IM, daß er den Beitrag von Heym für ausgesprochen feindlich halte und keinesfalls die Absicht hat, sich für die Veröffentlichung von Heyms Beitrag einzusetzen.

Diesen Umstand nutzte der IM, um von Uwe Kant das Versprechen zu erhalten, seinen Beitrag aus der Anthologie zurückzuziehen und sich von diesem Projekt sowie den Organisatoren zurückzuziehen.

Dies versprach Uwe Kant dem IM. Nachdem der IM das feste Versprechen von Uwe Kant hatte, erklärte er diesem, daß es zu wenig sei nur aus dem Unternehmen auszusteigen, sondern daß es darauf ankomme, noch andere zu beeinflussen, den gleichen Schritt zu gehen. Uwe Kant erklärte sich damit auch einverstanden. Er schlug vor, zu diesem Zweck bis zur nächsten Zusammenkunft des »Autorenkollektivs« still zu sein und bei der Zusammenkunft in Gegenwart der anderen Autoren auf die Feindlichkeit des Beitrages von Heym hinzuweisen und zu fordern, daß entweder der Beitrag von Heym aus der Anthologie entfernt wird, oder er sich von dem Vorhaben distanziert und seinen Beitrag zurückzieht. Uwe Kant ist der Ansicht, daß dieses Verhalten nach den Bedenken, die Kunert in der ersten Zusammenkunft äusserte, auf eine Reihe weiterer Autoren nachhaltig wirken wird.

Damit Uwe Kant keinen Fehler macht, hat der IM mit diesem vereinbart, sich vor dem weiteren Schritt in dieser Angelegenheit mit ihm zu beraten.

Dies ermöglicht, erklärte der IM beim Treff, jederzeit wenn es unser Organ oder die Partei für erforderlich erachtet, Uwe Kant eine andere den Erfordernissen entsprechende Verhaltenslinie zu geben.

Zu Rolf Schneider berichtete der IM, daß er diesen wegen seiner Beteiligung an der »Anthologie« »Berliner Geschichten« angesprochen hat. Er hat Schneider erklärt, daß er von Kunert Kenntnis hat, daß Schneider sich auch an dieser Anthologie »Berliner Geschichten« beteilige.

Schneider äusserte darauf, daß dieses stimme und er die Absicht hatte, sich daran zu beteiligen.

Wie er aber aus der Anspielung des IM entnehmen kann, würde dies bedeuten, daß ihm der IM von einer Beteiligung abrate. Er könne dem IM versichern, daß er sich aus diesem Projekt zurückziehe.

An der Aufrichtigkeit dieses Unternehmens seien ihm ernste Zweifel gekommen. So habe er sich mit Kunert, der an der Anthologie beteiligten Autoren teilnahm, ausgetauscht. Kunert hat ihm berichtet, wie es in diesem Verein zuging. Schon an der Tonart hat man die Nase voll.

In diesem Verein soll sich U. Kant und Schneider von Leuten, die selbst noch nicht wissen was Literatur ist, erzählen lassen, wie eine Erzählung aussehen soll bzw. auszusehen hat. Mit diesen krummen Gestalten stellen sie sich nicht auf eine Stufe, abgesehen daß es Beiträge gibt, hinter die man sich nicht stellen kann. Schneider äusserte gegenüber dem IM weiter, daß er sich wegen dieser Anthologie nicht den Kopf zerbrechen brauche, durch seinen und Kunerts Austritt werde das Projekt sowieso in sich zusammenbrechen, da es an Substanz verliert und darüber hinaus werden einige sicherlich nachdenklich, wenn er und Kunert aus diesem Verein austritt.

Auf Grund der von Schneider dargelegten Situation verzichtete der IM sich bei Schneider nach den Motiven seiner Beteiligung am Projekt zu erkundigen sowie nach den Umständen, unter denen er von wem gewonnen wurde.

Auftrag:
Der IM hält mit Uwe Kant und Schneider weiter Kontakt, um ständig und rechtzeitig über Veränderungen der Situation zum Projekt Anthologie informieren zu können.

Pönig
Hauptmann

Treffbericht

Quelle: IMS »Martin«
Zeit: 27. 11. 1975, 8.45-9.50 Uhr
MA: Hptm. Pönig

Treffverlauf

Während des Treffs gab es keine besonderen Vorkommnisse. Der IM verhielt sich offen und aufgeschlossen.

Der Treff diente der Instruierung des IM, um diesen zielgerichtet zum operativen Schwerpunkt »Selbstverlag« einzusetzen.

Durch Unterzeichner wurde der IM gefragt, ob er von dem Brief Schlesinger, Plenzdorf und Stade an Wolfgang Kohlhase Kenntnis habe.

»Martin« erklärte dazu, daß er auf Grund dringender medizinischer Behandlung nicht an der letzten Beratung im Schriftstellerverband teilnehmen konnte. Aus diesem Grund weiss er nur, daß Kohlhase die Parteileitung über ein Schreiben der drei Vorgenannten informiert hat, ohne den Inhalt zu kennen.

Daraufhin wurde »Martin« durch Unterzeichner über den Inhalt des Briefes von Schlesinger an Kohlhase informiert.

»Martin« wurde gebeten, sich trotz der Information durch Unterzeichner noch selbst offiziell zu informieren. Auf Grund des dargelegten Sachverhaltes erkannte »Martin« sofort den feindlichen Inhalt des Vorhabens von Schlesinger, Plenzdorf und Stade. Er äußerte dazu, als erstes, daß es eine Schweinerei von Verbands- wie Parteileitung sei, ihn nicht umgehend über ein solches feindliches Vorhaben von Schriftstellern zu informieren. Er frage sich, wie lange dort so etwas zur Kenntnis genommen werde, ohne festzulegen, was getan werden muß. Er werde sich entsprechend dem Rat durch Unterzeichner informieren und dann fragen, was der Verband zu tun gedenkt.

Die zweite Reaktion »Martins« war, daß er erklärte, daß wir voll mit ihm rechnen können, er werde sich ohne Vorbehalt mit seiner ganzen Persönlichkeit einsetzen, das Vorhaben der »Anthologie« zu zerschlagen. Durch Unterzeichner wurde »Martin« erklärt, daß es uns darauf ankommt, das Vorhaben »Anthologie« zum Scheitern zu bringen, indem es in sich selbst zusammenbricht.

»Martin« äußerte, daß er uns in dieser Frage voll unterstütze. Er garantiere uns dafür, daß Uwe Kant sich von diesem Unternehmen distanziert. Er frage sich überhaupt, was diesen veranlaßt habe, sich an diesem fadenscheinigen Unternehmen zu beteiligen. Seiner Ansicht nach müsse Uwe Kant etwas am Kopf haben. Er werde ihn ordentlich Maß nehmen, da hier die Toleranz und Freundschaft aufhört.

»Martin« wurde gebeten, im Gespräch mit Uwe Kant gründlich nachfolgende Fragen zu klären:

— Wer hat ihn zur Mitarbeit an der Anthologie gewonnen
— wie, unter welchen Bedingungen wurde er zur Mitarbeit an der Anthologie gewonnen
— was sind seine Motive für seine Beteiligung an dem Vorhaben
— was weiß er über Differenzen unter den Beteiligten der Anthologie
— was ist bekannt über die Rolle Heyms als Inspirator des Vorhabens?

Auf Grund seines Einflusses auf Uwe Kant wurde er gebeten, mit diesem nachdem er ihn überzeugt hat, seinen Beitrag aus der Anthologie zurückzuziehen und von den 3 Organisatoren zu distanzieren, den offiziellen Bruch erst dann zu vollziehen, wenn er durch »Martin« dazu veranlaßt wird.

»Martin« wird bei dem Gespräch prüfen, ob Uwe Kant dazu genutzt werden kann, bei der nächsten Zusammenkunft der an der Anthologie beteiligten Autoren gegen das Projekt aufzutreten, um durch sein Beispiel noch andere beteiligte Autoren zu veranlassen, sich von dem Vorhaben zu distanzieren.

»Martin« erklärte weiter, daß er auch versuchen wird, mit Rolf Schneider zu sprechen. Er sieht günstige Voraussetzungen, daß Schneider seinen freundschaftlichen Rat, sich von diesem unseriösen Vorhaben zu distanzieren, folgen wird.

(...)

Der IM erklärte, daß er uns sofort nach dem Gespräch mit Uwe Kant, das er Anfang nächster Woche zu führen beabsichtigt, über das Ergebnis informiert.

Das Ergebnis dieses Gespräches wird er soweit dies möglich ist, als Grundlage für das Gespräch mit Schneider nehmen, welches er danach vereinbart.

Pönig
Hauptmann

Verwaltung für Staatssicherheit   Berlin, den 30. 12. 1975
Groß-Berlin
Abteilung XX/7

Op. Information Nr. 13/76

Beteiligung des Schriftstellers de Bruyn
an der Anthologie »Berliner Geschichten«

Beim Treff am 19. 12. 1975 berichtete der IMS »Roman« über die
Haltung des Schriftstellers de Bruyn zu seiner Mitarbeit an der Anthologie »Berliner Geschichten« folgendes:

De Bruyn wurde im Oktober oder November 1974 von dem
Schriftsteller Plenzdorf zur Mitarbeit angesprochen. Der Zeitpunkt
des Ansprechens lag auf alle Fälle vor Plenzdorfs Studienreise in die
USA. Plensdorf habe de Bruyn erklärt, daß in Abstimmung mit dem
Vorstand des Berliner Schriftstellerverbandes und mit einigen Ver-
lagsleitern die Absicht bestehe, ein Experiment folgender Art durchzuführen:

(...)

De Bruyn habe sich nach Plenzdorfs mündlicher Aufforderung,
an der Anthologie mitzuarbeiten, sofort bei dem Vorsitzenden des
Berliner Verbandes, Günter Görlich, als auch beim Präsidenten des
Schriftstellerverbandes der DDR, Hermann Kant über die Legitima-
tion dieses Unternehmens erkundigt. Beide hätten ihm die Kenntnis
dieser Unternehmung bestätigt. Ihrerseits seien auch keinerlei Bedenken dagegen geäußert worden.

Daraufhin habe de Bruyn nach der schriftlichen Aufforderung zur
Mitarbeit seine Zustimmung erteilt und seine noch nicht veröffentlichte Erzählung »Freiheitsberaubung« angeboten. Das Manuskript
habe er an Klaus Schlesinger übergeben.

De Bruyn wertet seine Erzählung selbst als eine »lustige Geschichte, die sich tatsächlich zugetragen hat«. Er habe nur die Namen und die Adresse geändert. Bei der Erzählung würde es sich um
eine Anekdote handeln, die sich vor einigen Jahren um seine direkte
Wohnungsnachbarin gedreht habe. Inzwischen sei diese Frau mit
dem in der Erzählung erwähnten Volkspolizisten verheiratet und
habe auch eine neue Wohnung erhalten.

De Bruyn sei von der Burschikosität seiner ehemaligen Nachbarin

so begeistert gewesen, daß er die Geschichte seinerzeit gleich aufgeschrieben habe. Das sei nun schon 4 bis 5 Jahre her. Im Grunde habe
de Bruyn nie daran gedacht, diese Geschichte überhaupt einmal zu
veröffentlichen. Für die Anthologie habe sie sich nur deshalb angeboten, weil es eben eine Berliner Geschichte ist, die sich im Berlin
nach 1945 tatsächlich zugetragen hat.

Nach de Bruyns Darstellung sei die Anthologie noch im Anfangs-
stadium, weil noch zu wenig Beiträge vorlägen und weil einige eingereichte Beiträge literarisch unausgereift wären. Sein persönliches
Engagement für diese Anthologie habe bisher darin bestanden, sein
eigenes Manuskript zur Verfügung zu stellen, die Beiträge der anderen Mitautoren zu lesen und seine Meinung darüber zu äußern.

Ende November oder Anfang Dezember 1975 sei de Bruyn vom
Verlagsleiter des Mitteldeutschen Verlages, Halle, wegen seiner Mitarbeit an der Anthologie angesprochen worden. Der Mitteldeutsche
Verlag ist de Bruyns »Haus«-Verlag, der auch die Erstveröffent-
lichungsrechte für die Werke von de Bruyn besitzt. De Bruyn sei von
dem Verlagsleiter in der Hinsicht beeinflußt worden, seine Mitarbeit
an der Anthologie »Berliner Geschichten« zurück zu ziehen. Aus der
Aussprache hat de Bruyn entnommen, daß es neuerdings »Mißver-
ständnisse zwischen dem Kulturministerium und dem Vorstand des
Schriftstellerverbandes einerseits und den Autoren der Anthologie
»Berliner Geschichten« andererseits gebe. Den Mitautoren der Anthologie werde jetzt eine verbandsschädigende Haltung nachgesagt.
De Bruyn versteht diesen Vorwurf nicht, weil die maßgebenden
Funktionäre des Verbandes von vornherein über das Vorhaben der
Anthologieautoren mit all seinen Konsequenzen unterrichtet gewe-
sen seien und das Unternehmen als »Experiment« akzeptiert hätten.

De Bruyn hat seinen Beitrag zur Anthologie »Berliner Geschichten« noch nicht zurückgezogen. Er möchte sich dieserhalb erst noch
mit einigen Präsidiumsmitgliedern beraten, um die »Mißverständnisse« zu beseitigen. De Bruyn könne sich nicht vorstellen, daß auch
nur ein Mitautor der Anthologie den Verband, oder gar die DDR
überhaupt schädigen wolle. Sollte man ihn im Präsidium jedoch vom
Gegenteil überzeugen, werde er sofort von seiner Mitarbeit an der
Anthologie zurücktreten und seinen Beitrag zurückziehen.

Wild
Major

Verwaltung für Staatssicherheit   Berlin, den 30. 12. 1975
Groß-Berlin
Abteilung XX/7

Op. Information Nr.   /76

Schriftstellergruppierung Plenzdorf, Schlesinger, Stade

Der IMF »Andrè« hatte beim Treff am 22. 12. 1975 folgendes über die oben genannten Schriftsteller zu berichten:

1. Zum Anthologie-Projekt »Berliner Geschichten«:
Schlesinger und Stade arbeiten nach wie vor an dem Projekt. Gegenwärtig sind sie bemüht, weitere Autoren zu finden, die fertige Erzählungen zur Verfügung stellen können, weil sie Ende Dezember Redaktionsschluß machen wollen. Da die Arbeit im Prinzip nur auf den Schultern von Stade und Schlesinger laste, wollen sich beide auf eine Verlängerung des Einsendetermins in keiner Weise einlassen, obwohl Plenzdorf und Stefan Heym so etwas in Erwägung ziehen würden. Plenzdorf und Heym begründen ihre Überlegung damit, daß mehrere bisher eingereichte Manuskripte literarisch unausgereift und für die Anthologie unbrauchbar sind. Der vorgesehene Erzählband würde aber nur die gewünschte Wirksamkeit erreichen, wenn wenigstens 25 Autoren beteiligt sind und wenn wenigstens zwei Drittel davon als proviliert eingeschätzt werden können. Eine solche Autorenstruktur für diese Anthologie sei aber bis Ende Dezember nicht mehr zu erreichen.
  Schlesinger und Stade haben den Eindruck, daß man sie innerhalb des bisher beteiligten Kreises etwas an die Wand zu drücken versucht. Nachdem sie jetzt fast ein Jahr lang viel Zeit und Engagement in das Projekt investiert hätten, wolle man andere an die Spitze des Unternehmens schieben. Das sei auf der Autorenberatung im September festgelegt worden. Stade nannte die Namen de Bruyn und einen gewissen Klingler. Klingler ist bereits mehrfach als Autor im Buchverlag »Der Morgen« in Erscheinung getreten.
  Stade und Schlesinger sind im Moment »sauer« auf einige ihrer Kollegen, weil sie jetzt »kneifen wollen«. Nach Stades Darstellung sei die Partei »dahinter gekommen«, daß »sie« mit der Anthologie »Berliner Geschichten« den ersten Schritt zu einem »Autorenverlag« hin gehen

wollten. Nun würden über Mitglieder des Präsidiums des Schriftstellerverbandes, über Verlagsdirektoren und Cheflektoren mit den bisher beteiligten Schriftstellern auf die verschiedenste Art und Weise Aussprachen »inszeniert«, um sie »ideologisch wieder gerade zu biegen«. Einige wären schon umgefallen. Nun richte sich bestimmt bald das »ganze Feuer« gegen Stade und Schlesinger. Schlesinger sei auch schon »vom Hinstorff-Chef von der Seite angequatscht« worden, obwohl gerade dieser von Anfang an Bescheid gewußt habe.

Über den Lektor des Buchverlages »Der Morgen«, Joachim Walter, sei man wegen einer eventuellen Mitarbeit an der Anthologie an Volker Braun und an Branstner herangetreten. Braun habe kathegorisch abgelehnt und Branstner wolle sich die Sache noch überlegen. Walter sei von der Ablehnung Volker Brauns sehr enttäuscht, weil es eigentlich sein eigener Vorschlag war, an Braun heranzutreten. Schlesinger schätzt die Ablehnung [...] folgendermaßen ein: Es sei ganz gut, daß er »nein« gesagt habe. Er wird z. Zt. »von der Partei unter Feuer genommen« und hätte er mitgemacht, »hätte er das Feuer nur auf uns alle gelenkt«.

2. Zu Martin Stade:
Stade hielt sich in der Zeit vom 14. 12. bis 20. 12. 75 in Berlin auf. Vom 14. bis zum 17. 12. hat er mehrere Bekannte besucht. Übernachtet hat er überwiegend in dieser Zeit bei Schlesinger.

Vom 18.-19. 12. 75 hat Stade an einer Autorentagung des Buchverlages »Der Morgen« in Hoppegarten teilgenommen. Er befindet sich zur Zeit in einer deprimierten Stimmung. Die Gründe dafür sind vielseitig. Erstens hängen sie mit dem Entwicklungsstand des Anthologie-Projektes »Berliner Geschichten« zusammen. Stade glaubt nicht mehr daran, daß dieses Projekt mit der ursprünglichen Absicht noch durchsetzbar ist. Er steht aber nach wie vor auf dem Standpunkt, daß »man etwas gegen die Schreibzensur als Ausdruck geistiger Unfreiheit« unternehmen müsse.

(...)

Wild
Major

Auf der Geburtstagsfeier von K. Schl. waren gegen etwa 22.45 Uhr am 09.01.76 anwesend:

Thomas Brasch, Katharina Thalbach, Ullrich Plenzdorf und Frau, Stefan Schnitzler, Dirk Strassenberger, zwei Söhne von Roland Links (Spitznamen seit Kindheit an: Bolle und Mucker), ein gewisser Fred Viebahn (vermutlich wohnhaft in Westberlin) mit Frau oder Freundin, sowie eine unbekannte Frau im Alter von etwa 25-28 Jahren, herbes schmales Gesicht, glattes schwarzes Haar, schulterlang. Zur letztgenannten keine näheren Angaben möglich. Am gleichen Tag zu einem früheren Zeitpunkt war auch die Mutter der beiden Links-Söhne, Christa (geschiedene Frau von Roland Links) anwesend.

Die Gesamtatmosphäre innerhalb des genannten Kreises deutete auf gegenseitige Vertrautheit hin.

Das Auftauchen des Berichtenden und seiner Frau wurde mit starker Zurückhaltung aufgenommen, wenn nicht sogar mit einigem Mißtrauen (was sich bei Brasch sogar anfänglich in einer aggressiven Grundhaltung gegenüber dem Berichtenden ausdrückte. Diese Haltung wurde erst etwas zurückgenommen, nach dem B. W. Brasch vermutlich über die familiären Zusammenhänge aufgeklärt hatte.)

Obgleich einige der Gäste, so z. B. Claudia (Schwester von Bettina), einer der Links-Söhne, B. W. und K. Schl., sogar Plenzdorf mit dem Berichtenden und seiner Frau teilweise sogar intensiv wirkende Gespräche führten, blieben sie in der Endkonsequenz von dem oder den Gegenständen der Gesamtunterhaltung ausgeschlossen. Diese Einzelgespräche gingen über Allgemeinplätze nicht hinaus. Der einzige, der zwar mit uns keine Unterhaltung führte, aber bei der Begrüßung eigentlich nichts von der genannten Zurückhaltung spüren ließ, war Dirk Strassenberger. Schl. betonte bei einem am darauffolgenden Tag geführtem Gespräch, daß er nicht eingeladen habe.

(...)

Durch Bemerkungen von B. W. gegenüber Schl. konnten folgende Informationen aufgenommen werden: Im Laufe des Tages (es war zum Zeitpunkt des Gesprächs etwa 15.30/16.00 Uhr) habe Marcel angerufen (gemeint ist Marcel Brun, SchriftstellerName Jean Villain, vermutlich schweizer Staatsbürger). Außerdem habe der Martin Stade angerufen, er würde jetzt etwa eine Woche sich in Alt-Rosen-

thal aufhalten. B. W. forderte Schl. geradezu drängend auf, doch
auch für drei/vier Tage rauszufahren, da (bzw. dann) könne er doch
so richtig arbeiten. Schl. wird sicherlich nach Alt-Rosenthal fahren,
aber ob gleich Anfang der Woche, und für wie lange, ging aus dem
Gespräch nicht hervor.

Einige Bemerkungen zum Inhalt der letzten Konsultation vom
08.01.76:

Es ist einzuschätzen, daß Schl. in jedem Fall mit irgendeiner Sache
befaßt ist, die ihn völlig in Anspruch nimmt. Jegliches bei ihm sonst
übliches Herummotzen über Unzulänglichkeiten oder sogn. »Einen-
gungen« fehlt. Vieleher gibt er sich betont unauffällig. Er ist den
Berichtenden gegenüber sehr ›aufgeschlossen‹, geht jedoch über
sogn. ›persönliche‹ Themen mit unverbindlichem Inhalt nicht hinaus! Jede, aber auch jede, der in der Konsultation beratenden Möglichkeiten die erforderliche Aufhellung für den Informationsbedarf
zu bekommen, ist im Gegenwärtigen Zeitpunkt ohne auffällig zu
wirken, und Schl. und B. W. mißtrauisch zu machen nicht möglich!
Es wird seitens B. W. und Schl. überhaupt nicht über Arbeits- und
Schaffensprobleme gesprochen, noch nicht einmal andeutungs-
weise!

Wer Schl. um einiges näher kennt, kann zu dem Eindruck kommen, daß er sich mit einem (oder einigen) Projekten arbeitsmäßig
beschäftigt, die zumindest seiner Vorstellung von »Selbstverwirklichung« sehr, sehr nahe kommt. Unter diesem Aspekt kann auch bei
näherer Betrachtung der Personenkreis der Geburtstagsfeier darauf
schließen lassen, daß zumindest der überwiegende Teil zu den ideologischen Vertrauten für die Verwirklichung eines derartigen Projektes gehören könnte. Es ist interessant, daß die genannten Personen
(soweit sie bisher bekannt waren) noch nie (durch den Berichtenden
feststellbar) gleichzeitig bei Schl. in der Wohnung war.

An beiden Tagen waren die bereits genannten Mappen (etwa 8 an
der Zahl) im Hause, am gleichen Platz unterhalb der Arbeitsplatte.
Wobei äußere Anzeichen vermuten lassen, daß an oder mit ihnen in
der Zwischenzeit gearbeitet wurde.

An dieser Stelle sei die Empfehlung gegeben, bei allen Unter-
nehmungen, um an diesen Kreis heranzukommen, der mit dem am
8. 1. 76 genannten Projekt zu tun haben könnte, mit aller äußerster
Vorsicht vorzugehen ist. Selbst ein eigentlich unwesentlicher Satz
oder eigentlich belanglose Frage kann das unter dem Deckmantel der
Unbefangenheit hellwache Mißtrauen mobilisieren!

Nach Einschätzung der Berichtenden sollte der genannte Dirk Strassenberger daraufhin überprüft werden, inwieweit er zumindest ein möglicher (latenter) Informant werden könnte!

(...)

Hauptabteilung XX/7 Berlin, den 21. 1. 1976
Rei/Ko

Information
Zur Unterbindung des Vorhabens
Anthologie »Berliner Geschichten«

wurde festgelegt, daß in nächster Zeit mit den an diesem Vorhaben beteiligten Autoren Gespräche über ihr Schaffen zu führen sind. Im Rahmen dieser Gespräche soll erreicht werden, daß die Autoren sich zu ihrer Beteiligung an der Anthologie »Berliner Geschichten« äußern und das Manuskript ihres Beitrages zur Einsichtnahme zur Verfügung stellen.

Nach kurzfristiger Einschätzung dieser Beiträge werden weitere Gespräche mit den Autoren durchgeführt mit dem Ziel sie zu veranlassen, sich von diesem Vorhaben zu distanzieren, ihren Beitrag zurückzuziehen und soweit vom Inhalt her möglich, einem Verlag zur Veröffentlichung anzubieten, wobei ihnen entsprechende Hilfe zugesichert wird.

Die nachstehenden Funktionäre werden mit den angeführten Autoren die Gespräche führen:

- Genossin Ragwitz, Stellv. Leiter der Abteilung Kultur beim ZK der SED und Genosse Hoffmann, Ministerium für Kultur führen die Gespräche mit Ulrich Plenzdorf – Berlin
- Genosse Hermann Kant, Vizepräsident des Schriftstellerverbandes der DDR mit Uwe Kant – Berlin
- Genosse Henniger, Sekretär des Schriftstellerverbandes der DDR mit Günter Kunert – Berlin
  Rolf Schneider – Frankfurt
- Genosse Holz-Baumert, Mitgl. des Präsidiums des Schriftstellerverbandes der DDR mit Dieter Schubert – Berlin
- Genosse Kohlhase, Mitglied der Parteileitung des Berliner Schriftstellerverbandes mit Klaus Schlesinger – Berlin

– Genn. Büttner, Sekretär des Schriftstellerverbandes der DDR mit
Jürgen Leskien – Berlin
Helga Schubert – Berlin
H. U. Klingler – Berlin
– Genosse Kerndl, Mitglied des Präsidiums des Schriftstellerverbandes der DDR mit Paul Gratzig – Dresden
– Genn. Krumery, Sekretär des Berliner Schriftstellerverbandes mit
Uwe Grüning – Gera
– Genosse Dr. Plavius, Mitglied des Vorstandes des Schriftstellerverbandes der DDR mit Fritz-Rudolf Fries – Frankfurt
– Genosse Löser, Mitarbeiter der »Neuen Deutschen Literatur« des Schriftstellerverbandes mit Elke Erb – Berlin
– Genosse Liersch, Redakteur der »Neuen Deutschen Literatur« mit Günter de Bruyn – Berlin
– Gen. Hübschmann, Nachwuchsabteilung des Schriftstellerverbandes der DDR mit Landgraf – Berlin

Zur Aussprache mit dem Ehepaar Gert und Heide Härtl – Leipzig, wurden noch keine Festlegungen getroffen.

Die Auseinandersetzungen mit Heym, Schlesinger und Stade werden geführt, wenn die Ergebnisse der vorgenannten Aussprachen vorliegen.

Verwaltung für Staatssicherheit Berlin, den 23. 1. 1976
Groß-Berlin
Abteilung XX/7

Op. Information Nr. 88/76

Operativer Schwerpunkt »Selbstverlag«

Im Ergebnis der Realisierung seines Auftrages berichtete der IMF »Andrè« beim Treff am 22. 1. 1976 folgendes:

Am Sonntag, den 11. 1. 1976 fand in der Wohnung von Klaus Schlesinger ein Zusammentreffen zwischen ihm, Martin Stade aus Rostock und dem Autor und Lektor Joachim Walter vom Buchverlag »Der Morgen« statt. (...)

In dem Gespräch ging es dann im wesentlichen um zwei Dinge.

Walter informierte Martin Stade, daß der Cheflektor des Buchverlages »Der Morgen«, Henniger, den Auftrag der Hauptverwaltung Verlage beim MfK habe, mit Stade über die neuen Bedingungen für das Erscheinen seines Erzählbandes zu sprechen. Diese Bedingungen würden jetzt so aussehen, daß es nicht mehr um die inhaltliche Veränderung der Geschichte über den Bau des Palastes der Republik und um die Herausnahme der Geschichte über die vorfristige Exmatrikulation eines Studenten geht. Die Entscheidung der HV laute nun so, daß der Erzählband nur erscheinen könne, wenn Stade auch die Geschichte vom Bau des Palastes der Republik herausnehmen würde. Nach dieser Information wollte Stade gleich von Schlesinger aus Henniger anrufen. Davon riet Schlesinger ihm ab, da sein Telefon sicher abgehört werde. (...)

Schlesinger und Walter rieten Stade, sich im Interesse »ihrer gemeinsamen Sache« auf die von der HV Verlage gestellten Bedingungen einzulassen. Stade zeigte sich erst einmal diesem Rat gegenüber nicht aufgeschlossen. Er war der Ansicht, daß der Erzählband ohne diese beiden bezeichneten Geschichten ein literarischer »Torso« sei und von »keinem gelesen wird«. Er sehe nicht ein, daß er ausgerechnet diese beiden Geschichten herausnehmen soll, die ihm »literarisch« am besten gelungen seien. Stades Ansicht war es außerdem, daß er mit der konsequenten Forderung nach Herausgabe des Erzählbandes einschließlich dieser beiden Geschichten doch im Sinne »ihres Kampfes gegen die Parteizensur« handeln würde.

Damit ging die Unterhaltung zum zweiten Problem über und zwar zum Anthologieprojekt »Berliner Geschichten«.

Schlesinger, vor allem aber Joachim Walter versuchten Stade mit folgenden Argumenten »umzustimmen«:

– Die Mitautoren der Anthologie »Berliner Geschichten« müßten zur Zeit im Interesse des strategischen Zieles dieser Anthologie persönliche Forderungen an Verlage und das MfK zurückstellen, auch wenn sie berechtigt sind. Derartige Forderungen würden von diesen Stellen in jedem Fall politisch ausgelegt. Damit gebe man ihnen Veranlassung, mit einzelnen Autoren zeitaufwändige und nervenraubende Gespräche zu führen, die sie an einer intensiven und zielstrebigen Weiterarbeit am Anthologieprojekt »Berliner Geschichten« nur behindern würden. »Man« brauche jetzt kurz vor Abschluß des Projektes keine Konfrontation, sondern Ruhe.

– Außerdem sei zu spüren, und das müsse Stade doch selbst am besten beurteilen können, daß von »oben« versucht werde, auf die Mitautoren der Anthologie »Druck auszuüben«. Direkt und indirekt seien verschiedene Mitautoren aufgefordert, ihren Beitrag zurückzuziehen. Es bestehe die Gefahr, daß das Hervorheben persönlicher Forderungen dazu »mißbraucht« werde, die Gemeinschaft der Anthologieautoren zu »sprengen«. Es täte zur Zeit not, die Solidarität über die persönlichen Interessen zu stellen.

– Schließlich gebe es eine Überlegung, die noch nicht im großen Kreis der Mitautoren diskutiert werden könne. Entstanden sei sie im »Zentrum« , also Schlesinger, Plenzdorf, Walter und Heym. Ausgangspunkt sei die Erkenntnis, daß »man« das ursprüngliche Ziel, einen selbständigen Autoren-Verlag in der DDR zu schaffen, unter den gegenwärtigen Bedingungen der kulturpolitischen Linie vorerst nicht erreichen könne. Die Überlegung gehe nunmehr dahin, dieses Ursprungsziel als »Fernziel« im Auge zu behalten und dazu auf eine günstigere Situation zu warten. Dafür müsse man sich jetzt ein erreichbares »Nahziel« stellen und das könnte in der Schaffung einer »Autoren-Edition« bestehen, die einem renomierten existierenden Verlag der DDR angeschlossen werden müßte. »Man« könne sich bei der Realisierung dieses »Nahzieles« durchaus an ähnliche Unternehmen in anderen sozialistischen Ländern anlehnen, wie z.B. in Polen, Ungarn und auch in der SU. Wenn »man« diese Überlegung mit Überzeugung an die maßgeblichen Stellen herantragen will, brauche man eine »ruhige See« und keinen »ideologischen Sturm«.

– Stade solle dazu noch bedenken, daß der XXV. Parteitag der KPdSU bevorstehe. Es sei mit Sicherheit zu erwarten, daß dort mächtig »gegen solche wie sie gewettert« werde und genau so sicher sei es, daß sich »der SED-Parteitag dieser Linie anschließt«. Das bedeutet, daß man der Partei »nicht unüberlegt in die Ziellinie laufen« dürfe.

Martin Stade hat diese »Argumente« akzeptiert und ist bereit, auf alle Bedingungen einzugehen, die man ihm hinsichtlich der Herausgabe seines eigenen Erzählbandes beim Buchverlag »Der Morgen« stellen wird.

Durch Walter wurde Stade das Versprechen abgenommen, mit niemandem über die Idee der »Autoren-Edition« zu sprechen. Über »ihr« Vorhaben und Anliegen sei in der Vergangenheit »schon viel zu viel gequatscht worden«.

Schlesinger informierte Stade davon, daß bei ihm noch Manuskripte von Joachim Walter, Werner Lenz und Egbert Lipowski für die Anthologie vorliegen. Sie wurden Stade zum Lesen und Lektorieren übergeben. Schlesinger hatte die Vorstellung, daß Stade diese Manuskripte mit nach Rosenthal nimmt und dort durcharbeitet, damit er sie am 20. 1. wieder an Schlesinger zurückgeben kann. Stade hat sie aber nicht mitgenommen mit den Argumenten, daß er erstens dort keine Zeit finden werde, die Manuskripte zu lesen und zweitens hätte er den ganzen Tag die Monteure im Hause, deren »mögliche Neugier er nicht befriedigen möchte«. Er schlug seinerseits vor, diese Manuskripte am 20. 1. von Schlesinger zu übernehmen, um sie in aller Ruhe zu Hause in Rerik zu lesen. Zurückbringen will er sie dann in der Woche vom 26. zum 31. 1. 76, da wolle er dann sowieso noch einmal wegen seiner eigenen Anthologie nach Berlin kommen. Schlesinger und Walter waren schließlich mit seinem Vorschlag einverstanden. (...)

Anmerkung:
Bei offizieller Auswertung dieser Information besteht akute Quellengefährdung!

Wild
Major

Schriftstellerverband   Berlin, den 28. Januar 1976
der Deutschen Demokratischen
Republik

Gespräch mit Wolfgang Landgraf am 26. 1. 1976

Wolfgang Landgraf erzählte mir in einem Gespräch im Frühjahr 1975, daß er aufgefordert sei, an einer Anthologie »Berliner Geschichten« mitzuschreiben, an der sich namhafte Autoren beteiligen. Er war über diese Aufforderung sehr froh, da er erst seit 1974 mit dem Schreiben begonnen hatte und an einer ersten Veröffentlichung vor Ende 1976 – frühestens – nicht zu denken war. Die Teilnahme stand für ihn so im Vordergrund, daß die daran geknüpften Bedingungen sofort akzeptierte.

In einem Gespräch am 26. 1. 1976 über seine Arbeitssituation berichtete er, daß er für die Anthologie eine Geschichte geschrieben habe, die von dem Ausreiseantrag einer DDR-Bürgerin nach Südamerika handelt. Gegenstand der literarischen Betrachtung ist die Ablehnung des Antrages durch die zuständigen Behörden der DDR. Er glaube, daß diese Geschichte sich in den Rahmen der Anthologie einfüge.

Von mir befragt, warum er einen Beitrag für eine Anthologie schreibt, die von vorn herein die Meinung eines Verlages der DDR ausschließt, meinte er, es ginge ihm darum, dabei zu sein. Er müsse als junger unbekannter Autor doch jede Gelegenheit nutzen. Er bestätigte auf meine Frage, daß ihm bisher alle Institutionen (z. B. DEFA, Rundfunk, Neues Leben, Der Morgen) Unterstützung und Verständnis für seine Arbeit entgegengebracht hätten. Er gab offen zu, daß er noch nie Schwierigkeiten gehabt hätte und daß er zu den Verlagen, die seine Manuskripte betreuen, Vertrauen habe. Der Gedanke, daß mit der Form der Herausgeber dieser Anthologie ein Mißtrauen gegen die Verlage und damit gleichzeitig der Kulturpolitik unserer Regierung ausgesprochen wird, war ihm noch nicht gekommen. Er war sehr bestürzt und wies den Gedanken zurück, daß er durch die Beteiligung solch eine Haltung mitverantworte. Er meinte, er hätte unbedingt dabei sein wollen, hätte aber – nur so weit hätte er gedacht – seinen Beitrag zurückziehen wollen, wenn die Anthologie nicht in einem Verlag der DDR erscheint.

Im Laufe des weiteren Gespräches wurde er sehr nachdenklich und ihm fielen jetzt selbst Diskrepanzen in der Haltung von Bekannten ein, die ihm bisher noch nicht aufgefallen waren:

Joachim Walter hatte zwar seinen Namen und Adresse Ulrich Plenzdorf genannt. Er selbst beteiligt sich aber nicht.

Peter Abraham hatte – zwar sehr beiläufig – erwähnt, daß das vielleicht eine gute Sache werden könnte – er beteiligt sich aber nicht.

Wolfgang Müller hatte spontan die Beteiligung abgelehnt. Auch für ihn hätte ja der Gesichtspunkt der Beteiligung, neben bekannten Autoren aufgefordert zu sein, eine Rolle spielen können.

All das fiel ihm jetzt selbst auf. Er gab nun auch zu, daß er bei dem Verfahren, über eine Geschichte von Günter Kunert abstimmen zu müssen, nicht sehr glücklich gewesen sei.

Am Ende des Gespräches meinte er, daß »eigentlich« alles dafür spräche, daß er seinen Beitrag zurückzieht. Er könnte nur sagen, er wäre sich über die Tragweite seiner Zusage überhaupt nicht im klaren gewesen. Bevor er aber endgültig absagt, möchte er sich noch mit seinen Lektoren Joachim Walther und Klaus Sommer unterhalten. Er konnte sich bisher auch nicht entschließen, mir sein Manuskript zur Verfügung zu stellen. Nach dem 8. Februar will er mich anrufen und mich über seinen endgültigen Entschluß informieren.

Sicherlich ist Wolfgang Landgraf – der Kandidat des Verbandes ist – noch sehr ungeformt. Er ist vertrauensvoll und gerät dabei sehr leicht in Abhängigkeiten von anderen Meinungen. Der Eindruck, daß er leicht beeinflußbar ist, ist wahrscheinlich ein allgemeiner, denn er scheint seit längerer Zeit mehreren verschiedenen Einflüssen ausgesetzt zu sein.

Ihm würde es bestimmt helfen, wenn man ihn zu kollektiven Gesprächen im Verband heranziehen könnte. Auch an einer SU-Reise, die mit mehreren jungen Autoren 1976 durchgeführt wird, sollte man ihn beteiligen.

Gisela Hübschmann

Verwaltung für Staatssicherheit   Berlin, den 28. 1. 1976
Groß-Berlin
Abteilung XX/7

Op. Information Nr. 91/76

Operativer Schwerpunkt »Selbstverlag«

Am 27. 1. 1976 rief der IMF »Andrè« an und bat um einen außerplanmäßigen Treff, da er bedeutsame Informationen zu übergeben habe.

Während des Treffs berichtete der IM folgendes:

Im Kreis der Organisatoren des Anthologieprojektes »Berliner Geschichten«, Klaus Schlesinger, Ulrich Plenzdorf, Joachim Walter und Stefan Heym herrscht seit den Vormittagsstunden des 26. 1. 1976 eine ziemlich große Aufregung und Unsicherheit. Ausgelöst wurde sie durch ein Gespräch, das Joachim Walter am Vormittag im Lektorat des Buchverlages »Der Morgen« mit dem Mitglied der Werkstatt des Berliner Schriftstellerverbandes, Fulko Landgraf hatte.

Als »Werkstatt« wird der Kreis junger Autoren bezeichnet, der vom Schriftstellerverband fachlich betreut wird. Schlesinger hatte kurz nach 14 Uhr von Walter einen Anruf erhalten, in dem er die dringliche Notwendigkeit begründete, daß noch am 26. 1. 76 das »Redaktionskollegium« zusammentreffen müsse. Er habe neueste Informationen, die sofort ausgewertet werden müßten. Schlesinger und Walter vereinbarten zunächst ein persönliches Zusammentreffen in der Wohnung von Schlesinger, um dann zu entscheiden, ob »die anderen« auch sofort verständigt werden müßten.

Fakt war folgender:

Fulko Landgraf, ca. 23 Jahre alt, hat sich schon mehrfach literarisch versucht. Werkangebote von ihm liegen zur Zeit beim Buchverlag »Der Morgen« und beim Verlag »Neues Leben«. Beide Verlage sind auch an einer Veröffentlichung interessiert. Als Lektoren betreuen ihn im Buchverlag »Der Morgen« Joachim Walter und im Verlag »Neues Leben« Klaus Sommer. Durch Joachim Walter war Landgraf nach der Septemberbesprechung aufgefordert worden, sich durch eine Geschichte an dieser Anthologie zu beteiligen. Landgraf war sofort damit einverstanden. Erst kürzlich hatte er sie fertiggestellt und das Manuskript an Schlesinger übergeben. Der Titel und Inhalt dieser Erzählung war bisher durch den berichtenden IM noch nicht feststellbar. Auf alle Fälle wurde Landgraf durch Vermittlung von Schlesinger von Stefan Heym persönlich während der Arbeit an seiner Erzählung als Mentor betreut. Landgrafs Beteiligung an dem Anthologieprojekt war bisher nur einem kleinen Teil der Mitautoren bekannt, da sein Manuskript noch nicht vervielfältigt und anderen Autoren noch nicht zugänglich gemacht wurde.

Fulko Landgraf war nun am 26. 1. 76 früh bei Joachim Walter im Verlag erschienen, um ihn davon zu unterrichten, daß er »telegrafisch zum Rapport zum Schriftstellerverband geladen war«. Er habe sich vor diesem Gespräch deshalb nicht bei Walter gemeldet, da er nicht im geringsten daran gedacht habe, daß es um seine Beteiligung an der »Berlin-Anthologie« gehen würde. Das Gespräch hat am 22. oder 23. 1. 76 stattgefunden. Landgrafs Gesprächspartnerin sei eine Frau Hübschmann gewesen.

Nach Walters Darstellung sei sich Landgraf vorgekommen, als habe er »bei der Staasi zum Verhör gesessen«. Walter schlußfolgerte auch aus der Tatsache, daß man »ausgerechnet auf Landgraf aufmerksam geworden sei, daß es einen Ledermantel unter ihnen geben müsse«.

Walter berichtete Schlesinger, daß »die Hübschmann von Fulko kathegorisch verlangt hat, aus unserer Sache auszusteigen, sonst müsse der Verband jegliche Unterstützung seiner schriftstellerischen Entwicklung ab sofort absetzen«.

Landgraf sei nun in einen Gewissenskonflikt geraten, zumal ihm durch Frau Hübschmann mitgeteilt worden sei, daß solch prominente Autoren, wie Günter Kunert, Rainer Kirsch, Günter de Bruyn und Uwe Kant ihre Teilnahme an dem Anthologieprojekt zurückgezogen hätten. Landgraf habe sich bei Frau Hübschmann Bedenkzeit ausgebeten und habe sich nun bei Walter Rat holen wollen, wie er sich verhalten soll. Walter brachte Schlesinger gegenüber zum Ausdruck, daß unter den gegebenen Umständen die Verhaltensfrage nun nicht mehr nur ein »Problem für Landgraf, sondern für alle geworden ist«. Deshalb müsse man sich sofort beraten, um eine generelle Linie festzulegen, da ja nun mit weiteren »solcher Verhöre zu rechnen ist«. Dem Fulko habe er vorerst erklärt, daß er seinen Beitrag nicht zurückziehen soll, denn Repressalien habe er trotz der »Drohung der Hübschmann« nicht zu befürchten, weil »sich die Partei vor ihrem Parteitag keine unpopulären Maßnahmen mehr leisten kann«.

Schlesinger nahm Walters Information sehr beunruhigt und nervös auf und meinte, daß man sich doch schnellstens mit Plenzdorf und Heym besprechen müsse. Er sei vor allem über die Mitteilung überrascht, daß die vier genannten Autoren ihre Teilnahme bereits zurückgezogen hätten. Das sei ihm völlig neu. Entweder sei es nur eine »Falle der Hübschmann für Fulko« gewesen, oder »die vier sind zu feig, um Farbe zu bekennen«, meinte Schlesinger. Aber mit Ausnahme von Rainer Kirsch habe er fast so etwas schon befürchtet. De Bruyn habe sowieso »keinen Arsch in der Hose« und würde »auf das geringste Anpusten hin umfallen«. Kunert habe »sein Schäfchen im Trockenen«. Der ließe sich zu leicht »mit Preisen und Reisen korrumpieren«. Und Uwe Kant stehe »unter dem Pantoffel seines großen Bruders«. Nun könne es ja nicht mehr lange dauern, bis auch er, Schlesinger, an der Reihe wäre. Jetzt könne er sich auch erklären, warum »man« ihn in letzter Zeit schon mehrfach »durch die Blume angequatscht« habe. Ihm sei z. B. in einem Gespräch gesagt worden, daß »man« ihn für einen Preis vorschlagen wolle, vorausgesetzt, er höre mit seinen »Dummheiten« auf. Walter wollte wissen, wer ihn in dieser Weise angesprochen hat. Schlesinger überging diese Frage. (...)

Walter entwickelte im Ergebnis der Unterhaltung mit Fulko Landgraf noch folgende Idee:

Im Grunde seien alle bisher eingereichten Manuskripte »gepfeffert«. »Am schärfsten aber« sei der Beitrag von Plenzdorf. Um das

Projekt vielleicht doch noch »zu retten«, müßte man »die Bombe etwas entschärfen«. Das würde bedeuten, »ein Opferlamm zu schlachten« und Plenzdorf »könnte das verkraften«. Plenzdorf habe seinen Namen und vor allem sein Geld sicher. Er würde auch am wenigsten von »ihnen« offiziell »von der Partei geschnitten«.

Schlesinger meinte, an der Idee sei etwas dran und man müsse sie Heym vortragen.

Andererseits müsse man im Hinblick auf »den Ausstieg« von Kunert, de Bruyn, Landgraf und Kirsch resümüren, daß der literarische Wert der Anthologie stark in Frage gestellt sei und zu überlegen wäre, ob es sich überhaupt noch lohnt, »auf die Barrikaden deshalb zu gehen«. Dem widersprach Walter, indem er erklärte: »Nun ist die Situation gekommen, wo es vielleicht primär gar nicht mehr um die Herausgabe der Anthologie, sondern nur noch um das Prinzip geht, etwas gegen die Fortführung der Parteizensur zu unternehmen. Wir müßten überprüfen, ob unsere Taktik, Ruhe zu bewahren, jetzt noch richtig ist. Vielleicht ist es besser, wir antworten dem Angriff der Partei mit einem Gegenangriff und zwingen sie einfach nur mit unserem Projekt zu einer Diskussion in der breiten Öffentlichkeit, und das möglichst noch vor dem Parteitag.«

Schließlich einigten sich Walter und Schlesinger dahingehend, daß Schlesinger noch am 26.1.76 den Kontakt zu Heym sucht und danach Walter vom Ergebnis der Unterredung mit Heym unterrichtet.

Ob Schlesinger noch am 26.1.76 mit Heym gesprochen hat, konnte der IM nicht feststellen. Auch aus Walters Reaktion war das nicht ablesbar.

Anmerkung
Bei öffentlicher Auswertung dieser Information besteht akute Quellengefährdung.

Wild
Major

Schriftstellerverband   Berlin, den 30. Januar 1976
der Deutschen Demokratischen
Republik

Gespräch mit Jürgen Leskien am 29. 1. 1976

Ich hatte ihn zu diesem Gespräch aufgefordert, um – nachdem er
mich im November über die Anthologie »Berliner Geschichten« informiert hatte – ihm unsere Haltung dazu zu sagen und seine jetzige
Meinung zu erfahren.

1. Leskien hat das gesamte Manuskript und gibt es mir am 30. 1.
   (er ist der Meinung, daß einige »schlimme Geschichten« z. B. die
   von Heym dabei sind). Es sind Manuskripte von 18 Autoren, die
   Namen sind bekannt.

2. Leskien ist bis jetzt der Meinung, weiter an der Anthologie teilnehmen zu wollen, um nicht »Einhelligkeit« der Auffassungen bei den
   beteiligten Autoren zu ermöglichen, sondern als Gegenmeinung
   zu Verfahrensweisen und Literaturauffassungen anwesend zu
   sein. Er wird darüber noch einmal mit G. Görlich sprechen.

Meine Argumente:
- Ich habe ihn darauf aufmerksam gemacht, daß jetzt der Zeitpunkt
  da ist, wo intensiver darüber gedacht werden muß, wie man sich
  zu dem Anthologie-Vorhaben verhält,
- habe an unser Gespräch angeknüpft, in dem er selbst voller Bedenken gegen das Vorhaben war,
- habe ihn auf die politische Tragweite hingewiesen (nachdem er
  über das ihm vorliegende Gesamtmanuskript gesprochen hat), die
  dieses Vorhaben in der Vorbereitung des IX. Parteitages und überhaupt für die Kulturpolitik nach dem VIII. Parteitag haben kann,
- habe ihn auch darauf hingewiesen, daß die in der Autoren-Gruppe
  gefaßten Beschlüsse nicht eingehalten worden sind. (Leskien
  selbst hatte in der vergangenen Autorentagung gemeinsam mit
  Kunert diesen Beschluß herbeigeführt.)

3. Leskien sieht auch den Versuch der Einflußnahme auf junge Autoren durch Heym und vor allem durch Massenmedien der BRD.
   Er sieht aber Möglichkeiten größerer Einflußnahme durch bekannte Autoren unseres Verbandes auf junge Autoren (häufigeres
   Treffen, Diskussionen, möglichst persönliche Beziehungen).

4. Leskien hält es z. B. nicht für richtig, daß das Fernsehen die Arbeit am »Buridan« einstellt. Immerhin geht es dabei um gute Beziehungen zu de Bruyn, der mit dem Szenarium einverstanden ist und es geht auch um Plenzdorf, den man bei unserem Fernsehen »heimisch« machen muß.

Erika Büttner

Schriftstellerverband
der Deutschen Demokratischen
Republik

Berlin, den 30. Januar 1976

Gespräch mit Helga Schubert am 29. 1. 1976

Ich hatte Helga Schubert zu diesem Gespräch aufgefordert, um über ihre Teilnahme an der Anthologie mit ihr zu sprechen.

Meine Argumente:
– Frage, warum sie daran teilnimmt
– ob sie sich bewußt ist, daß die bisherige Arbeit an der Anthologie unsere staatlichen und gesellschaftlichen Einrichtungen für Literatur umgeht und ausschließt
– habe sie informiert, daß der Beschluß, den Verband offiziell zu informieren, nicht eingehalten wurde.

Helga Schubert nahm an einem vereinbarten Gespräch in der NDL teil. Sie wurde deshalb aus unserer Unterhaltung weggerufen. Die Bitte um das Manuskript konnte ich nicht mehr äußern.

Helga Schubert:
– Themenstellung hat sie sehr interssiert. Sie findet Berliner Geschichte ungeheuer wichtig.
– Die Art des Herangehens – Autoren geben eine Anthologie heraus – gefiel ihr, da man so beteiligter am »ganzen« ist.
– Sie ist unter der Voraussetzung beteiligt, daß das Manuskript einem DDR-Verlag angeboten wird.
– Sie wurde von Dr. Fritz Voigt aufmerksam gemacht, daß der Ber-

telsmann-Verlag Interesse an dem Projekt bekunde, und also schon informiert sei. Sie hat Dr. Voigt befragt, ob denn der Aufbau-Verlag an dem Manuskript interessiert sei. Voigt hat verneint. (Helga Schubert hatte gehofft, so ein Angebot an die Autoren der Anthologie weitergeben zu können).

– Helga Schubert möchte sich im Moment nicht zurückziehen von der Anthologie, möchte nächstes Treffen abwarten. (Das ist aber nicht das Ergebnis des Gespräches gewesaen, die Unterhaltung wurde unterbrochen. Eine Weiterführung ist durchaus möglich).

– Helga Schubert hält eine Reihe der Geschichten für sehr interessant, meint aber, daß einige Autoren bewußt ihr »image« pflegen, indem sie sich durch abstrakte ideologische Forderungen von der konkreten gesellschaftlichen Situation der DDR lösen. (Auch diese Frage konnte nicht ausdiskutiert werden).

Es wäre sehr wichtig, daß das Gespräch mit Helga Schubert weitergeführt wird. Nicht sehr direkt über die Anthologie, sondern an literarischen Themen, die sie interessieren.

Erika Büttner

Schriftstellerverband   Berlin, den 30. Januar 1976
der Deutschen Demokratischen
Republik

Notiz

Am 30. 1. 1976 führte Genosse Gerhard Holtz-Baumert im Verband ein Gespräch mit Genossen Erich Köhler, Cottbus, von dem er bei einer zufälligen Begegnung erfahren hatte, daß er eine Erzählung für die Anthologie »Berliner Geschichten« eingereicht habe.

Genosse Holtz-Baumert erläuterte Genossen Köhler, den er gut kennt, die politischen Einwände gegen die Konzeption und Verfahrensweise, die von den Herausgebern der Anthologie praktiziert werden. Er wies ihn darauf hin, daß hier sehr leicht eine oppositionelle Gruppierung entstehen kann, daß Autoren und Verlage (und damit die zuständigen staatlichen Einrichtungen) ausgespielt werden und auch die Gefahr eines Mißbrauchs der eingereichten Geschichten besteht.

Genosse Köhler berichtete, daß er erst vor kurzer Zeit (Mitte November 1975) durch Klaus Schlesinger zur Teilnahme an der Anthologie eingeladen worden ist. Er habe dann unverzüglich eine Erzählung geschickt, die nach seiner Auffassung gut ist und gegen deren Veröffentlichung in der DDR es keinerlei Einwände geben konnte. Seit dem habe er von Schlesinger nichts mehr gehört.

Als Schlesinger zur Teilnahme einlud, habe er ihm in kurzen Umrissen die Geschichte erzählt, die Genosse Plenzdorf für die Anthologie geschrieben und vorgesehen hat. Diese Geschichte hält Genosse Köhler für unmöglich und rüpelhaft.

Genosse Holtz-Baumert empfahl Genossen Köhler, seinen Beitrag zurückzuziehen. Genosse Köhler sagte, er möchte sich zunächst selbst überzeugen, was das für ein Kreis, in dem auch recht bekannte Namen wären, sei. Deshalb möchte er abwarten, bis er die Manuskripte der anderen Teilnehmer erhalten habe und habe auch den Wunsch, an der nächsten Zusammenkunft im März teilzunehmen. Er wolle sich selbst von der Sache ein Bild machen. Selbstverständlich würde er sofort zurückziehen, wenn er bestätigt findet, daß er in politisch schlechte Gesellschaft geraten sei. Das würde ihm die Lektüre der Geschichten offenbaren. Auf keinen Fall sei er bereit, eine Zustimmung zur Veröffentlichung außerhalb der DDR zu geben.

Genosse Holtz-Baumert und Genosse Köhler vereinbarten, über diese Frage weiter im Gespräch zu bleiben und Genosse Köhler wird sich an Genossen Baumert wenden, sobald er die Manuskripte erhalten hat. Er drückte nochmals seine Verwunderung aus, daß er bis jetzt von Schlesinger weder eine Reaktion auf seine Erzählung erhalten noch die Manuskripte der anderen Teilnehmer zugeschickt bekommen hat.

Gerhard Henniger

Schriftstellerverband
der Deutschen Demokratischen
Republik

Gespräch mit Martin Stade am 27. 1. 1976

Martin Stade war offensichtlich gekommen, um zu erfahren, was wir für Argumente gegen die Anthologie »Berliner Geschichten« haben. Seine Fragen:

– Warum wollen wir Eigeninitiative von Schriftstellern aufhalten, die sich um Diskussionen und Herausgabe einer Anthologie bemühen. Denn: Beteiligung an anderen Anthologien heißt für ihn, nicht wissen wer noch daran beteiligt ist, keine Kenntnis der Geschichte.

– Mit welchem Recht wir mit den beteiligten Schriftstellern (Beispiel de Bruyn und Landgraf) sprechen, um sie von dem Vorhaben abzubringen. Das ist hinterlistige Art, denn wir hätten doch die Möglichkeit sie selbst (also Stade) zu fragen.

– Er betonte, daß die Anthologie für DDR-Verlage geschrieben ist, er würde seine Literatur nur für die DDR schreiben.

Martin Stade bestritt die geplante Geheimhaltung der Anthologie, bestritt auch das Prinzip der *Abstimmung*. Natürlich würden die einzelnen Geschichten *diskutiert*.

Das Manuskript liegt jetzt vor und Stade wird vorschlagen, dem Verband offizielle Mitteilung davon zu machen. Meinen Vorschlag, einen Verlag *sofort* einzubeziehen, ließ er unbeantwortet.

Erika Büttner

Verwaltung für Staatssicherheit   Berlin, den 31. 01. 1976
Groß-Berlin   Ho
Abteilung XX/7

Analyse des Informationsaufkommens
zum Operativen Material »Selbstverlag«

1. Entstehungsgeschichte des Projekts »Berliner Geschichten«
(...)

2. Aktivitäten nach der September-Konferenz

(...)

3. Reaktionen auf eingeleitete Differenzierungs- und Zersetzungsmaßnahmen

Über die Reaktionen zu den eingeleiteten Maßnahmen berichten die IM Andre Büchner Roman Karl
folgendes:

Als ein Ergebnis der Gespräche mit den beteiligten Autoren ist der Entschluß der Autoren

de Bruyn

Kunert

R. Schneider und

U. Kant anzusehen, die eine weitere Mitarbeit an der Anthologie ablehnen.

Desweiteren ist durch die verschiedenen Maßnahmen zum einen eine gewisse Unsicherheit über das weitere Vorgehen, auch Zweifel an dem Erfolg des begonnenen Unternehmens festzustellen, die andererseits mit einer verstärkten Konspirierung der Arbeit an der Anthologie sowie einer verstärkten Arbeit von Schlesinger, Stade und Walter zur Bearbeitung neu eingegangener Manuskripte verbunden ist. So konnte festgestellt werden, daß Schlesinger bemüht ist möglichst wenige Besucher bei sich zu empfangen und sich auch immer mehr von den Kontakten die seine Frau Bettina Wegener unterhält, und für die er sich in der Vergangenheit immer sehr intensiv bemühte, zurückzieht. Meist wird er von Besuchern über Manuskripten sitzend angetroffen, und beteiligt sich nur kurz angebunden an Gesprächen die geführt werden und zieht sich schnell wieder in sein Arbeitszimmer zurück. Auch hat er seinen Jugendfreund Stefan Schnitzler gebeten, in dessen Einraumwohnung in der Singerstraße tagsüber arbeiten zu dürfen, und versucht gegenüber seinen Bekannten diesen Aufenthalt zu verheimlichen. Auch ist bemerkenswert, daß er Gespräche über mögliche neue Arbeitsverträge mit Verlagen aus Zeitmangel ablehnt, obwohl er seine Projekte »Alte Filme« und »Erzählungsband« für den Hinstorff-Verlag abgeschlossen hat und z. Zeit an einer Novelle und einem Drehbuch über Kleist arbeitet. Diese beiden sehr verwandten Projekte rechtfertigen an und für sich nicht den akuten Zeitmangel, den Schlesinger immer wieder vorgibt. Es ist also anzunehmen, daß er sehr intensiv an der Fertigstellung der Anthologie arbeitet, da er tatsächlich fast immer über der Arbeit angetroffen wird.

Die erhöhte Aufmerksamkeit einer größeren Konspirierung geht einmal aus dem Verhalten Walters hervor, zum anderen aus der Vorsicht, die die Organisatoren bei der Verabredung ihrer weiteren Maßnahmen walten lassen. So wurde z. B. Stade von Schlesinger aufgefordert, ein Telefongespräch, nicht von Schlesingers Wohnung aus zu führen, sondern eine öffentliche Telefonzelle zu benutzen, da er vermute, sein Apparat würde abgehört. Ähnlich läßt sich auch die Bitte Walters verstehen, der Stade beauftragte, ein Telegramm an Heidemarie Härtl von Alt-Rosenthal aus aufzugeben. Zu einer Erhöhung der Konspiration trägt auch die Einbeziehung des Walters in den engeren Kreis der Organisatoren bei. Durch seine Tätigkeit als Lektor beim Buchverlag »Der Morgen« und die Tatsache, daß er zur Zeit für diesen Verlag die Herausgabe zweier Anthologien von Gegenwartsautoren vorbereitet, gibt ihm die Möglichkeit unter Nutzung eines legalen Vorwandes viele Beteiligte an der Anthologie aufzusuchen und als Anlaufpunkt für mehrere Beteiligte zu fungieren.

Als Reaktion auf die Aussprache der Genn. Hübschmann von DSV mit dem Nachwuchsautor Wolfgang Landgraf, über welche dieser sofort den Walter verständigte, kann eine neue Linie der Organisatoren erwartet werden. Bei einer Beratung die Walter und Schlesinger mit Stade führten, wurde Schlesinger erstmals über das Ausscheiden von Landgraf, Schneider, Kunert und de Bruyn informiert. Er zeigte sich darüber sehr bestürzt und wollte sofort Stefan Heym darüber informieren. Während des Gesprächs äußerte er sich pessimistisch über das Erscheinen der Anthologie, worauf ihm Walter entgegnete, daß es vielleicht jetzt gar nicht mehr darauf ankomme, ob die Anthologie herauskomme, sondern eine Herausforderung für die Partei zu schaffen. Walter erwog dabei auch den Gedanken, ob es nicht möglich sei, Plenzdorf als Opferlamm zu benutzen und an ihm die Sache groß ins Gespräch zu bringen. Inwieweit über diesen letzten Gedankengang weiter gesprochen wurde und welche Maßnahmen dazu eingeleitet wurden oder erwogen werden ist bisher noch nicht bekannt geworden.

Walter, der offenbar immer mehr die Initiative entwickelt, macht auch auf folgenden Gedankengang aufmerksam, der bei Plenzdorf, Schlesinger, Heym, Stade und ihm entstanden sei. Dieser Gedanke besteht darin, den angestrebten »Autoren-Verlag« als Fernziel anzustreben und sich jetzt mehr auf eine Art »Autoren-Edition« zu beschränken, wofür man Beispiele aus der UdSSR, Polen und anderen sozialistischen Ländern heranziehen könnte. Damit könnte man vielleicht die Partei überrollen und sich für die Aufgabe einen »Autoren-Verlag« zu organisieren einen günstigeren Zeitpunkt suchen, da augenblicklich die ganze Geschichte schon zu große Kreise gezogen habe. Eine Reaktion von Heym und Plenzdorf zu den bisher eingeleiteten Differenzierungs- und Zersetzungsmaßnahmen konnte noch nicht erarbeitet werden.

4. *Weitere Maßnahmen zur Bearbeitung des Personenkreises, der im Verantwortungsbereich der Abt. XX/7 der BV Groß-Berlin liegt*

In der Fortführung der operativen Bearbeitung der personellen Schwerpunkte, sind die notwendigen Maßnahmen zur Aufklärung der Personen, die in den einzelnen Maßnahmeplänen festgelegt wurden, bis Mitte März abzuschließen. Gleichzeitig ist verstärkt der Einsatz der IM so zu lenken, daß ein Differenzierungs- und Zersetzungsprozeß bei den Autoren der Anthologie »Berliner Geschichten« erreicht wird.

Dazu werden folgende Grundorientierungen an die IM in den einzelnen Aufträgen durchgesetzt.
– Bei den Autoren   de Bruyn
                    Hansdieter Schubert
                    Helga Schubert
         und   Elke Erb
ist durch gezielte Maßnahmen, eine Unsicherheit gegenüber den Organisatoren der Anthologie zu schaffen.

Dabei muß bei den einzelnen Autoren differenziert vorgegangen werden. Während bei de Bruyn, Helga Schubert und Elke Erb eine Klarstellung der politischen Motivation der Anthologie und die Ausnutzung ihrer eigenen künstlerischen Werke in einem falschen Zusammenhang, die beabsichtigte Wirkung erzielen könnte, und man gleichzeitig Maßnahmen einleiten kann, die eingereichten Erzählungen im Rahmen anderer Anthologien zu veröffentlichen, ist bei Hansdieter Schubert eine verfestigte Bindung an den Kreis der Organisatoren und eine höhere ideologische Übereinstimmung mit den Zielsetzungen der Anthologie vorauszusetzen.

Hier müssen Maßnahmen eingeleitet werden, die weniger die politisch-ideologischen Aspekte des Unternehmens in den Vordergrund stellen, sondern die Aussichtslosigkeit und Perspektivlosigkeit eines solchen Vorhabens. Als Anknüpfungspunkt für eine Beeinflussung des Sch. sollte man seine eigene Unzufriedenheit mit der Haltung einiger Funktionäre des DTSB zu seinen Werken nutzen. In der Arbeit mit ihm muß klargestellt werden, daß seine Kritik an Einzelerscheinungen unseres gesellschaftlichen Lebens im Rahmen der geplanten Zielstellung der Anthologie, als Kritik an den grundsätzlichen Prinzipien der gesellschaftlichen Entwicklung der DDR gesehen werden können, und somit mehr Schaden anrichten werden, als Nutzen bringen.

Konkreter Anlaß für eine Verbindungsaufnahme zu Sch. sollte aus der augenblicklichen Stagnation der Fortführung der Anthologie und dem Zurücktreten einiger namhafter Autoren gewonnen werden.

– Bei Schlesinger, der zu den unmittelbaren Organisatoren der Anthologie zählt, sind alle Möglichkeiten zu nutzen, um qualifizierte IM zu gewinnen, die über seine Reaktion auf die Zersetzungsmaßnahmen berichten können und gleichzeitig in die Lage versetzt werden über neue Ideen zur Fortführung der Zielstellung der Anthologie rechtzeitig zu informieren. Hierzu müssen Erfolge der Zersetzungsmaßnahmen bei anderen Autoren konsequent genutzt werden.

– Bei Walter ist schnellstens der Grad, die Motivation und die Zielstellung der Beteiligung an der Anthologie aufzuklären. Desweiteren sind Maßnahmen zu treffen, die eine Fortführung der operativen Bearbeitung aus dem Jahre 74/75 garantieren und die bestehenden Differenzen zwischen Walter, Schlesinger und Stade einerseits, wie Plenzdorf, Heym andererseits auf offensive Zersetzungsarbeit zu nutzen.

Für die weitere Bearbeitung des Personenkreises kommen die IM

Andre
Adler
Büchner
Boooor
Friedrich
Karl
Roman
Vera
Walter   sowie der GMS Helga

zum Einsatz.

Eine Überarbeitung der Maßnahmepläne auf der Grundlage einer analytischen Zusammenfassung der bisherigen operativen Ergebnisse muß zur Konkretisierung der hier dargelegten Grundorientierungen für den IM-Einsatz in der einzelnen Instruierung der IM führen.

Holm/Ltn.

Martin Stade   Rerik, 3. 2. 76

An den Schriftstellerverband
der DDR
Berlin Friedrichstr.
Gen. Erika Büttner

Betr. *Autorenanthologie*

Liebe Erika Büttner!

Ich beziehe mich in diesem Schreiben auf unser Gespräch vom 27. 1. im Verband und möchte Dir in Bezug auf die entstehende Autorenanthologie folgendes mitteilen:

Die Initiative dazu ergriffen Klaus Schlesinger, Ulrich Plenzdorf und ich. Die Idee entstand vor etwa 2 Jahren, die eigentliche Arbeit dagegen vor anderthalb Jahren. Diese Arbeit vollzog sich in der Öffentlichkeit, da von Anfang an die betreffenden Autoren informiert wurden. Wir unterrichteten zu diesem Zeitpunkt auch unsere Verlage (Schlesinger und Plenzdorf den Hinstorff Verlag, ich den Buchverlag Der Morgen). Der Vorwurf der Geheimhaltung ist also unbegründet und bösartig. Bei der Anthologie geht es darum, daß die Gesamtheit der Autoren als Herausgeber auftritt. Alle Autoren kennen alle Beiträge und entscheiden über die Zusammensetzung des Manuskripts, wie es am Ende einem Verlag vorgelegt wird. Diese Entscheidung entspricht dem Verfahren, wie es in Verlagen üblich ist. Auch dort wird am Ende entschieden, nur mit dem Unterschied, daß weniger Leute daran beteiligt sind. Es ist also Unsinn, davon zu sprechen, daß die Autoren über Literatur abstimmen wollen.

Der Vorwurf, ich sei doch Parteimitglied und dürfe an einer solchen Anthologie nicht mitarbeiten und noch viel weniger eine solche Sache organisieren, entbehrt jeder Logik. Es stimmt, ich bin seit

25 Jahren Mitglied unserer Partei. Aber gerade diese Mitgliedschaft, die Erfahrungen, die ich während dieser Zeit sammelte, alles, was mich die Partei lehrte, verpflichtet mich geradezu, neue Wege und Methoden zu finden, unsere Literatur auf einen Stand zu bringen, der international geachtet ist, ein Verhältnis zwischen den Autoren zu entwickeln, das ihre Vereinzelung überwindet, sowie die Diskussion über Literatur zu beleben. Die Autorenanthologie ist ein Mittel dazu.

In den letzten Wochen habe ich nun feststellen müssen, daß von Seiten des Kulturministeriums, der Verlage und des Schriftstellerverbandes regelrechte Angriffe gegen die Autorenanthologie geführt wurden und noch geführt werden. Ich bin zu der Auffassung gekommen, daß offensichtlich ein Plan existiert, die Anthologie zu verhindern, wobei mit verteilten Rollen gearbeitet wird. Der Schriftstellerverband hat dabei die Aufgabe übernommen, Teilnehmer an der Anthologie so zu beeinflussen, daß sie ihre Beiträge zurückziehen. Du selbst beteiligst Dich an diesen Bemühungen. Ich will hier nicht darüber reflektieren, daß unter anderem mit hundsgemeinen Methoden gearbeitet wird (dies betrifft Behauptungen, die nicht den Tatsachen entsprechen, nämlich, es seien bestimmte Autoren bereits abgesprungen).

Ich stelle mir hier die Frage, weshalb man nicht zuerst mit uns dreien, den Organisatoren der Anthologie, spricht. Was ist das? Feigheit, Mißtrauen, das Wissen davon im Unrecht zu sein, das Gefühl oder das vermeintliche Wissen davon, daß wir drei bereits ganz woanders stünden, auf einer Seite, mit der es keine Diskussion mehr gibt?

Ein solcher Gedanke ist für mich, um es offen zu sagen, ganz entsetzlich und beleidigend und stellt die Inkarnation allen Mißtrauens dar, daß mir bisher entgegengebracht wurde, obwohl, wie ich meine, aus keinem meiner bisherigen Bücher herausgelesen werden kann, daß ein solches Mißtrauen gerechtfertigt ist. Man kann, das wirst Du zugeben müssen, lediglich die Sorge um bestimmte Zustände und Entwicklungen herauslesen, die unsere Gesellschaft in ihrem Vorankommen behindern. (Das trifft auch zu auf das Interview, welches ich im Sommer 1974 dem Hessischen Rundfunk gab.)

Und was mich jetzt noch mehr bedrückt: Der Verband unternimmt die oben beschriebenen Versuche, obwohl er die Aufgabe hat, Literatur zu fördern. Er macht genau das Gegenteil von dem, was er machen müßte. Ihr gießt Wasser auf die Mühle jener Medien und

Personen, die im Westen zu beweisen versuchen, gewisse Schriftsteller bei uns befänden sich im Gegensatz zur Gesellschaft. Ihr liefert ihnen Material dazu, das aus der Luft gegriffen ist.

In diesem Zusammenhang bedrückt mich auch das ganze Problem der Jungen Autoren und der Möglichkeiten für sie, zu veröffentlichen. Hier kommt etwas auf uns zu, was sowohl bei Euch als auch in den Verlagen auf eine Art konservatives Denken trifft, das eine Veröffentlichung von Literatur geradezu verhindert. Es wird eine Verhärtung mit entsprechenden Ausbrüchen und schließlich Mißtrauen und Haß auf beiden Seiten geben. Soweit wird es kommen, denn ich sehe nicht, daß sich in dieser Hinsicht in nächster Zukunft grundsätzliches ändert.

Ich könnte jetzt mehrere Beispiele anführen von abgelehnten Manuskripten, will mich aber nur auf eines beschränken:

Gerd Neumann, der Sohn von Margarete Neumann, wird vom Literaturinstitut exmatrikuliert, lebt geradezu jahrelang im Elend und unter unwürdigen Bedingungen, niemand kümmert sich um ihn, er hat alle Hoffnungen verloren, endlich reden ihm Freunde zu und er schreibt wieder, macht ein Buch mit drei Erzählungen, welches schließlich Anfang dieses Jahres vom Hinstorff Verlag abgelehnt wird. Man stelle sich nun vor, daß Gerd sehr sensibel ist, sehr talentiert, und daß wiederum alles zusammengebrochen ist, alle Hoffnungen und alle Aussichten. Was soll er machen? Von dem, was er schreibt, ist er überzeugt, und seine Freunde sind es mit ihm. Seine Ansichten zu bestimmten wichtigen Problemen hat er in diesen drei Erzählungen dargelegt. Soll er jetzt ändern, wie es der Verlag verlangt? Soll er gegen seine Überzeugung schreiben?

Das Schlimme ist, daß solche Leute am Ende allein gelassen werden, vom Literaturinstitut, vom Verband, obwohl man weiß, daß es doch mal vor Jahren einen Gerd Neumann gab, der sein Talent unter Beweis gestellt hat. Sie können in irgendeiner Dachkammer verhungern, ohne daß man davon etwas erfährt und ohne, daß man sich bewußt wird, daß hier ein Talent kaputtgegangen ist.

Zurück zur Autorenanthologie. Was von Euch getan wird, dem scheint ein tiefverwurzeltes Mißtrauen zugrundezuliegen, daß Euch dazu verführt, von Anfang an, ohne die Texte zu kennen, negative Absichten hinter der Anthologie zu vermuten. Oder es ist so, daß von vornherein die Eigeninitiative von Autoren nicht erwünscht ist, daß gerade sie mit Mißtrauen (weil ungewohnt) beobachtet und beargwöhnt wird?

Ich habe Dir mitgeteilt, daß dieses Mißtrauen in meinem Falle bis zur Bespitzelung und Gesinnungsschnüffelei geht. Ein derartiger Zustand, unter dem man weder leben noch arbeiten kann, entspricht weiß Gott nicht einer lebendigen Gesellschaft, wie sie der entwickelte Sozialismus darstellt.

Ich habe, nach der bisherigen positiven Reaktion der Schriftsteller auf unser Vorhaben (es beteiligten sich bisher 25 Autoren mit insgesamt 350 Seiten), den Vorschlag gemacht, den Abschlußtermin der Annahme von Manuskripten zur Anthologie um ein halbes Jahr zu verlängern. Die Vorteile eines solchen Vorschlages liegen auf der Hand. Die Autoren haben nach diesem halben Jahr bessere Möglichkeiten bei der endgültigen Zusammenstellung des Buches für den in Frage kommenden Verlag. Ministerium, Verlage und Verband haben die Möglichkeit, ihre Auffassung zu unserem Vorhaben zu überprüfen, und die Autoren schließlich können, wie es ihnen beliebt, sowohl abspringen als auch bei der Stange bleiben. Sie haben mehr Zeit und Gelegenheit zum Nachdenken. Das wars eigentlich, was ich Dir schreiben wollte. Soviel ich weiß, will auch Schlesinger seine Auffassung dem Kulturministerium mitteilen. Ich hoffe auf Dein Verständnis, auf wenig oder gar kein Mißtrauen, und auf im übrigen gute Zusammenarbeit. Es grüßt Dich

Martin Stade

Klaus Schlesinger   10. 2. 1976

An den
Sekretär des Schriftstellerverbandes der DDR
Koll. Henniger

Sehr geehrter Kollege Henniger,

ich wende mich mit einer dringenden Angelegenheit an Sie. Ich bin an einer Anthologie beteiligt, zu der sich bisher 25 DDR-Autoren zusammengefunden haben, um über das Thema »Berliner Geschichten« zu schreiben. Nun erfahre ich von verschiedenen Seiten, daß Mitarbeiter des Schriftstellerverbandes Gespräche mit Autoren geführt haben sollen, die an jener Anthologie mitarbeiten. Dabei seien u. a. folgende Behauptungen aufgestellt worden:

1) die Anthologie solle im Selbstverlag erscheinen;
2) die Anthologie sei bereits einem Westverlag angeboten worden;
3) die Initiatoren der Anthologie wollten damit eine »Plattform« bilden.

Ich bin im Moment leider nicht in der Lage, den Ursprung dieser Gerüchte zu ergründen, noch kann ich mit Sicherheit sagen, ob diese Behauptungen von Mitarbeitern des SV so oder dem Sinngehalt entsprechend gebraucht wurden. Ich möchte Sie mit diesem Brief auch keinesfalls auffordern, diesen Gerüchten nachzugehen. Mein Brief hat lediglich prophylaktischen Charakter und soll Sie, Kollege Henniger, darüber aufklären, daß es

1) eine absurde Behauptung ist, wir wollten unser Projekt im »Selbstverlag« realisieren (wie, um himmelswillen, sollte das auch vor sich gehen?);
2) weder haben wir die Anthologie einem Westverlag angeboten, noch bestand je die Absicht, dies zu tun (daß Autoren an der Lizenzausgabe ihrer Bücher interessiert sind, dürfte ja wohl selbstverständlich sein);
3) was immer man unter dem Begriff Plattform verstehen mag – die Autoren der Anthologie haben ausgesprochen unterschiedliche künstlerische Konzeptionen und hatten nie die Absicht irgendwelche »Plattformen« zu bilden. Die Arbeit an dieser Anthologie soll einer tieferen künstlerischen Kommunikation unter den Autoren dienen und somit zu einem Gewinn für die DDR-Literatur werden.

Ich bitte Sie, falls Sie derartige Gerüchte hören, diese energisch zu dementieren.

Mit kollegialen Grüßen

Verwaltung für Staatssicherheit   Berlin, den 9. 2. 1976
Groß-Berlin
Abteilung XX/7

Op. Information Nr. 128/76

Operativer Schwerpunkt »Selbstverlag«

Während des außerplanmäßigen Treffs mit dem IMF »Andrè« am
6. 2. 1976, der aufgrund eines Anrufes des IM durchgeführt wurde,
hatte er folgendes zu berichten:

Am 4. und 5. 2. 1976 fanden im Kreise der engagierten Organisa-
toren und besonders aktiven Mitautoren des Anthologieprojektes
»Berliner Geschichten«, Klaus Schlesinger, Martin Stade, Ulrich
Plenzdorf, Hansdieter Schubert und Joachim Walter mehrere Ge-
spräche über weitere Aktivitäten dieses Personenkreises statt.
Hauptthema waren die in den zurückliegenden Tagen mit einigen
Mitautoren auf verschiedenen Ebenen durchgeführten Ausspra-
chen.

Dabei wurde offensichtlich, daß Klaus Schlesinger von den entsprechenden Autoren, mit denen die Gespräche stattgefunden haben, unmittelbar danach über den Inhalt informiert worden ist. Am
5. 2. 1976 war Schlesinger davon unterrichtet, daß mit Ulrich Plenzdorf, Uwe Kant, Günter de Bruyn, Helga Schubert, Frau Erb und
einem gewissen Leskien Aussprachen erfolgt waren. Über das Gespräch zwischen Landgraf und Frau Hübschmann hatte Schlesinger
über Walter bekanntlich bereits am 26. 2. 1976 Kenntnis erhalten.
Ulrich Plenzdorf hat über sein Gespräch mit dem Minister für Kultur
den Schlesinger in den späten Nachmittagsstunden des 4. 2. 1976
informiert. Zu diesem Zweck war Plenzdorf zu Schlesinger gekommen. In Schlesingers Wohnung fand zwischen beiden aber nur eine
kurze Unterhaltung statt. Beide verließen später gemeinsam mit
nicht bekanntem Ziel die Wohnung. Aus Bemerkungen, die Schlesinger am 5. 2. 1976 im Beisein von Walter machte, war zu entnehmen,
daß er mit Plenzdorf bei einem Stefan war. Der Name Heym wurde
aber nicht genannt. Da Schlesinger sehr eng mit dem Sohn von Karl-
Eduard von Schnitzler, Stefan Schnitzler, befreundet ist, könnte unter Umständen auch dieser Stefan gemeint sein.

Schlesinger berichtete am 5. 2. 1976 den oben angeführten Personen, daß mit Ausnahme von Landgraf und Leskien, keiner der dazu aufgeforderten Autoren ihren Beitrag zurückgezogen hätten. Der angebliche Rücktritt von Rainer Kirsch, Günter Kunert, Günter de Bruyn und Uwe Kant sei nur ein Gerücht, das der Verband bewußt in Umlauf gesetzt habe, um die Autoren gegenseitig unsicher zu machen. Plenzdorf brüstete sich in der kurzen Unterhaltung mit Schlesinger am 4.2. 1976, »dem Kulturminister mal ordentlich die Meinung gegeigt« zu haben. Er habe dem Minister für Kultur angeblich vorgeworfen, daß die Partei, der Staatsapparat und selbst der Schriftstellerverband mit »ihrer Aktion« gegen die Mitautoren der Anthologie im Widerspruch zur sozialistischen Demokratie, zur Verfassung der DDR und auch zu den bisher veröffentlichten Dokumentenentwürfe für den IX. Parteitag der SED ständen. Im Ergebnis der Aussprache mit dem Minister für Kultur habe er mit »aller Entschiedenheit« erklärt, daß er weder seinen schriftstellerischen Beitrag, noch seine Mitarbeit bei den Vorbereitungsarbeiten für die Veröffentlichung der Anthologie zurückziehen werde.

Übereinstimmend vertraten die zu Beginn des Berichtes genannten Personen die Auffassung, daß mit der »Aussprachenaktion die Anthologie tot gemacht werden soll aus Furcht, ihr Beispiel der konsequenten Wahrnehmung der verfassungsmäßigen, demokratischen Rechte könnte Schule machen«. Als Wortführer dieser Auffassung trat vor allem Joachim Walter auf.

Man wolle die Mitautoren verunsichern und damit erreichen, daß »sie sich wieder in eine längst überholte kulturpolitische Parteilinie zwängen lassen«. Mit dieser Meinung trat besonders Schlesinger hervor. Hansdieter Schubert sah in »der Aussprachenaktion den Beweis, daß die Linie des VIII. Parteitages, die Tabus in der Kunst aufzuheben, Stück für Stück wieder zurückgenommen wird«.

Schlesinger vermutet stark, in den nächsten Tagen auch zu einer Aussprache »vorgeladen« zu werden. Er würde sich nicht wundern, wenn »sein Busgang zur Staatssicherheit erfolgen würde«. Plenzdorf versuchte ihn zu beruhigen, indem er erklärte, so »schwarz« brauche er nicht zu sehen, denn niemand könne ihnen »Illegalität« vorwerfen, geschweige »beweisen«.

Zwischen den Personen Schlesinger, Plenzdorf, Stade, Walter und Hansdieter Schubert gab es während ihrer zwei- und mehrseitigen Gespräche auch eine Abstimmung, wie »man dieser Aussprachenaktion entgegentreten muß«. Man wurde sich einig, eine sogenannte

»solidarische Gegenaktion zu starten«. Kernstück dieser »Abstimmung« war die Festlegung folgender taktischer Verhaltenslinie für die »Redaktion« und ihr am nächsten stehende Mitautoren (z. B. Walter und Schubert):

— Auslösung einer Kette von Beschwerden, schriftlichen und mündlichen Eingaben, persönlichen Vorsprachen im MfK und Verband;
— Verwendung ihrer Beiträge für öffentliche Lesungen, zu denen sie eingeladen werden;
— keinerlei Angebote der Anthologiemanuskripte an Vertreter westlicher Verlage und Literaturzeitschriften zur Veröffentlichung;
— Zurückhaltung mit Informationen über das Anthologieprojekt gegenüber von Westjournalisten, Literaturwissenschaftlern und -kritikern aus der BRD und Westberlin;
— sachliches Auftreten in zu erwartenden Aussprachen, aber kein Zurückweichen.

Im Sinne dieser Verhaltenslinie hat Schlesinger bereits begonnen, einen »Beschwerdebrief« an den Stellv. Minister für Kultur, Höpcke, zu entwerfen. Plenzdorf beabsichtigt in Abstimmung mit Schlesinger eine »Eingabe« gegen Form und Inhalt seiner Aussprache mit dem Minister für Kultur an den Staatsratsvorsitzenden zu schreiben. Hansdieter Schubert wurde durch Schlesinger und Walter angehalten, beschwerdeführend bei der Parteileitung des Berliner Schriftstellerverbandes vorzusprechen und Stade soll seine bereits begonnenen mündlichen »Beschwerden« in der Hauptverwaltung Verlage des Ministeriums für Kultur fortsetzen. (...)

Schlesinger und Walter haben es entsprechend dieser taktischen Linie einem Vertreter der neugegründeten Westberliner Literaturzeitschrift »Litfaß« abgelehnt, für die Anthologie »Berliner Geschichten« bestimmte Manuskripte in dieser Zeitschrift abzudrukken.

Die Organisatoren der »Berlin-Anthologie« sind am Überlegen, die für März 1976 geplante Autorenbesprechung auf April zu verlegen. Sie sind der Auffassung, daß unter den gegenwärtigen Bedingungen der »Unruhe und Unsicherheit, die durch die Aussprachen mit den Autoren verursacht ist«, kein »fruchtbringender Meinungsaustausch über die einzelnen Beiträge« zustande kommen könnte. Es müsse »befürchtet werden, daß die geplante Märzveranstaltung zu einer öffentlichen Protestversammlung ausartet«. Das wiederum läge »nicht im Interesse der Absicht der Redaktion«. (...)

Im Hinblick auf die beabsichtigten Eingaben und Beschwerden wies Plenzdorf darauf hin, daß auf keinen Fall dabei eine inhaltliche Gleichheit zustande kommen dürfe und daß auch ein zeitlicher Abstand zwischen den entsprechenden Aktivitäten der Organisatoren beachtet werden müsse. »Man« käme sonst noch auf die Idee, daß es sich bei »ihrer berechtigten Empörung um eine konzertierte Aktion« handeln könnte.

Anmerkung:
Bei offizieller Auswertung besteht akute Quellengefährdung.

Wild
Major

Verwaltung für Staatssicherheit   Berlin, den 16. Februar 1976
Groß-Berlin   Ho/Mi
Abteilung XX/7

Operative Information 206/76

Operativer Schwerpunkt »Selbstverlag«

Im Ergebnis der Realisierung seines Auftrages berichtete der IMV »Büchner« beim Treff am 11. 2. 1976 folgendes:
Der an der Anthologie »Berliner Geschichten« beteiligte Schriftsteller

Günter de Bruyn

verwehrte sich gegen Gerüchte, die besagen, daß er seinen Beitrag zurückgezogen habe.
Er äußerte, daß ihm lediglich bekannt sei, daß der Schriftsteller

Günter Kunert

seinen Beitrag zurückzog und sich von der weiteren Mitarbeit an der Anthologie distanziert habe.
Er selbst halte die ganze Geschichte für ein wenig unseriös, aber nicht für illegal, da doch alle Arbeiten zur Vorbereitung der Anthologie in aller Öffentlichkeit stattgefunden hätten. Zur Zeit sei allerdings zu bemerken, daß das Interesse vieler Autoren, die zuerst beteiligt waren, merklich nachgelassen hätte. Auch er selber hielte es jetzt nicht mehr für ratsam, das Anthologieprojekt in dem geplanten Rahmen weiter voranzutreiben.

Aus diesen Gründen wolle Günter de Bruyn mit den Organisatoren   Ulrich Plenzdorf und
            Klaus Schlesinger
sprechen, um ihnen die Sache auszureden.

Dieses Gespräch zwischen de Bruyn, Schlesinger und Plenzdorf
war nach Aussagen des de Bruyn für den 6. 2. 1976 geplant. Ob ein
solches Gespräch stattgefunden hat, konnte noch nicht festgestellt
werden.

Bemerkung: Diese Information kann wegen Quellengefährdung
           nicht offiziell ausgewertet werden.

Holm
Leutnant

Hauptabteilung XX/7   Berlin, 23. 2. 1976
                                        Pö/Dr

Vermerk zum op. Schwerpunkt »Selbstverlag«

Der IM »Hermann« teilte mit, daß er am 18. 2. 1976 ein persönliches Gespräch mit dem Kandidaten des Politbüros und 1. Sekretär
der Bezirksleitung der SED Berlin, Genossen Konrad Naumann,
hatte.

In diesem Gespräch informierte Gen. Naumann, daß die Organisatoren der Anthologie »Berliner Geschichten« Klaus Schlesinger,
Ulrich Plenzdorf und Martin Stade einen gemeinsamen Brief an ihn
geschrieben haben.

Nach den Äußerungen des Gen. Naumann soll der Brief in einer
äußerst frechen und provozierenden Form abgefaßt sein.

Auf Ulrich Plenzdorf anspielend, erklärte Gen. Naumann, daß für
Lockenköpfe kein Platz mehr in der Partei sei. Nach dem IX. Parteitag der SED müßte diese Frage umgehend geklärt werden.

Nähere Einzelheiten zum Inhalt des Briefes der Organisatoren der
Anthologie an Gen. Naumann wurden dem IM nicht bekannt.

Der IM äußerte dazu, daß ihm Gen. Naumann diese Worte aus
dem Herzen gesprochen hat und er einen solchen Schritt im Interesse
der Reinheit und Festigung der Kampfkraft der Partei als einzig rich-

tigen ansieht. Auch andere Schriftsteller, wie z. B. Hermann Kant, Harald Hauser, Gerhard Holz-Baumert und Peter Edel vertreten die Ansicht, daß es für die Partei an der Zeit ist, sich von solchen Leuten wie Plenzdorf zu trennen.

Pönig
Hauptmann

Schriftstellerverband   Berlin, den 26. Februar 1976
der Deutschen Demokratischen
Republik

Notiz

Am 26. 2. 1976 übergab mir Anna Seghers beiliegende »Darstellung«, die ihr von Ulrich Plenzdorf am 19. 2. 1976 in die Wohnung gebracht worden ist. Der Darstellung beigefügt war ein kurzer Begleitbrief – unterschrieben von Stade, Schlesinger, Plenzdorf – in dem diese Anna Seghers mitteilen, daß sie die Präsidentin des Verbandes informieren möchten über einige Vorwürfe und Unterstellungen, die man ihnen mache. (Diesen Begleitbrief hat Anna Seghers mir nicht übergeben.)

Anna Seghers sagte mir, daß sie Plenzdorf für überheblich halte und daß in der »Darstellung« »etwas Größenwahn mit im Spiele sei«. Plenzdorf habe Talent, sei aber sehr von sich eingenommen und möchte gern zum Märtyrer werden. Deshalb möchte sie den Rat geben, mit ihm normal zu sprechen und ihm nicht den Gefallen zu tun, mit seiner Angelegenheit die ganze Republik zu beschäftigen. Sie verstehe das alles nur so, denn Plenzdorf habe kein echtes Motiv für Klagen. (Dies bestätigte ich ihr). Offensichtlich wollten die Verfasser der Darstellung in Richtung Autoren-Edition gehen. Und vielleicht wollten sie auch stören. Sie möchte nach Möglichkeit nichts mehr damit zu tun haben.

Anna Seghers sagte, daß sie in der Mitgliederversammlung am 19. 2. 1976 Plenzdorf bereits gesagt habe, daß sie seine Darstellung nicht verstehe und sie nicht wichtig nehmen könne.

Henniger

Die Idee zur Anthologie »Berliner Geschichten« wurde im Frühjahr 1974 geboren. Danach sollten eine Anzahl DDR-Autoren über ein festgelegtes Thema schreiben; alle Texte sollten allen Autoren zur Kenntnis gebracht und – nach einer Diskussion – zu einem Band zusammengefaßt und einem unserer Verlage angeboten werden. Das Ziel der Anthologie war

1. die beteiligten Autoren in den Herausgeberprozeß zu integrieren und somit der Problematik der Vereinzelung des Schriftstellers, die in seiner Produktionsweise begründet ist, entgegenzuwirken;

2. die Kommunikation über künstlerische Fragen unter den Autoren über die bereits vorhandenen Möglichkeiten wie Lesungen, Brigaden, Verbände und Verlage hinaus zu vertiefen;

3. im Laufe des Arbeitsprozesses zu einem Abbau des aus bürgerlichen Verhältnissen überkommenen Konkurrenzdenkens zu gelangen, indem sich bekannte und unbekannte Autoren bei gegenseitiger Achtung und in einem gemeinsamen Projekt vereint über ihre Produkte kritisch äußern.

Es wurden Autoren eingeladen, bei denen man davon ausgehen konnte, daß sie eine Beziehung zum Thema Berlin hatten. Die Reaktionen der Autoren waren ermutigend; die meisten sicherten Beiträge zu und schlugen weitere Kollegen für eine Mitarbeit vor.

So lagen im Jahr darauf 200 Seiten Text vor, geschrieben von DDR-Schriftstellern der älteren, mittleren und jüngeren Generation. Die Texte wurden allen Beteiligten zugeschickt und im September 1975 in groben Zügen diskutiert. Dabei kam man zu der Überzeugung, daß das Projekt lohnenswert sei und schlug vor, die Anthologie zu erweitern, wobei darauf zu achten war, daß der Kreis der Beteiligten nicht zu groß werden durfte, damit eine intensive Textdiskussion noch möglich blieb.

Weitere Autoren wurden also eingeladen; der Umfang der Anthologie wuchs auf 350 Seiten an. Im Frühjahr 1976 sollte dann eine detaillierte Textdiskussion beginnen und der Band einem unserer Verlage angeboten werden. Soweit der Stand der Dinge bis zum heutigen Zeitpunkt.

Nun wurden in den letzten beiden Monaten mit fast allen Beteiligten von Seiten des Schriftstellerverbandes und der Verlage Gespräche geführt, die das Ziel hatten, die Autoren von der Mitarbeit an dem

Projekt abzubringen und als deren Folge ein Autor der jüngeren Generation seinen Beitrag zurückzog.

Bei diesen Gesprächen wurden von Seiten der Mitarbeiter des Schriftstellerverbandes und der Verleger Behauptungen aufgestellt, die nicht unwidersprochen bleiben dürfen.

Es wurde behauptet, daß das Projekt

1. die Struktur unseres Verlagswesens aus den Angeln heben solle;
2. im »Selbstverlag« realisiert werden solle;
3. als Antiprojekt zur Parteitagsanthologie des Berliner Verbandes gedacht sei;
4. ein Erpressungsversuch darstelle, indem es bereits einem Westverlag angeboten worden sei;
5. im Geheimen und außerhalb »zuständiger Institutionen« organisiert worden sei zum Zweck der Bildung einer »ideologischen Plattform«.

Dazu ist zu sagen, daß

1. von einem Versuch, die Verlagsstruktur aus den Angeln zu heben, nicht die Rede sein kann, da sich der Vorgang der Titelannahme, der Druckgenehmigung und des Druckes in keiner Weise von dem bisher üblichen Verfahren unterscheiden würde. Wir konnten uns deshalb nicht gleich an einen bestimmten Verlag wenden, weil die Wahl des Verlages Teil des Integrationsprozesses sein sollte, unser Prinzip also von vornherein infrage gestellt hätte; abgesehen davon, daß die beteiligten Autoren in unterschiedlichen Verlagen publizieren.
2. Der Gedanke eines »Selbstverlages« war zu keiner Zeit bei den beteiligten Autoren im Gespräch, auch wohl deshalb nicht, weil er sich bei der Struktur unseres Verlagswesens wohl von selbst verbietet.
3. Da unsere Arbeiten an dem Projekt gut anderthalb Jahre vor der der Parteitagsanthologie begonnen hat, kann es wohl nicht als eine »Gegenanthologie« gedacht worden sein, zumal Autoren unseres Projektes auch an der Parteitagsanthologie beteiligt sind bzw. Beiträge eingereicht haben.
4. Die Anthologie wurde keinem Westverlag zur Veröffentlichung angeboten. Selbst wenn es von irgendeinem der Beteiligten geplant gewesen wäre, hätte es ja – dem oben beschriebenen Prinzip zufolge – der Zustimmung aller Autoren bedurft. Alle Autoren können indessen bestätigen, daß ein solcher Plan nie besprochen wurde. Die Voraussetzung unserer Arbeit bestand eindeutig dar-

in, daß wir das Projekt in einem unserer Verlage realisieren wollten und wollen.

5. Die Anthologie ist keineswegs im Geheimen organisiert worden. Von unserem Projekt wußten mindestens zwei Verleger, einer vom Beginn der Arbeit an. Die Einladungen zur Anthologie wurden mit der Deutschen Post verschickt. Es ist kein Autor zum Schweigen verpflichtet worden. Im Gegenteil, die Autoren sind aufgefordert worden, andere Autoren zur Mitarbeit einzuladen. Rund 70 Prozent der Texte, die die Autoren beigesteuert haben, sind den Verlagen, in denen sie publizieren, bekannt. Sie sind Teil von Erzählungsbänden und Romanen, die in einigen Fällen sogar schon die Druckgenehmigung haben.

Von den Autoren der Anthologie sind nur drei jüngere nicht im Schriftstellerverband organisiert. Drei Autoren sind Mitglieder von Bezirksvorständen. Außerdem war der Berliner Verband mittels einer Fragebogenaktion, die er Mitte vorigen Jahres anstellte, von dem Projekt »Berliner Geschichten« informiert.

Der Vorwurf einer »ideologischen Plattform« – was immer darunter verstanden werden soll – entbehrt jeder Grundlage. Die Texte spiegeln so unterschiedliche künstlerische Temperamente, Sichtweisen und Lebensgefühle, daß von einer Einheitlichkeit, von einer »Plattform« nicht gesprochen werden kann. Zudem kannten sich viele Autoren vor diesem Projekt gar nicht, hatten teilweise noch nie vom anderen gehört...

So absurd den Autoren die Vorwürfe erscheinen, und so wenig sie die Motive ihrer Verursacher kennen, so ernst nehmen sie sie jedoch, denn sie könnten möglicherweise dazu dienen, eine Kluft zwischen sozialistischem Staat und Schriftstellern zu schaffen.

Die Autoren sehen ihr Projekt mit seiner partiell »produktionsgenossenschaftlichen« Seite als ein fortschrittliches, die Beziehungen zwischen einzeln produzierenden Schriftstellern förderndes Unternehmen an. Sie sind sich aber auch seines experimentellen Charakters bewußt, der ein den Künsten wohlgesonnenes Klima erfordert. Dieses Klima haben sie in der kulturpolitischen Linie seit dem 8. Parteitag gespürt, und sie glauben, mit diesem Projekt seinen Intentionen gefolgt zu sein.

Die Mitarbeiter der Autorenanthologie scheuen keinen Meinungsstreit, wissen aber, daß ihr Experiment nur auf einem Boden gedeihen kann, der frei ist von Unterstellungen, Verleumdungen

und Intrigen. Sie wollten ihr Projekt nicht *gegen* Verlage, Schriftstellerverband oder andere gesellschaftliche Institutionen realisieren. Sie fühlen sich als integrierte Teile all dieser gesellschaftlichen
Institutionen. Obgleich die Autoren nicht überzeugt sind, daß ihr
Projekt jene Vorwürfe in irgendeiner Weise rechtfertigt, sind sie
bereit, schon im jetzigen Stadium einen unserer Verlage zur Mitarbeit heranzuziehen. Falls sich dem Projekt aber kein günstiger
gesellschaftlicher Nährboden mehr bietet, sehen sich die Autoren
nicht mehr in der Lage, ihre Arbeit fortzuführen.

Die Autoren hoffen indessen, daß der fortschrittliche Kern ihres
Vorhabens erkannt und die Arbeit an der Anthologie geför-
dert wird. – Die Unterzeichner sind zu dieser Darstellung auto-
risiert.

Plenzdorf   Schlesinger   Stade

(Aus den Akten
des Schriftstellerverbandes:)

Berlin, 12. 3. 1976

Lieber Gerhard!

Beiliegend erhältst Du meine Notizen zu U. Plenzdorf; kein runter
kein fern.
1. Die Machart des Elaborats ist nicht neu. Sie läßt sich beispielsweise bei
   J. Joyce: Finnegans Wake
   I. Bachmann: Ein Ort für Zufälle
   E. Augustin: Der Kopf, Mama, Das Badehaus
   finden.
Bei Joyce findet man den Bewußtseinsstrom, der durch die Art der
Wortzusammenstellung kaum mehr versteh- und lesbar ist. (Sinnbild
für die »Unbegreifbarkeit« des Menschen und der Welt.)
Bei Ingeborg Bachmann ist es der Versuch, Berlin als Stadt des
irren Krankseins zu begreifen. (Sinnbild für die Unsicherheit der Au-
torin im Gesellschaftlich-Weltanschaulichen. Sympathisch ist uns
die Autorin und dieses Werk aber deshalb, weil sie ihre Fragen im
Ton einer bitteren verzweifelten Klage vorstellt.)

In den Titeln von Ernst Augustin findet man schließlich das Spiel mit der grotesken Verzerrung der Welt durch die Erzählersicht aus dem Blickwinkel eines geistig verkrüppelten Halberwachsenen. Sinn: Die Welt ist irre, also kann nur der geistig Unnormale die Wahrheit sagen. Er ist der sozusagen Normale innerhalb dieser Welt. Besonders hier läßt sich eine Ähnlichkeit zur Aussage von Plenzdorf finden. Die Art des Irreseins, die Mama-Schreierei als Sinnbild für die Sucht, immer wieder in den bergenden Schoß zurückzukehren, der Vaterhaß gleich Generationshaß. (*Er*, der Schlimme, Bösartige von dem alles zu befürchten ist.) Augustins Prosa ist allerdings noch lesbar, sprachlich ziemlich gekonnt, obwohl ganz deutlich wird, daß hier nicht mehr geklagt wird, sondern geradezu rauschsüchtig die irren Zustände heraufbeschwört und sich an ihnen ergötzt. Augustin war Mitte der sechziger Jahre einer der Bestsellerautoren in der BRD. Die Ähnlichkeit zu Plenzdorf ist frappierend. Auf alle Fälle hat Pl. solche Schwarten verwertet.

Lieber Gerhard, über diese Westtitel habe ich mich mit A. Löffler beraten, da meine Kenntnisse auf diesem Gebiet nicht besonders gut sind.

2. Die Frage ist, für wen hat Plenzdorf seine mordsmäßige Schweinerei geschrieben und welche Funktion hat sie? Pl. ist bewußt, daß sie nur für einen winzig kleinen Kreis Eingeweihter und von diesen Leuten entschlüsselt werden kann. Nicht nur der durchschnittliche Leser sondern auch Literaturgeübte können mit dem Zeug nichts anfangen. Sie ist also offenkundig nur denen zumutbar, die etwas Bestimmtes bei Pl. suchen und von ihm erwarten. Hier liegt auch ihre Funktion. Diese Prosa soll diejenigen animieren, die aus außerliterarischen Gründen nach einer bestimmten Aussage suchen, d. h. aus politischen Gründen und sich deshalb der »Qual« des Entschlüsselns unterziehen.

Pl. sucht also das Einverständnis mit diesen »Eingeweihten« um zu demonstrieren und zu erproben, wie weit man in der Kritik an unserem Staat gehen kann und

welche Mittel man literarisch einsetzen muß, um denen, die solchen Kurs nicht fahren wollen, den Wind aus den Segeln zu nehmen.

Die Rezepte dafür stammen aus dem Westen: »Der Irre ist die beste Figur, Kritik gegen den Totalitarismus vorzutragen, er wird von denen verstanden, die sich als geistige Elite wissen, und er dient als Schild gegen jeden diktatorischen Einspruch: wer will was gegen die Worte sagen, die ein Irrer spricht.« (Aus einer Kritik zu Augustins Werken)

Pl. wird sich jederzeit hinter das Irresein seiner Figur verschanzen – wer wird schon einen Irren für sein Geschwafel zur Rechenschaft ziehen wollen. Tatsächlich fände jeder eine Möglichkeit, beliebige Deutungsarten mit Satzfetzen zu stützen. Damit würden wir uns in eine uferlose Debattiererei zwingen lassen, die Mißgünstigen werden sie händereibend verfolgen.

3. Man kommt nicht umhin, es ist nicht mehr nach möglichen guten Absichten von Pl. zu fragen. Mit dem Irren will er bis zur grundsätzlichen Kritik vordringen und sich zugleich decken. Nehmen wir die schlichte Aussage der Sache. Da gibt es

a) den parabolischen Sinn des Ganzen und

b) einige sehr direkt ausgesprochene Passagen, die offenkundig auch ganz direkt gemeint sind.

Zu a) Der Irre ist derjenige, der die Welt sieht, wie sie wirklich ist; d. h. wie sie Pl. sehen möchte. Sein Modell ist: Die Welt ist irre, also kann einzig der von der Welt als irre erklärte Typ den richtigen Eindruck vermitteln: Verrückte Zusammenhänge, das große Politische in irrer Fügung mit dem banal Alltäglichen und dem allgemein Menschlichen.

Pl. hat noch eine zweite Grundversion die zynisch ist: das schwachsinnige Kind ist ein Produkt dieser Gesellschaft. Sie ist so beschaffen, daß sie sozusagen den Schwachsinn gebiert. Dies geht aus dem Zusammenhang des Ganzen hervor, der geradezu eine Demonstration für diese These ist. Es geht aber auch aus den direkt ausgesprochenen Einzelheiten hervor. Man kann sie auf den Seiten 142 und 143 deutlich finden:

Die Schule, die nicht wahrhaben will, daß es Unterschiede gibt, deshalb den Schwachsinn fördert;

der Vater, der sich nur um sein Emporkommen kümmerte und deshalb nichts an Geist den Kindern weitergab. (Dieser irre Haß gegen die Vätergeneration ist bei Pl. ganz furchtbar. Die Väter – anders gesagt – wurden so dämlich in ihrem Drang nach oben, daß sie die Intelligenz der Kinder nicht bemerkten und deshalb verkümmern ließen. Sie ließen nur diejenigen emporkommen, die ihre Ideen teilten oder sich widerspruchslos fügten.)

Die Figur des Bruders des Erzählers, Mfred genannt, ist eine politisch gemeine Erfindung.

Ein Polizist, Bulle genannt, später nur noch B. wird als blindes, brutales Werkzeug der Macht installiert. Das findet sich alleweil in den Westschwarten.

Pl. verschafft sich ein politisches Alibi, der Schwachsinn kommt auch von widrigen Familienumständen. Die Mutter ist abgehauen, vom Westwohlstand geblendet. Der Junge schreit dauernd nach ihr, will – wer möchte es ihm verdenken – dauernd dahin, was nicht gut geheißen wird, er ist also ein Opfer politisch schuldhafter Umstände und entsprechendem Versagens.

Zu b) Der Gegensatz zwischen den irren Reden des Erzählers und der normal wiedergegebenen Kundgebungsatmosphäre ist eine Infamie. Das Irresein parodiert die Kundgebung mit samt aller Inhalte, z.B. bewaffnete Macht, Arbeitertraditionen, Sowjetunion. Die Montage wirkt wie ein Alptraum.

Der Generationshaß, bei Pl. als Vater gezeigt, wird so montiert, daß für den Vater nur noch Er gesagt wird, das immer auftaucht, wenn Ängste und Schrecken des Erzählers zu benennen sind.

Der Verrückten-Stil ermöglicht, daß die Aussage auf Seite 140 folgende Gemeinheit enthält: Jeder habe in der Armee eine große Laufbahn vor sich, wenn er wenigstens die Hauptstädte der sozialistischen Länder auswendig weiß.

Pl. verstreut gekonnt Bemerkungen, die die Aufforderung enthalten, daß der Abstand zwischen Führung und den Übrigen bedinge, die Entwicklung aufzuhalten, damit der Abstand sich nicht vergrößere. Dazu kommen noch blöde Angriffe auf die sogenannte Leistungsgesellschaft. (Vgl. den Gegensatz zwischen dem ersten Absatz auf Seite 151 und dem darauffolgenden Einschub. Oder Seite 152 unten, oder Seite 153 die Erzählung von Kain und Abel, wer mehr leistet ist der Angesehene, auch wenn er seinen Bruder umgebracht hat. Oder Seite 154 die Parodie auf 20 Pfennig Fahrpreis [vorher die Beschreibung vom versuchten Selbstmord] und anschließend die Parolen, die zu Höchstleistungen antreiben sollen. Oder Seite 155 im Zusammenhang mit dem Schluß, also Protzerei auf der einen Seite und Zusammenschlagen der Menschen auf der anderen Seite.)

Renate

Hauptabteilung XX/7   Berlin, 20. 3. 1976

Information

über die Aussprache mit den Organisatoren der Anthologie »Berliner Geschichten« mit Beauftragten der Parteileitung des Berliner Schriftstellerverbandes

Entsprechend der in der Information vom 4. 3. 1976 dargelegten Verfahrensweise fand das Gespräch planmäßig am 19. 3. 1976 in der Zeit von 14.00 bis 16.50 Uhr in den Räumen des Berliner Schriftstellerverbandes in der Karl-Liebknecht-Straße statt. Seitens der Parteileitung des Berliner Schriftstellerverbandes waren anwesend:

Der Vizepräsident des Schriftstellerverbandes der DDR, Hermann Kant, Mitglied des Präsidiums des Schriftstellerverbandes der DDR und Vorsitzende des Berliner Schriftstellerverbandes Günter Görlich, das Mitglied des Präsidiums des Schriftstellerverbandes der DDR Rainer Kerndl, der Sekretär des Schriftstellerverbandes der DDR, Genosse Henniger und der Parteisekretär des Berliner Schriftstellerverbandes, Gen. Küchler. Der Mitorganisation der Anthologie »Berliner Geschichten«, Martin Stade, ließ sich wegen Krankheit entschuldigen. Es waren Klaus Schlesinger und Ulrich Plenzdorf allein zum Gespräch erschienen.

Zu Beginn des Gespräches wies Günter Görlich den Schlesinger und den Plenzdorf darauf hin, daß das Gespräch zur Klärung der in ihren Briefen an leitende Funktionäre der Partei- und Staatsführung und des Schriftstellerverbandes aufgeworfenen Probleme geführt werden sollen.

Günter Görlich wies gleichzeitig darauf hin, daß sie in diesem Gespräch offen und sachlich ihre Probleme darlegen sollen, daß es an der Zeit ist, davon abzukommen, die Sache zu bagatellisieren. Trotz dieser Aufforderung, ehrlich und offen ihre Meinung darzulegen, versuchte Schlesinger, die bereits in vorangegangenen Gesprächen durch Plenzdorf und Stade erprobte Taktik, alles zu bagatellisieren, fortzuführen. Auf Grund dieses Bagatellisierungsversuches wurde dem Schlesinger durch den Vizepräsidenten des Schriftstellerverbandes, Hermann Kant entgegengehalten, daß er endlich aufhören soll damit. Er solle nicht glauben, daß er die Anwesenden hinters Licht führen könne. Schlesinger soll sich darüber bewußt sein, daß diese ganze Angelegenheit im Lichte seiner Darlegungen, die er gemeinsam mit Stefan Heym im November 1974 vor den Mitgliedern des Berliner Schriftstellerverbandes gab, gesehen werden muß. Als er forderte, daß es an der Zeit sei, in der DDR die Zensur abzuschaffen. Das Unternehmen deutet doch eindeutig darauf hin, die Arbeit der Verlage auszuschalten und ultimativ ein fertiges Manuskript durchzusetzen. Dies sei eine Methode, die möglicherweise in der kapitalistischen Gesellschaft richtig und notwendig sei, die aber in unserer sozialistischen Gesellschaft jeglicher Existenzgrundlage entbehre. Hermann Kant führte weiter aus, daß die von Plenzdorf, Schlesinger und Stade gewählte Form zur Erarbeitung einer Anthologie durchaus als ein hochpolitischer Vorgang gewertet werden muß und von den Anwesenden als solcher gesehen wird. Sie sollen sich nicht einbilden, oder glauben, daß sie vor dem vorgenannten Gremium diese politische Bedeutung des Vorhabens herunterspielen können.

Plenzdorf lenkte daraufhin ein und erklärte, daß er bei der von ihnen gewählten Form der Erarbeitung der Anthologie durchaus den Standpunkt der Anwesenden begreifen könne, daß er ihnen zwar nicht in allen Punkten zustimme, aber er versteht ihren Standpunkt.

Genosse Henniger wies Plenzdorf und Schlesinger darauf hin, daß es in diesem Gespräch nicht darum geht, daß die Anthologie nicht in der DDR veröffentlicht wird, sondern daß es darauf ankommt, darüber zu sprechen, und Klarheit zu verschaffen, daß die von Plenzdorf, Schlesinger und Stade gewählte Form zur Erarbeitung und Herstellung der Anthologie falsch ist; daß es nicht in Ordnung ist, wenn der Schriftstellerverband von einzelnen Autoren erst auf ein solches Vorhaben aufmerksam gemacht wird und somit erfährt, daß bereits seit zwei Jahren an einer Anthologie gearbeitet wird. Es ist nicht angängig, daß über Erzählungen, die in der vorgenannten Anthologie enthalten sind, bereits durch westliche Massenmedien eingegangen wird, wie es z.B. in der Lesung von Ulrich Plenzdorf im

Weimarer »Kasse-Turm« mit seiner Erzählung »Kein Runter, kein Fern« der Fall war. Diese Verfahrensweise, führte Gen. Henniger weiter aus, drückt bereits einen Grad der Geheimhaltung vor dem Schriftstellerverband aus, da Plenzdorf nicht bereit war, trotz Aufforderung, seine Erzählung den Schriftstellerverband zu übergeben und zur Diskussion zu stellen. Er frage Schlesinger, mit welchem Grund diese Geheimhaltung?

Schlesinger versuchte, in diesem Gespräch bei seinen Darlegungen zuerst die Geheimhaltung der Anthologie zu bestreiten. Auf weitere gezielte Zwischenfragen seitens Günter Görlich's, Hermann Kant's und Rainer Kerndl's versuchte sich Schlesinger damit zu rechtfertigen, indem er erklärte, daß sie als Organisatoren der Anthologie nicht ermächtigt gewesen seien, die Anthologie Personen zur Einsicht zur Verfügung zu stellen, die nicht an der Anthologie beteiligt sind. Ihr »demokratisches« Verfahren beinhalte, daß dazu die Zustimmung aller an der Anthologie beteiligten Autoren hätte vorliegen müssen und über diese Zustimmung habe Schlesinger nicht verfügt.

Darauf wurde Schlesinger und Plenzdorf von Hermann Kant vorgehalten, daß sie auf der einen Seite behaupten, keine Geheimniskrämerei aus ihrer Anthologie zu machen, auf der anderen Seite dieses Vorhaben abschirmen und mehrmals es abgelehnt haben, den Schriftstellerverband diese Anthologie bzw. einzelne Erzählungen dieser Anthologie zur Verfügung zu stellen. Das müsse doch einen Grund haben.

Gen. Görlich stellte an diesem Punkt gleichzeitig noch die Zwischenfrage, daß beide dazu Stellung nehmen sollen, inwieweit dieses Vorhaben im westlichen Ausland bzw. Vertretern westlicher Massenmedien und Verlagen bekannt ist.

Nachdem Schlesinger entschieden abgestritten hatte, trotz mehrmaligen Befragens, daß Vertretern westlicher Massenmedien und Verlagen die Anthologie und Zusammenhänge des Vorhabens bekannt seien, wurde ihm vorgehalten, daß dann wohl Herr Dr. Richard Zipser, Dozent am Oberlin College in Oberlin/ohio/USA, der mit Genehmigung des Schriftstellerverbandes eine Anthologie über DDR-Schriftsteller erstellt, gelogen hat. Dr. Zipser habe dem Schriftstellerverband mitgeteilt, daß Schlesingers Erzählung aus der Anthologie »Berliner Geschichten« ihm von Schlesinger zur Veröffentlichung übergeben wurde. Schlesinger fing darauf an, zu stammeln, daß ihm dies ganz entfallen sei.

Daraufhin fiel Hermann Kant Schlesinger ins Wort und erklärte, daß er endlich zugeben soll, welche westlichen Vertreter von Massenmedien noch von der Anthologie Kenntnis haben. Hermann Kant könne sich vorstellen, daß die Redakteurin des »Stern«, Eva Windmöller-Höpker, diese Anthologie ebenfalls kennt. Er möchte nicht nach diesem Gespräch Hinweise über das Gespräch oder die Anthologie im »Stern« lesen.

Nachdem auch Schlesinger diese Frage zuerst bestritt, gab er dann zu, daß Eva Windmöller-Höpker von dem Vorhaben der Anthologie »Berliner Geschichten« Kenntnis hat, daß sie das Manuskript kennt sowie Zusammenhänge und Probleme der Erarbeitung der Anthologie.

Als Schlesinger dies zugab, betonte er, daß er die Windmöller nur auf deren Anfrage hin über die Anthologie informiert habe.

Hermann Kant hielt dem Schlesinger an dieser Stelle entgegen, daß Schlesinger mit dieser Frage eindeutig beantwortet hat, daß es eine Geheimhaltung über das Vorgaben der Anthologie nur gegenüber der DDR gab, denn vor westlichen Vertretern von Massenmedien habe sich Schlesinger nicht an die Festlegungen seiner demokratischen Verfahrensweise gehalten.

Darauf äußerte Schlesinger spontan, daß er sich auf seine Westfreunde verlassen könne, worauf Plenzdorfs Gesichtsausdruck äußerste Betroffenheit erkennen ließ.

Als weiteres grundsätzliches Problem wurde mit den Vorgenannten darüber gesprochen, das Vorhaben der Anthologie in einem Verlag der DDR anzubieten und mit diesem Verlag zusammenzuarbeiten, damit die Anthologie in der DDR erscheinen kann. Schlesinger und Plenzdorf erklärten dazu, daß sie vor 14 Tagen die Anthologie dem Verlag »Der Morgen« zur Veröffentlichung angeboten hätten. Es sei zwar noch kein Vertrag abgeschlossen und der Verlag habe noch nicht das Manuskript übergeben bekommen, es sei bereits gesprochen worden mit dem Verlag, und der Verlag sei an der Herausgabe der Anthologie interessiert.

Sie wurden in diesem Zusammenhang ernsthaft darauf hingewiesen, in kürzester Zeit eine feste und in der DDR übliche Form der Zusammenarbeit mit dem Verlag anzustreben und einzugehen. Beide erklärten, daß das Manuskript gegenwärtig auf 350 Seiten angewachsen sei und daß angeblich noch weitere Autoren, die sie namentlich noch nicht benannten, sich an diesem Vorhaben beteiligen. Schlesinger und Plenzdorf erklärten sich bereit, keinerlei weitere

Publikationen oder Informationen an westliche Massenmedien oder Verlage zu geben, bevor die Anthologie nicht in der DDR veröffentlicht wurde.

Die Aufforderung an Plenzdorf, seine Erzählung »Kein Runter, kein Fern« dem Vorstand zur Verfügung zu stellen, um darüber zu diskutieren, lehnte Plenzdorf vorerst ab, da er diese Erzählung gegenwärtig überarbeite, nach Fertigstellung der neuen Fassung sei er jedoch bereit, sie zur Diskussion zu stellen.

Es wurde weiter die Festlegung getroffen, daß in der nächsten Vorstandssitzung des Berliner Schriftstellerverbandes am 22. 4. 1976 Plenzdorf den Vorstand über die Probleme der Erarbeitung der Anthologie »Berliner Geschichten« informiert. Plenzdorf wurde dazu beauftragt, in seinen Darlegungen vor dem Vorstand nur Fakten zu nennen und jegliche Kommentierung zu unterlassen. Plenzdorf betonte, daß er sich an diese Festlegung halten werde.

Während des gesamten Gesprächs verhielt sich Schlesinger äußerst flegelhaft. So brachte er es u. a. auch fertig, damit zu drohen, daß die Probleme zur Erarbeitung der Anthologie bereits eine neue Erzählung wert seien, worüber er auch schon eine Dokumentation erarbeitet habe.

Von Hermann Kant wurde ihm dazu entgegengehalten, daß dieser Gedanke nicht schlecht sei, daß er aber nur realisierbar ist, wenn Schlesinger bei der Realisierung des Vorhabens gewisse Kleinigkeiten nicht vergißt, auf die es gerade ankommt.

Von den inoffiziellen Quellen wurde übereinstimmend eingeschätzt, daß es einen sehr gravierenden Unterschied zwischen Plenzdorf und Schlesinger gab. Plenzdorf war das oft sehr unbeherrschte und flegelhafte Auftreten von Schlesinger sehr peinlich. Deshalb hielt sich Plenzdorf äußerst zurück.

Nach Einschätzung der inoffiziellen Quellen bedeutet dies jedoch nicht, daß Plenzdorf bereit ist, sich von Schlesinger und dem Vorhaben zu distanzieren, sondern daß er nur andere Formen und eine andere Argumentation bei der Schilderung des Sachverhaltes benutzt hätte. Auf Grund des spontanen Reagierens von Schlesinger hatte Plenzdorf dazu keine Gelegenheit.

Quelle: IM »Hermann« und IM »Martin«

Op. Information Nr.   /76

Klaus, Schlesinger, Schriftsteller

Beim Treff am 19. 03. 1976 hatte der IMF »Andrè« folgendes zu
berichten:

Am 10. 03. 1976 hatte er ein Gespräch mit dem Schriftsteller
Klaus Schlesinger. Gegenstand dieses Gespräches war im wesent-
lichen eine sogenannte »Darstellung« von Schlesinger, Stade und
Plenzdorf zum Projekt der Anthologie »Berliner Geschichten«. Ausgangspunkt dieses Gesprächs war ein Anruf Schlesingers bei dem
IM. Dabei teilte Schlesinger mit, daß er den Beitrag des IM für die
Anthologie inzwischen von Martin Stade erhalten hat. Auf die Frage
des IM, was denn nun aus der ganzen Sache werde, kam es zum
vereinbarten Gespräch am 10. 03. in Schlesingers Wohnung. Nach
Schlesingers Ansicht sei das Telefon für ein solches Gespräch nicht
geeignet.

Schlesinger erklärte dem IM, daß zum gegenwärtigen Zeitpunkt
eine Realisierung des Anthologie-Projektes nicht möglich sei. Der
»staatliche Widerstand sei zu groß«, wie sich Schlesinger auszudrücken pflegte. Die von den verschiedenen Autoren eingereichten
Beiträge würde man aber zusammenhalten, um zu einem späteren
Zeitpunkt noch einmal den Versuch zu unternehmen, das Gesamtmanuskript vielleicht doch noch bei einem DDR-Verlag unterzu-
bringen. Das »Redaktionskollegium«, so bezeichnete Schlesinger
sich, Stade und Plenzdorf, wolle nun erst einmal abwarten, welche
Atmosphäre das Ergebnis des Parteitages auslöst.

Um sich gegen »den staatlichen Vorwurf, eine umstürzlerische,
illegale Absicht verfolgt zu haben, zur Wehr zu setzen«, hätten Schlesinger, Stade und Plenzdorf im Namen aller beteiligten Autoren eine
Stellungnahme in Form einer »Darstellung« entworfen, die man
noch korrigieren müsse, um sie dann allen Autoren zuzustellen.
Schlesinger zeigte dem IM einen vierseitigen, mit Maschine geschrie-
benen Text mit der Überschrift »Darstellung«. Dieser Text enthielt
zu Beginn eine Art Erklärung über die Entstehung der Idee zu dieser

Anthologie und zu den Zielen, die die Autoren angeblich verfolgt hätten. Dabei waren die bekannten wirklichen Ziele durch politisch positive Formulierungen verklausoliert. Danach folgte eine Art Aufzählung von »Unterstellungen« durch staatliche Stellen, Schriftstellerverband und Verleger. Und schließlich endet diese Darstellung mit der »Gegenargumentation« gegen diese »Unterstellungen«.

Dieser Darstellung ist noch ein kurzes Anschreiben beigefügt. Darin wird den Mitautoren zur Kenntnis gegeben, daß diese Schrift an Prof. Hager im ZK der SED, an den stellv. Kulturminister Höpcke, an die Präsidentin des Schriftstellerverbandes der DDR, Anna Seghers und an Dr. Roland Bauer von der SED-Bezirksleitung Berlin geschickt wurde.

Die Darstellung war von Plenzdorf, Schlesinger und Stade unterzeichnet, während das Anschreiben nur die Unterschrift von Schlesinger trug. Das Anschreiben war mit dem Datum 01.03.76 versehen, die Darstellung war ohne Datum.

Schlesinger erklärte dem IM, daß ihm zu einem späteren Zeitpunkt Anschreiben und Darstellung noch einmal zugestellt werden. Das bei ihm vorliegende Exemplar könnte er dem IM nicht mitgeben. Es sei ein unkorrigiertes Arbeitsexemplar. Die Frage des IM, ob denn die im Anschreiben bezeichneten Persönlichkeiten diese Darstellung schon erhalten haben, verneinte Schlesinger. Die Absendung sei für die nächsten Tage vorgesehen.

Zum Zweck dieser Darstellung vertrat Schlesinger dem IM gegenüber folgende Meinung:

Er sei sich bewußt, daß diese Darstellung bei den verantwortlichen staatlichen Stellen und bei der Partei keine Umstimmung vor dem Parteitag bewirke. Im Grund genommen sei sie das Eingeständnis ihrer gegenwärtigen Schwäche und Machtlosigkeit gegenüber der »Staats- und Parteibürokratie«. Der einzige Sinn bestände darin, daß eine große Masse von Autoren in der DDR ein weiteres Beispiel der »Unglaubwürdigkeit der Literaturpolitik der DDR« zur Kenntnis bekäme, denn die angeschriebenen Mitautoren der Anthologie würden »ja hoffentlich den Inhalt dieser Darstellung nicht für sich behalten«.

Vorerst werde das »Redaktionskollegium« seine Arbeit an der Anthologie einstellen, es sei denn, es erfolge eine »kaum zu erwartende positive Reaktion der angesprochenen Funktionäre auf diese Darstellung«.

Anschließend an den Besuch des IM beabsichtige Schlesinger, dem

Schriftsteller Fühmann einen Besuch abzustatten. Mit ihm wollte er etwas wegen seiner Parisreise absprechen. Konkret dazu äußerte sich Schlesinger nicht. Er machte aber die Andeutung, daß Fühmann gute Freunde in Frankreich habe, die er während seines Parisaufenthaltes irgendwie nutzen will.

Wild
Major

Verwaltung für Staatssicherheit   Berlin, den 30. 04. 1976
Groß-Berlin   Wi./–
Abteilung XX/7

Abschrift vom Band – Quelle: IMF »Andrè«
                     entgegengenommen: Major Wild

Bericht über meinen Besuch bei Klaus Schlesinger
am 8. 04. 1976 in den Nachmittagsstunden

Da ich am 8. April sowieso in der Stadt zu tun hatte, rief ich Schlesinger an, ob ich bei ihm vorbei kommen könne, um mir die zugesicherten Unterlagen abzuholen. War einverstanden. Sollte gegen 14,00 Uhr bei ihm sein, betonte am Telefon, daß er aber wenig Zeit habe. Müsse sich um die Kinder kümmern, da seine Frau verreist ist.

War dann kurz nach 14 Uhr bei ihm. In der Wohnung war noch eine ältere Frau, wahrscheinlich seine Mutter, und die Kinder natürlich. Von wenig Zeit war dann aber nichts mehr zu spüren. Empfand unser Gespräch offensichtlich als eine willkommene Ablenkung. Sprachen immerhin fast 3 Stunden miteinander.

Anfangs war mein Beitrag zur Anthologie »Berliner Geschichten« Gesprächsgegenstand. Erzählte mir noch mal das gleiche, was mir Joachim Walther schon gesagt hatte.

Gab mir dann Durchschläge von der sogenannten »Darstellung« und dem zugehörigen Anschreiben sowie eine Manuskriptmappe mit den ersten 18 Beiträgen. Die nach dem September 1975 eingegangenen Beiträge sind noch nicht darin enthalten. Schlesingers Begründung: Die seien vom Redaktionskollegium noch nicht überarbeitet. Erklärte mir noch, daß die mir übergebenen Dokumente seine persönlichen Exemplare wären und ich sie ihm gelegentlich zurückgeben möchte. Es seien nicht alle Autoren damit bedacht worden, vor allem nicht alle Berliner. Mit den meisten Berlinern sei persönlich gesprochen worden, so ja auch durch Walther mit mir. Eigentlich sollte mir Walther sein Exemplar zur Kenntnis geben. Schlesinger dazu: Der wird seins sicher dem Henniger gegeben haben.

Gemeint war der Cheflektor des Buchverlages »Der Morgen«.

Er, Plenzdorf, und Stade hätten in der Woche vor dem 1. Mai bei dem Leiter des Buchverlages »Der Morgen«, Tänzler, und bei Henniger einen Termin. Dort soll endgültig entschieden werden, welches »Schicksal die Anthologie nimmt«. Beide hätten wohl vorher eine Unterredung in der Hauptverwaltung Verlage des MfK.

Schlesinger wirkte sehr abgespannt und deprimiert. Kommentierte die »Darstellung« als »Bankrotterklärung«, glaubt also nicht mehr an die Realisierung der Anthologie. Erwartet von dem Gespräch bei Tänzler und Henniger eine endgültige Ablehnung für die Herausgabe. Bezeichnet die ganze Anthologieangelegenheit als schief gelaufen. Riet mir, meinen Beitrag eventuell schon einem anderen Verlag anzubieten. Wörtlich: »Ulli (gemeint war Plenzdorf) glaubt in dieser Sache noch an den Klapperstorch, für mich aber steht fest: da tut sich nichts mehr. Und ich habe auch die Nase voll«.

(...)

Sprach dann noch von seinen Reisen in die BRD und nach Frankreich. Doch nicht sehr begeistert. Wäre sehr anstrengend und teuer gewesen. Das Leben dort sei voller Hektik und Hinterhalte und teuer dazu. Habe auch wenig Möglichkeiten gehabt, mit Menschen in Kontakt zu kommen. Hat sich mit seinem Freund Dieter Dröder getroffen, Fabelheld seiner Erzählung »Am Ende der Jugend«. Umging aber eine Stellungnahme zur politischen Szene in der BRD und in Frankreich.

Mehr war an diesem Tage aus Schlesinger nicht herauszuholen.

Berlin, den 14. April 76   »Andrè«

Verwaltung für Staatssicherheit
Groß-Berlin
Abteilung XX/7

Berlin, den 17. 05. 1976

Abschrift vom Band – Quelle: IMF »Andrè«

Bericht über ein Gespräch mit Klaus Schlesinger

Im Anschluß an die Jazzveranstaltung in der BRD-Vertretung am
28. April hatte ich noch ein Gespräch mit Schlesinger in der Gast-
stätte Papst in der Brunnenstr. Ich wies bei meinem Bericht über die
Veranstaltung in der Vertretung bereits darauf hin. Es ging nochmals
um die Anthologie »Berliner Geschichten«. Schlesinger fing selbst
davon an.

Er fühle sich verpflichtet, mich als Mitautor vom neuesten Stand
der Sache zu unterrichten. Auf die schriftliche Darstellung hin, über
die ich bereits berichtete, seien Plenzdorf, Stade und er zu Hermann
Kant geladen worden. Kant sei jedoch auf den Inhalt der »Darstellung« so gut wie gar nicht eingegangen. Er habe sie schlechthin der
Verleumdung des Schriftstellerverbandes beschuldigt und ihnen mit
dem Ausschluß aus dem Verband gedroht, wenn sie nicht sofort das
gesamte Manuskript einschließlich der Beiträge, die nach der Sep-
temberberatung noch hinzugekommen sind, dem Verband zur
Prüfung übergeben. Erst nach Prüfung durch den Verband und das
Ministerium für Kultur könne entschieden werden, ob das vorliegende Manuskript zur Veröffentlichung freigegeben werden kann.
Mit ihrer »Eigeninitiative« hätten sie das Statut des Verbandes verletzt, habe Kant noch hinzugefügt.

Auf einen »energischen Protest« hätten sie, also Plenzdorf, Stade
und Schlesinger, verzichtet, um die Sache nicht noch mehr zuzu-
spitzen und um den Mitautoren nicht die weitere Entwicklung zu
verbauen. Sie hoffen, daß sie dafür »Verständnis« bei den Autoren
ernten. Gemäß Kant's Forderung haben sie ihm ein Exemplar
des gesamten Manuskriptes zugeleitet. So wie ich, würden nach und
nach alle anderen Mitautoren von Schlesinger, Stade oder Plenzdorf persönlich unterrichtet. Er wies mich noch darauf hin, daß ich
mich auf eine Aussprache im Verband vorbereiten soll. Für alle
Fälle, meinte er, da meine Geschichte ja auch politisch etwas brisant
sei.

In diesem Zusammenhang nannte mir Schlesinger noch folgende Autoren, die nach dem September 1975 noch Beiträge eingereicht haben:

Wolfgang Trampe, Berlin
Joachim Seyppel, Berlin
Hasso Laudon, Berlin
Jochim Walther, Berlin
Ekkehardt Krumbholz, Berlin
Egbert Lipenski, Potsdam.

Er nannte auch noch einen Namen aus Cottbus, den ich aber leider nicht verstanden habe. Eine Möglichkeit, unauffällig danach zu fragen, ergab sich leider nicht.

Kant sei von ihnen auch unterrichtet worden über ihre Verhandlungen mit dem Buchverlag »Der Morgen«. Einwände gegen eine Weiterführung der Verhandlungen habe er nicht gemacht, doch mit Nachdruck darauf hingewiesen, daß er den Verlagsleiter Tänzler von der Aussprache mit ihnen in Kenntnis setzen werde.

Inzwischen hat ein weiteres Gespräch zwischen Plenzdorf, Schlesinger, Stade und Tänzler stattgefunden. Der Cheflektor des Verlages, Henniger, sei auch dabei gewesen. Tänzler habe ihnen bestätigt, daß er von Kant »gewarnt« wurde. Er will dennoch versuchen, wenigstens einige Beiträge zu verwerten. Auch Tänzler ist jetzt im Besitz eines Gesamtmanuskriptes. Tänzler und Henniger haben sich vorbehalten, mit den Autoren zu sprechen, wenn sie Änderungen für erforderlich halten. Plenzdorf, Schlesinger und Stade hätten ihnen dieses Recht eingeräumt.

Auf diese Weise wäre nun das eigentliche Vorhaben der Organisatoren »gestorben«. Ob nun wenigstens literarisch aus der Anthologie noch etwas werde, hänge jetzt wesentlich von den »Launen der Leute im Verband, im Ministerium und Tänzler« ab.

Schlesinger erklärte mir bei diesem Gespräch, »er wird sich hüten, noch einmal in so einer Sache den Vorreiter zu machen«. So etwas bringe nur Ärger ein. Er sei um eine Erfahrung reicher. Seine volle Konzentration werde er in nächster Zeit seinem Kleistthema widmen.

Berlin, den 3. Mai 1976   Wild
                                                          Major

Verwaltung für Staatssicherheit   21. 5. 1976
Cottbus   IME »Heinrich«
Abteilung XX/7
mündlich entgegengen.:
durch Ltn. Lieback am 14. 5. 1976

Bericht zur Person Schlesinger, Klaus
und zur Berliner Anthologie

Der IM berichtete, daß er erneut angesprochen wurde, von der Anthologie, die von Schlesinger, Plenzdorf organisiert wird, zurückzutreten. Diesmal von Frau Baumert – Lektorin vom Kinderbuchverlag. Der IM schätzt dazu ein, daß er gar nicht an dieser Sache hängt, aber er mache weiter mit. Nur seine Freunde wenden sich ab, er sei der »böse« Onkel oder das »verirrte« Schaf. Inzwischen hat der IM einige Namen von Autoren erfahren, die sich an der Anthologie beteiligen.
– Klaus Schlesinger
– Ulrich Plenzdorf
– Stade
– Christa Wolf (nur Unterstützungsbrief)
– Günter Kunert
– Dr. Wolfgang (?) Schubert – Lektor Aufbauverlag
– Richard Leskien – Dramaturg DDR-Fernsehen (hat zurückgezogen)
– Volker Braun (?)
– Klingler
Der IM meint, daß dies alles »keine gewissen« Leute seien, wie sich Frau Baumert ausdrückte, sondern es sind namhafte Personen, die in unserer Gesellschaft integriert sind.

Der IM hat an Schl. geschrieben, er solle ihm endlich die Arbeiten schicken, sonst könne er nichts zur Verteidigung der Anthologie tun.

Schl. antwortete am 30. 4. 76, daß er das schnellstens tun werde, 150 Seiten müssen noch abgeschrieben werden. Er hätte einen Unfall mit leichtem Personenschaden gehabt. Er sei erstaunt über die Gegenpropaganda zu ihrer Anthologie. In Berlin sei es ruhiger geworden. Sie würden jetzt mit dem Buchverlag »Der Morgen« in Verhandlung stehen. Leskien habe seine Geschichte zurückgezogen und berichtet, daß die erste Zusammenkunft der Autoren in eine wüste Schimpferei ausgeartet sei. Er habe dem anderen schlechte Qualität seiner Arbeit vorgeworfen. Alles in allem sei das eine ganz morbide Sache. Aber L. sei dabei von einer sehr subjektiven Seite herangegangen. An der 1. Fassung der Anthologie seien 17 Autoren beteiligt, die Zahl habe sich jetzt noch erhöht.

Lieback
Leutnant

Verwaltung für Staatssicherheit   Berlin, den 11. 08. 1976
Groß-Berlin   Ho
Abteilung XX/7

Abschlußvermerk zum operativen Material
»Selbstverlag«

Die operative Bearbeitung des im operativen Material »Selbstverlag« bearbeiteten Personenkreises verfolgte folgende Zielstellung:

In koordinierter operativer Bearbeitung aller an der Anthologie beteiligten Personen durch alle entsprechenden Diensteinheiten ist zu erreichen

– daß die Anthologie »Berliner Geschichten« nicht vor dem IX. Parteitag der SED in einem Eigenverlag erscheint und die beteiligten Autoren von diesem Vorhaben der Gründung eines Eigenverlages Abstand nehmen;

– daß die Anthologie nicht vor dem IX. Parteitag der SED durch einen DDR-Verlag veröffentlicht wird;

– daß die Anthologie nicht einem Verlag außerhalb der DDR zur Veröffentlichung angeboten wird;

– daß es den Organisatoren der Anthologie nicht gelingt, die Arbeit an der Anthologie für einen öffentlichen Angriff auf die Kulturpolitik vor dem IX. Parteitag der SED zu mißbrauchen.

Von seiten der Abteilung XX der Verwaltung Groß-Berlin wurde die Bearbeitung innerhalb der operativen Vorgangsmaterialien

VAO »Schreiberling«
IM-Vorgang »Roman«
IM-Vorlauf »Boxer«

OPK »Schubert«
OPK »Erb«   durchgeführt.

Durch einen umfangreichen koordinierten IM-Einsatz sowie den Einsatz anderer operativer Mittel und Methoden konnten die Pläne und Absichten der Organisatoren der Anthologie rechtzeitig aufgedeckt werden. Durch eine breite Einbeziehung gesellschaftlicher und staatlicher Kräfte und den konzentrierten IM-Einsatz sowie die Einleitung differenzierter Zersetzungsmaßnahmen wurde die Zielstellung der operativen Bearbeitung des operativen Materials »Selbstverlag« erreicht.

Dabei wurden folgende Ergebniss erzielt:
- im Kreise der beteiligten Autoren wurden die unterschiedlichen Absichten und Auffassungen ausgenutzt, um einen beschleunigten Differenzierungsprozeß zu erzielen;
- es gelang, die Organisatoren durch andere Beteiligte so zu beeinflussen, daß von einer Veröffentlichung außerhalb der DDR Abstand genommen wurde und auch keine öffentlichen Diskussionen über die geplante Anthologie zustande kamen;
- die Fertigstellung des Manuskriptes wurde um drei Monate verzögert und konnte erst im März 1976 vollendet werden;
- das fertiggestellte Manuskript mußte offiziell dem Buchverlag »Der Morgen« angeboten, wo entsprechend der dafür geltenden Bestimmungen und kulturpolitischer Normative über eine Veröffentlichung des gesamten Manuskriptes oder Teile daraus entschieden wird.

Im Zusammenhang mit der operativen Bearbeitung im operativen Material »Selbstverlag« konnten auch entsprechend der Zielsetzungen der og. Vorgänge Fortschritte in der Aufklärung und Bearbeitung der bearbeiteten Personen erzielt werden.

Die Bearbeitung der beteiligten Personen aus dem Verantwortungsbereich der Abteilung XX der Verwaltung Groß-Berlin wird entsprechend der jeweiligen Zielstellungen in den oben genannten Vorgängen fortgeführt.

Die gesonderte Bearbeitung der beteiligten Personen innerhalb des operativen Materials »Selbstverlag« wird eingestellt.

Holm
Lth.

Ministerrat
der Deutschen Demokratischen Republik
Ministerium für Staatssicherheit
Hauptabteilung XX
Leiter

Berlin, den 2. 9. 1976
Kie/Li
HA XX/Ltr/12457/76

Bezirksverwaltung
für Staatssicherheit
Abteilung XX
Leiter
Berlin

Operativer Schwerpunkt »Selbstverlag«

Die zentrale politisch-operative Bearbeitung des operativen Schwerpunktes »Selbstverlag« hat mit der Verwirklichung der politisch-operativen Zielstellung, der Unterbindung des Vorhabens und der Verhinderung störender Auswirkungen auf die Politik der Partei, vorläufig ihren Abschluß gefunden.

Durch die gute koordinierte politisch-operative Bearbeitung und das Zusammenwirken aller Diensteinheiten war es möglich, die mit der Partei abgestimmten Maßnahmen zu realisieren und die beabsichtigte Wirkung zu erreichen.

Unter Beachtung der verschiedenen individuellen Verhaltensweisen der an diesem Vorhaben beteiligt gewesenen Autoren und ihrer Grundhaltung zur Politik der Partei sowie ihrer Verbindungen, Kontakte und Kanäle zu anderen negativen und feindlichen Kräften, sind auf der Grundlage der bereits erarbeiteten Erkenntnisse geeignete politisch-operative Maßnahmen zur weiteren operativen Bearbeitung und Kontrolle in eigener Zuständigkeit einzuleiten und durchzusetzen.

Die nachstehend aufgeführten Maßnahmen zur politisch-operativen Kontrolle und Bearbeitung der bekanntgewordenen negativen Personen und ihrer Verbindungen sind unter dem Aspekt ihrer evtl. weiteren feindlichen Absichten zu realisieren.

Eine ständige Berichterstattung zu diesem Problem ist zur Zeit nicht erforderlich. Sollten neue wichtige Erkenntnisse über weiteres feindliches Vorgehen bekannt werden, ist sofort wieder auf Linie zu berichten.

Kienberg
Generalmajor

Verwaltung für Staatssicherheit   Cottbus, 10. 11. 1976
Cottbus   IME »Heinrich«
Abteilung XX/7
mündl. entgegengenommen
durch Oltn. Lieback

Bericht

Der IM hat Schl. während der Autorentagung beim Hinstorff-Verlag
wiedergetroffen. Schl. erzählte, daß er geschrieben habe und es nicht
verstehe, wieso der IM den Brief nicht bekommen habe.

(...)

Der IM fragte nach der Anthologieproblematik. Schl. erzählte, daß
die Manuskripte noch beim Buchverlag »Der Morgen« liegen. Der
IM meinte, daß damit die ursprüngliche Idee – Autorenedition –
gestorben sei. Das gäbe doch keine »Musik« mehr.

Schl. meinte zweideutig, daß das noch Musik geben werde. Auf ein
evtl. Gespräch mit Heym und Plenzdorf eingehend meinte
Schl., daß das möglich wäre, ansonsten wich er dieser Problematik aus.

Schl. lud den IM zu sich ein.

Lieback
Oberleutnant

Verwaltung für Staatssicherheit   Cottbus, den 22. 01. 1977
Cottbus   IME »Heinrich«
Abteilung XX/7
mündl. entgegengenommen durch
Oltn. Lieback

Bericht zur Person Schlesinger, Klaus

Der IM hat wieder an Schlesinger geschrieben. Er legte ihm in seinem
Brief dar, daß er mit der ganzen Sache Biermann nicht klarkomme.
Auf der einen Seite stünden jetzt Hacks und andere und auf der ande-

ren Christa Wolf usw. Das wäre, wenn man die bisherige Entwicklung betrachte, eine Seitenverkehrung usw.

Schlesinger hat auf das Schreiben des IM geantwortet. Er beklagte sich in seinem Brief über die lange Laufzeit des Briefes des IM. Er schickte dem IM den Umschlag des Briefes von ihm wieder zurück zur Kontrolle, ob er evtl. geöffnet wurde. Eine Ecke war beim Schließen des Briefes vom IM eingerissen worden. Schl. meinte dazu, so kämen seine Briefe jetzt immer an.

In Sachen Anthologie engagiere er sich nicht mehr, teilte Schl. mit. Er gebe das Projekt auf, bot aber gleich dem IM an, selbst als Herausgeber zu fungieren. Als Gründe für das Aufgeben nannte Schl.: Intrigen, Verleumdungen über das Projekt und die beteiligten Autoren, durch Funktionäre des Verbandes Beschuldigung der Gruppenbildung; gemeint war aber eine konterrevolutionäre Erhebung;

Schl. teilte mit, daß die Texte ihm nicht wichtiger seien als der Vorgang. Er selbst habe nie das Interesse gehabt als Herausgeber einer Anthologie zu fungieren. Für ihn wäre die Idee interessant gewesen: den Produzenten mehr Chancen zu geben bei der Realisierung ihrer Produktion;

Mitentscheidung über die Zusammenstellung, Auflage und Gestaltung sowie der Verteilung des Gewinns;

jetzt sei der Dampf raus aus der Sache. Er habe zwei Jahre an der Sache gesessen und es sei nichts daraus geworden. Verschiedene Texte wurden schon woanders veröffentlicht, einige durften nicht rein usw. Wenn er so etwas noch einmal machen sollte, dann modifizierter und zu einem anderen Zeitpunkt. Schl. kündigte aber noch einen Brief zur Klärung der Sachlage an alle Beteiligten der Anthologie an.

(...)

Der IM schätzt auch ein, daß ihm der Brief beweise, daß die Berliner Leute ihm nicht mißtrauen, sonst hätte Schl. nicht geschrieben – vor allem so offen. Dadurch würde er sicher die Möglichkeit erhalten, näher an diese Personen heranzukommen.

Quellenschutz !!! beachten !!!

Lieback
Oberleutnant

Personenverzeichnis

Jurek Becker geboren 1937 in Lodz, Schriftsteller. Seit 1957 Mitglied der SED, wird 1977 aufgrund des Protests gegen die Ausbürgerung Wolf Biermanns aus der Partei ausgeschlossen, seit 1979 lebt er in West-Berlin.

Wolf Biermann geboren 1937 in Hamburg, Liedermacher. Seine Ausbürgerung 1976 – während er in Köln sein erstes Konzert seit seinem Aufführungsverbot 1965 in der DDR gibt – führt in der DDR zu überraschend zahlreichen und heftigen Protesten, die in Parteiausschlüssen und Ausreisen aus der DDR münden.

Thomas Brasch geboren 1945 in Westow/Yorkshire, Schriftsteller. Sohn eines Emigranten, lebte ab 1947 in der DDR, seit 1977 in der Bundesrepublik.

Volker Braun geboren 1939 in Dresden, Schriftsteller.

Günter de Bruyn geboren 1926 in Berlin, Schriftsteller.

Erika Büttner Mitarbeiterin im zentralen Vorstand des Schriftstellerverbandes der DDR, zuständig für Nachwuchsarbeit.

Günter Cwojdrak geboren 1923, Publizist, Kritiker.

Peter Edel geboren 1921, Schriftsteller.

Elke Erb geboren 1938 in Scherbach/Eifel, Schriftstellerin.

Fritz Rudolf Fries geboren 1935 in Bilbao, Schriftsteller und Übersetzer. Lebt seit 1942 in Deutschland.

Günter Görlich geboren 1928, Schriftsteller. In den siebziger Jahren Vorsitzender der Berliner Sektion des Schriftstellerverbandes der DDR.

Paul Gratzik geboren 1935, Schriftsteller.

Uwe Grüning geboren 1942 in Pabianice/Lodz, Schriftsteller.

Peter Hacks geboren 1928 in Breslau, Schriftsteller. Er siedelte 1955 vom Westen in die DDR über.

Gert Härtl (d. i. Gert Neumann), geboren 1942, Schriftsteller.

Heide Härtl geboren 1943, starb 1993, Schriftstellerin.

Kurt Hager geboren 1912 in Bietigheim/Enz, Mitglied des Politbüros und Sekretär des Zentralkomitees der SED. Hager war führender Ideologe in der Kulturpolitik der DDR.

Helmut Hauptmann geboren 1928, Schriftsteller.

Harald Hauser geboren 1912, Schriftsteller.

Hanna Heide-Kraze geboren 1920, Schriftstellerin.

Peter Heldt geboren 1933, Abteilungsleiter Kultur im Zentralkomitee der SED, später Professor für Wirtschaftsgeschichte in Leipzig.

Gerhard Henniger geboren 1928 in Großkamsdorf bei Saalfeld. Kulturbundfunktionär und seit 1966 1. Sekretär des Schriftstellerverbandes der DDR.

Heiner Henniger damals Cheflektor im Verlag Der Morgen.

Stephan Hermlin geboren 1915 in Chemnitz, Schriftsteller. Widerstandskämpfer im Nationalsozialismus, emigrierte er 1936 aus Deutschland und siedelte 1947 nach Ost-Berlin über.

Stefan Heym geboren 1913 in Chemnitz, Schriftsteller. Er emigrierte 1933 und lebt seit 1953 in Ost-Berlin. Seit seinem Protest gegen die Biermann-Ausbürgerung publizierte er fast nur noch in der Bundesrepublik, 1979 wurde er aus dem Schriftstellerverband der DDR ausgeschlossen. Seit 1994 Mitglied des Bundestages (PDS) und dessen Alterspräsident.

Hans-Joachim Hoffmann geboren 1929 in Bunzlau, starb 1994 in Berlin. SED-Funktionär, von 1973 bis 1989 Minister für Kultur.

Gerhard Holz-Baumert geboren 1917, Schriftsteller, Kinderbuchautor.

Klaus Höpcke 1973 bis 1989 stellvertretender Minister für Kultur, Leiter der Hauptverwaltung Verlage und Buchhandel.

Gisela Hübschmann Mitarbeiterin im zentralen Vorstand des Schriftstellerverbandes der DDR, zuständig für Nachwuchsarbeit.

Karl-Heinz Jakobs geboren 1929 in Kiauken/Ostpreußen, Schriftsteller. Nach dem Protest gegen die Ausbürgerung Biermanns 1976 Ausschluß aus dem Schriftstellerverband der DDR, in dem er Vorstandsmitglied war, und aus der SED, deren Berliner Parteileitung er angehörte. Seit 1981 lebt er in Velbert.

Bernd Jentzsch geboren 1940 in Plauen/Vogtland, Schriftsteller. 1965 bis 1974 war er Verlagslektor in Ost-Berlin, nach dem Protest gegen die Biermann-Ausbürgerung lebte er seit 1976 in der Schweiz.

Hermann Kant geboren 1926 in Hamburg, Schriftsteller und

seit 1969 Vizepräsident, ab 1978 Präsident des Schriftstellerverbandes der DDR.

Uwe Kant geboren 1936, Schriftsteller.

Rainer Kerndl geboren 1928, Schriftsteller.

Generalmajor Kienberg Leiter der Hauptverwaltung XX im Ministerium für Staatssicherheit.

Rainer Kirsch geboren 1934 in Döbeln/Sachsen, Schriftsteller.

Sarah Kirsch geboren 1935 in Limlingerode/Harz, Schriftstellerin. Lebte seit 1968 in der DDR, seit 1979 in der Bundesrepublik.

Hans-Ulrich Klingler Schriftsteller.

Erich Köhler geboren 1928 in Karlsbad, Schriftsteller.

Wolfgang Kohlhaase geboren 1931 in Berlin, Schriftsteller.

Eckart Krumbholz geboren 1937 in Weimar, Schriftsteller und Kritiker.

Marianne Küchler Funktionärin im Berliner Schriftstellerverband der DDR.

Günter Kunert geboren 1929 in Berlin, Schriftsteller. Mitunterzeichner der 1. Biermann-Petition, 1977 Ausschluß aus der SED, lebt seit 1979 in der Bundesrepublik.

Wolfgang Landgraf geboren 1948, Schriftsteller.

Werner Lamberz geboren 1929 in Mayen/Eifel, kam 1978 bei einem Hubschrauberabsturz in Libyen ums Leben. Mitglied des Politbüros und Sekretär des Zentralkomitees der SED.

Hasso Laudon geboren 1932 in Berlin, Schriftsteller.

Werner Lenz geboren 1923, Schriftsteller.

Jürgen Leskien geboren 1939, Schriftsteller.

Werner Liersch in den siebziger Jahren Redakteur der Zeitschrift *neue deutsche literatur*.

Roland Links damals Lektor im Verlag Volk und Welt.

Egbert Lipowski geboren 1943, Schriftsteller.

Christian Löser in den siebziger Jahren Redakteur der Zeitschrift *neue deutsche literatur*.

Karl Mickel geboren 1935 in Dresden, Schriftsteller.

Erich Mielke geboren 1905 in Berlin, Mitglied des Politbüros des Zentralkomitees der SED, 1957 bis 1989 Minister für Staatssicherheit.

Rudi Mittig geboren 1925 in Reichenbach, Generalmajor, 1974 bis 1989 stellvertretender Minister für Staatssicherheit.

Irmtraud Morgner geboren 1933 in Chemnitz, starb 1990 in Ost-Berlin, Schriftstellerin.

Sepp Müller damals Sekretär des Berliner Schriftstellerverbandes der DDR.

Heiner Müller geboren 1929 in Eppendorf/Sachsen, Schriftsteller.

Wolfgang Müller geboren 1941, Schriftsteller.

Renate Nagel in den siebziger Jahren Lektorin des Schweizer Benziger Verlags.

Konrad Naumann geboren 1929 in Leipzig, starb 1992 in Quito/Ekuador. Mitglied des Politbüros und Sekretär des Zentralkomitees der SED, 1971 bis 1986 1. Sekretär der SED-Bezirksleitung Berlin.

Eberhard Panitz geboren 1932 in Dresden, Schriftsteller.

Doris Paschilla Schriftstellerin.

Heinz Plavius Literaturwissenschaftler, Mitglied im Vorstand des Schriftstellerverbandes der DDR.

Ulrich Plenzdorf geboren 1934 in Berlin, Schriftsteller.

Ursula Ragwitz geboren 1928 in Cottbus, ab 1973 stellvertretende, von 1976 bis 1989 Abteilungsleiterin für Kultur im Zentralkomitee der SED.

Konrad Reich Leiter des Hinstorff Verlags.

Anna Seghers geboren 1900 in Mainz, starb 1983 in Berlin. Schriftstellerin und Präsidentin des Schriftstellerverbandes der DDR von 1952 bis 1978, anschließend Ehrenpräsidentin. Sie war seit 1928 Mitglied der KPD und im selben Jahr Gründungsmitglied des »Bundes proletarisch-revolutionärer Schriftsteller«.

Klaus Schlesinger geboren 1937 in Berlin, Schriftsteller.

Rolf Schneider geboren 1932 in Chemnitz, Schriftsteller.

Karl-Eduard von Schnitzler geboren 1918 in Berlin, Chefkommentator des Fernsehens der DDR, 1960 bis 1989 Autor und Chefmoderator der Sendung »Der schwarze Kanal«.

Stephan Schnitzler Arzt, Sohn des Fernsehkommentators, gehörte zum Freundeskreis der Herausgeber.

Helga Schubert geboren 1940 in Berlin, Schriftstellerin.

Hansdieter (Dieter) Schubert geboren 1929 in Görlitz, Schriftsteller. Wegen öffentlicher Kritik an der Kulturpolitik der SED wurde er 1979 aus dem Schriftstellerverband ausgeschlossen.

Helga Schütz geboren 1937 in Falkenhain/Schlesien, Schriftstellerin.

Joachim Seyppel geboren 1919 in Berlin, Schriftsteller. 1973 Übersiedlung in die DDR, nach Ausschluß aus dem Schriftstellerverband 1979 Ausreise in die Bundesrepublik.

Klaus Sommer damals Lektor im Verlag Neues Leben.

Martin Stade geboren 1931 in Haarhausen b. Arnstadt (Thür.), Schriftsteller.

Rudi Strahl geboren 1931, Schriftsteller.

Dirk Straßenberger Jurist, gehört zum Freundeskreis der Herausgeber.

Wolfgang Tenzler damals Verlagsleiter des Buchverlags Der Morgen.

Katharina Thalbach Schauspielerin.

Wolfgang Trampe geboren 1939, Schriftsteller.

Fred Viebahn Schriftsteller aus West-Berlin.

Jean Villain (d. i. Marcel Brun) geboren 1928, Publizist.

Fritz-Georg Voigt damals Leiter des Aufbau-Verlags.

Joachim Walther geboren 1943 in Chemnitz, Schriftsteller. Er war zuvor Lektor und Redakteur, seit 1972 Mitglied des Schriftstellerverbandes der DDR. In den achtziger Jahren innere Emigration in Mecklenburg.

Berta Waterstrat geboren 1907 in Kattowitz, Schriftstellerin.

Bettina Wegner geboren 1947 in Berin, Liedermacherin.

Ruth Werner geboren 1907 in Berlin, Schriftstellerin.

Eva Windmöller-Höpker damals DDR-Korrespondentin der Zeitschrift STERN.

Christa Wolf geboren 1929 in Landsberg/Warthe, Schriftstellerin.

Gerhard Wolf geboren 1928 in Bad Frankenhausen (Kyffhäuser), Schriftsteller.

Richard Zipser damals Dozent am Oberlin College in Ohio, USA.

Anmerkungen und Abkürzungen

»Auftrag A«: Telefonüberwachung

»Becher-Klub«: Klub der Kulturschaffenden Johannes R. Becher

BL der SED: Bezirksleitung der Sozialistischen Einheitspartei Deutschlands

»Buridan«: bezieht sich auf Günter de Bruyns Roman *Buridans Esel*

DE: Diensteinheit

DEFA: Deutsche Film-Aktiengesellschaft, Staatliche Filmgesellschaft der DDR

DTSB: Deutscher Turn- und Sportbund der DDR

Hauptabteilung XX im Ministerium für Staatssicherheit: zuständig für den Bereich Kultur und Literatur

IM: Inoffizieller Mitarbeiter (des Ministeriums für Staatssicherheit)

IMB: IM »zur unmittelbaren Bearbeitung in Verdacht der Feindtätigkeit stehender Personen und zur Bearbeitung feindlicher Stellen und Kräfte«

IME: IM »im besonderen Einsatz«

IMF: IM »der Abwehr mit Feindverbindungen«

IMS: IM »für Sicherheit«

IMV: IM »mit vertraulichen Verbindungen«

KA: gemeint ist: Kapitalistisches Ausland

»KD«: Kreisdienststelle des Ministeriums für Staatssicherheit

MfK: Ministerium für Kultur

ndl: neue deutsche literatur, Zeitschrift des Schriftstellerverbandes der DDR

OPK: Operative Personenkontrolle

»SRT-, M- und Zollüberwachung«; SRT: Selbständiges Referat Reisen und Touristik; M-Überwachung: Postüberwachung

»Vertretung«: gemeint ist die Ständige Vertretung der BRD in der DDR

VP: Volkspolizei

11. Plenum (des Zentralkomitees der SED) im Dezember 1965: berüchtigte Sitzung wegen kultureller Verdikte gegen Öffnungsbestrebungen in Kunst und Literatur

8. Parteitag (der SED), 1971: Wechsel von Walter Ulbricht zu Erich Honecker in der Spitze der SED, Beginn einer kulturellen Liberalisierungsphase, die bis 1975 dauerte

(...) kennzeichnen Auslassungen im Text

[...] kennzeichnen Schwärzungen in den Dokumenten des Ministeriums für Staatssicherheit, die nicht aufgelöst werden konnten

Literaturwissenschaft
in den suhrkamp taschenbüchern

259/1/11.94

Literaturwissenschaft
in den suhrkamp taschenbüchern

259/2/11.94